KB080998

위기청소년과 형사채무자의 가치회복을 위한 {치유농업 세미나} 특별판에 붙여

2014년 04월 10일,
소박한 봉사활동 단체 겸사모를 꾸린 후 지난 10년간 지속적인 집필, 명상, 봉사활동 등을 통해 형사채무자의 사회적 가치회복을 연구해왔습니다.

형사채무자 문제는
년간 200만 건에 이르는 형사문제로부터 일어나고,
이 문제는 위기청소년 문제로 확대 재 생산되어 이 문제는 형사채무자 등 취약계층을 증가시키는 악순환이 반복 되어 왔습니다

경기침체에서 코로나에 이르기까지,
다양한 문제로 인한 가치손상은 결국 형사문제의 본질이 된다는 점에서 이들에 대한 가치회복은 형사채무자 등 취약계층 문제 해결의 본질이라는 점에서 봉사활동, 반성문 돕기, 명상지도, 강의, 집필 등 할 수 있는 다양한 방법으로 가치회복을 돕던 중

2019년 11월 부터 시작된 코로나 사태가,
사람들의 가치손상으로 이어지고 결국 형사문제를 가중시키는 큰 원인으로 파악되던 중, 2020년 10월에 있었던 치유농업법 입법.시행 [법률 제17100호 공포일 2020.03.24 시행일 2021.03.25 제정]으로 치유농업이야 말로 손상된 가치를 회복시킬 수 있는 방법으로 인식되었고 이후 지난 3년간의 치유농업 공부와 선친 농업국의 사례 등에 대한 조사. 연구를 통해 형사채무자 등의 손상된 가치회복 방법으로서 치유농업을 확립하게 되었습니다

치유농업은,
농업의 자연력에 기반한 가치회복 방법이라는 점에서 형사채무자와 위기 청소년 뿐 아니라 72.4%에 이르는 소멸위기 농촌의 가치회복에도 기여할 수 있는 매우 바람직한 방법으로 확인되고 있습니다

이러한 기회가,
지속가능한 체제로 발전하기 위해서는 치유농업 전문가가 이들의 가치회복에 대해 이해하는 한편, 위기 청소년, 형사채무자 등 취약계층에 대한 전문가들이 치유농업을 이해하게 될 때, 이들에 대한 사회적가치 회복이 촉진 되고 결국 형사문제 예방과 재범률 하락으로 결과 될 것입니다.

그와 같은 맥락에서,
이번 세미나는 향후 치유농업과 적극적으로 융합되어야 할 사회 각분야, 철학에서, 정치학, 사회학, 사회복지학, 그리고 뇌과학의 전문가들이 치유농업 전문가와 협업하여 보다 적극적으로 사회적 가치회복 체제를 구축에 기여할 수 있는 기회를 위해 기획 되었으며 이 책 또한 같은 취지로 재 편집, 출판하게 되었습니다

KSi 한국사회적가치회복연구원 창립세미나

위기청소년과 형사채무자의
사회적 가치회복을 위한 치유농업

일시 2023년 12월 18일 (월) 오후 14:00 ~ 16:00
장소 국회의원회관 제8간담회실 (서울시 영등포구 의사당대로 1)
주최 한국사회적가치회복연구원 | 고영인 국회의원실
주관 한국사회적가치회복협회 | 가톨릭관동대학교 치유농업사양성교육원
후원 (사)서민금융연구원 | 한국수생명연구소(주)

세부 프로그램

사회 유진형 (한국사회적가치회복연구원 대표)
연주 김현령 (축하연주 | 오보에)

좌장 박태순 (미디어로드 소장 | 정치학 박사)
발제 전경숙 (한국사회적가치회복연구원 연구위원 | 뇌과학 박사)
"위기청소년의 뇌상태와 심신회복을 위한 치유농업 효능"

토론
김종현 (전, 청소년수련관 관장 | 목포YMCA이사)
고재욱 (가톨릭관동대학교 사회복지학과 교수 | 치유농업사양성교육원 책임교수)
고강휘 (춘천교도소 교정위원 | 철학 박사)
박동현 (노동 및 청소년 진로전문가 | 사회학 박사)

KSi 한국사회적가치회복연구원
Korea Social Value Recovery institute
http://www.KSVRi.kr
010-3452-1587
youksvri@gmail.com

개회사

안녕하십니까,

저는 오늘 가톨릭 관동대학교 치유농업사 양성교육원과 공동으로 세미나를 주관하게 된, 한국사회적가치회복협회의 대표직을 맡고 있는 유세형입니다

우선,
평소 청소년 문제에 많은 관심을 가져 주시고, 이 세미나를 우리 연구원과 공동 주최하여 주신 존경하는 고영인 국회의원님께 감사드립니다.

그리고,
위기청소년-형사채무자 문제의 치유농업적 해법을 도출하기 위해
철학에서, 정치학, 사회학, 사회복지학, 뇌과학, 수산학 그리고 치유농업에 이르기까지 여기 참석하신 각 분야의 전문가 분들과 내빈들에게도 감사드리며

치유농업의 활성을 위해 불철주야 노력하고 있는 농촌진흥청 치유농업추진단을 비롯,
전국 농업기술센터 치유농업 담당 님들께 진심으로 감사드립니다

더하여,
우리 협회와 세미나 공동주관 하시고, 패널로써도 참여해 주신
관동대학교 사회복지학 교수이며, 치유농업사 양성과정 책임교수이신 고재욱 교수님께는 양성과정 수료자로서 감사말씀 드립니다

지난 십 여년간,
봉사활동, 저술, 명상을 통해 그들의 가치회복의 방법을 탐구하면서 3년 전 발견한 치유농업은 목마르게 추구하던 가치회복의 종합적 해법이었고 이후 저는 보시다시피 농부가 되었고 치유농부가 되어 가고 있습니다

당시 낫 놓고 기역자 밖에 몰랐던 제가,
지난 3년간의 농업공부를 통해 농업의 치유력을 스스로 체험하면서 이제 낫 놓고 치유농업까지 이해하게 되어 그들에게 어떻게 적용할 것인가를 늘 탐구하여 왔으며 오늘 이 세미나는 그 탐구로부터 형성된 씨앗이 이라 할 수 있습니다

오늘 이 세미나의 제목이,
{위기청소년과 형사채무자의 사회적가치회복을 위한 치유농업}이 된 이유는 위기청소년 문제가 형사채무자와 직결되어 있어 이에 대한 통합적 해법으로서 치유농업이 최선인 한편, 네덜란드, 노르웨이 등 선진농업국에서 제시된 바와 같이 72.4%의 소멸위기에 처한 농촌의 위기해소 에도 기여할 수 있는 1석 3조의 방법이기 때문입니다

이 세미나 이후,
금융업계 등 치유농업과 융합가능한 다른 많은 분야와 협업하여 지속적인 연구. 탐구로 사회적 사회적가치회복에 기여할 수 있는 기회 가지기 희망하며, 오늘 이 의미 깊은 세미나를 통해 그 싹을 틔우게 해주신 존경하는 고영인 국회의원님 그리고 내빈 여러분께 다시 한번 감사 말씀드리며 개회사에 갈음합니다

감사합니다

강제로라도 반성을 도우시는

- 조사관님,
- 검사님,
- 판사님,
- 변호사님,
- 교도관님,

그리고 이 모든 일을 가능케하는 우리 사회에 깊이 감사드립니다

누는 즐거움

이 글 들은,
사회적 죄가 드러난 200만 명(건)을 위한
글이지만

아직 그 죄가 드러나지 않은,
당신을 위한 글이기도 합니다.

감수사: 정진 변호사

내가 이 책의 저자와 관계를 가진 것이 2014년 8월이니 벌써 7년이 넘어가고, 이 책 반성별곡의 전편인 '반성수행가이드'를 감수한지도 벌써 4년 전의 일입니다

형사적 문제에 봉착한 피의자, 피고인 등은 본인 뿐 아니라 가족까지 결과가 어떻게 되든 손가락질 받는 것이 일반적입니다. 그럼에도 불구하고 "반성하고자 하는 사람은 도움 받아야 한다"고 하며, 범죄에 대한 사회적 책임을 주장하는 그의 노력은 아직 그 성과가 적다고 하더라도 격려할 만한 일이기도 합니다

수 만원에서 수십만원씩까지 하는 대필 반성문도 있지만 반성문에 관한한 완전히 무상으로 도움주는 저자는, 선처 받기 위해 억지로라도 반성을 시작하지만 결국 형사적 선처를 넘어 가치회복으로 결과되는 반성의 고귀함은 돈으로 환산할 수 없다고 말합니다

이러한 생각으로 지난 9년 간 계속된 그의 노력으로 수많은 반성문 자료가 축적되어. 무상으로 공유되고 있으니 진지한 반성에 도움이 필요한 사람에게는 많은 도움이 되는 것도 사실입니다.

이 책에 자주 나오는 형사반성, 강제수행, 형사채무자 등 다소 생소한 언어들은 저자의 반성에 대한 탐구 결과물이기도 합니다.

"반성별곡"이라는 제목으로 나온 이 책은, 매년 200만 여명(건)에 이르는 형사채무자 들의 반성을 돕기 위한 목적이지만, 아직 고소 고발되지 않는 더 많은 사람들을 위한 고민의 결과라고 합니다.

법치사회는 "죄"라고 하는 화폐로 움직인다고 하는 저자의 말은, 대개의 범죄가 돈이 원인이라는 점에서 죄에 대한 그의 특이한 통찰력은 금융전문인으로서의 그의 전력으로 비롯되었다는 점에서 고개를 끄덕이게 하는 대목이기도 합니다.

반성이라는 주제로 시작하여 가치회복으로 마무리하고자 하는 이 책은 반성이라는 고귀한 주제에 비추어 턱 없이 미숙함을 고백하는 저자에게 변호사로서 격려하고 싶습니다.

특히, 이 책의 변호사 사용법에서 언급된 "변호사의 노력은 의뢰인의 진지한 반성으로 완성된다"는 말은 의뢰인을 만나온 22년 동안 늘 하고 싶었던 말이기도 합니다
사실 진지한 반성 만큼 더 큰 힘이 어디 있겠습니까
변호사의 진지한 노력에 의뢰인의 진지한 반성은 최선이 결과됨은 당연한 일일 것입니다.

형사 상황에서 최선의 결과를 이끌어 내야하는 변호사로서, 반성을 주제로 하는 이 책의 내용에 다소 아쉬움에도 불구하고 감수사를 쓰게된 것은 반성으로부터 얻을 수 있는 많은 이로움 때문입니다.

정 진 변호사
법무법인 조율 파트너 변호사: https://cafe.daum.net/1xxxx1

감수에 붙여: 유환창 교도관

영등포교도소에서 첫 발령을 받고서 교도관으로 근무한지 25년차에 이르게 되었습니다

그동안 살인, 강도, 성폭력, 사기, 폭력, 횡령, 배임부터 경범죄처벌법까지 아주 다양한 죄명과, 신분으로는 대통령부터 대기업 회장, 고위공직자, 교수뿐만 아니라 노숙자까지 다양한 신분의 사람들을 만났습니다.

그동안 교도관과 수용자의 신분으로 알게 된 사람이 족히 수 천명이 될 것입니다. 그러나 그 많은 사람들 중에 안부를 주고받는 사람이 10명 내외의 사람이 있습니다. 이들 중의 한 사람이 이런 말을 하였습니다.

"자신이 교도소에 들어온 것은 어쩌면 하느님이 한번 더 기회를 준 것일지도 모른다. 만약 사회에서 살던 대로 그대로 계속 두었다가는 나중에 오히려 더 큰 사고로 그때 가서는 헤어나기 힘들게 되므로 지금쯤에서 한번 뒤돌아 볼수 있는 기회를 준 것이라고"

저는 이 말을 출소하는 수형자들에게 종종 인용하여 씁니다. 이 사람 같은 경우 철저한 자기 반성으로부터 시작해 모든 문제의 원인을 자신에게서 찾습니다. 그런데 대다수의 수형자의 경우 문제의 원인을 가정환경, 재수, 돈, 명예, 가족 등 나 아닌 다른 것에서 그 원인을 찾습니다.

지금도 교도소에서는 성폭력교육, 직업훈련교육, 인성교육, 심리치료 등 다양한 프로그램을 진행하고 있습니다, 그러나 이러한 철저한 반성 없이 아무리 좋은 교육과 직업훈련을 시킨다고 하더라도 사상누각이라고 생각하지 아니 할 수 없습니다.

왜냐하면 교도소에 들어온 이유를 못 찾았기 때문입니다 그러므로 수형자에게 각종 교육에 앞서 철저한 자기 반성이 선행되어야 한다고 생각합니다. 그런데 현실은 수형자에게 자기 반성을 요구하기 보다는 실용적인 교육이나 기술습득이 우선시 되기 때문입니다

이 책에서 말하기를 교도소를 강제수행을 위한 시설 즉 교도소를 수행의 장으로 설정한 것입니다. 참으로 놀랍지 않은가? 세상에서 가장 밑바닥인 곳을 오히려 수행할 수 있는 장소로 발상의 전환을 이룬 것입니다

이 책의 관점에서 본다면 교도소 혹은 구치소라고 부르는 교정시설은 언행 교정으로 시작하여 마음교정으로 완성시기고자 하는 시설이며. 힌편으로 이 책의 저지기 자주 쓰는 표현처럼 강제수행을 위한 시설이기도 합니다.

반성이야말로 인간을 인간답게 하는 최선의 미덕이라는 말을 신봉하며 , 강제 반성이든 자발적 반성이든 반성의 시작은 다르더라도, 같은 결과에 이를 수 있다고 역설하면서 자발적으로 반성하기 어려운 우리의 일상에서, 교정시설은 강제로라도 반성할 수 있는 기회라고 하며, 심지어는 교도소를 보물소라고도 하는 저자의 말은 재범방지라는 목적을 넘어 교정시절의 나아갈 바를 시사하기도 합니다

[일상의 반성이 부족하여 강제 반성에 처하게되는 많은 사람들을 도우면서]
교정시설이 강제반성을 위한 수행처라면 교도관은 '반성을 도우는 관리'로도 해석할 수 있을 것입니다.

지난 25년간 주어진 직무 때문이라도 때로는 엄격하게 때로는 부드럽게 그들의 반성을 도우고자 애쓰지만 물가로 억지로 끌고 간 소라도, 물을 억지로 먹게 할 수는 없는 것과 스스로 반성할 마음이 우러나지 않는다면 결코 반성의 이로움을 얻을 수 없기 때문에, 그들에게 스스로 반성할 마음이 생길 수 있도록 나름 애써 왔지만 이렇다할 결과를 얻은 것 없어 자주 안타까워 하기도 했습니다

그러나 가끔이지만 강제수행이라는 어려운 상황에서 반성적 생활로 바른 삶을 찾아내고 이전보다 경제적으로 도덕적으로 더 나아진 사람을 발견하게 되면 교정시설과 교도관의 가치를 재발견 하기도 하였습니다.

이 책은 구치소에서, 그리고 교도소에서의 강제반성 상황에서 어떻게 반성하고 무엇을 반성하며 왜 반성해야 하는지, 그리고 반성으로 무엇을 얻을 수 있는지에 대해 말하고 있습니다.

반성별곡의 서두에 있는 말처럼 이 책은 매년 고소. 고발되는 200만 여(건)명에 이르는 사람 뿐 아니라, 아직 고소되지 않은 더 많은 사람들의 위한 책이기도 합니다

4년 전에 발간되었던 정곡 격인 " 반성수행가이드"에 비추어 반성별곡이 좀 더 쉽게 가까이 갈 수 있게 쓰여진 점도 반가운 성과입니다.

감수사를 쓰려다가 추천사가 되어버린 글이지만 추천하기에 손색 없다는 말로 감수사겸 추천사로 저자의 노고에 대한 인사로 갈음합니다.

교정보국 矯正報國
교화입국 敎化立國

교도관 유환창

추천사: 황순식 전)시의회 의장

'회복적사법 ' 이라는, 1970년대 이후 북미와 유럽 법조계에서 많이 사용되는 어려운 말도, 이 책을 접하면서 친숙한 말이 되었습니다. 그 말이 갖는 사회적 의미와 가치는 정치하는 사람으로서 더욱 가슴 깊이 다가옵니다.
피해자와 가해자의 관계를 회복시킴으로서 사회적 가치회복을 도모하는 회복적 사법시스템은 그 어려움에도 불구하고 주목받는 결과를 내고 있다고 합니다.

이는 가해자를 낙인하여 더 나쁜 결과를 생산하는 악순환의 고리를 결단시키고자 하는 노력이고 우리 사회도 점차 받아들여야 할 과제라고 생각합니다. 다만 그 적용은 우선 약자와 생계형 범죄자들로부터 점진적으로 시작하여야 할 것입니다.
회복적 사법이 법조인들로부터 출발되는 것이라면 '반성별곡'은 민간인으로부터, 그리고 가해자로부터 출발하는 것이며, 이 책의 저자는 "형사채무자의 가치회복"이라고 표현하고 있습니다.

매년 200만명(건)의 사람이 형사피의자가 되고, 재범율도 25% 이르고 있습니다. 범죄의 사회적 책임에 대한 측면에서 더 나쁜 사회가 되지 않기 위해서라도 회복적 사법과 형사채무자의 가치회복은 적극적으로 권장되어야할 것으로 보입니다.

"한 나라 감옥이 죄수를 대우하는 정도는 그 나라의 발전, 문명, 민주 정도와 정비례 된다"고 한 간디의 말은, 흠흠신서에서 "죄인을 불쌍히 여긴다."는 정약용 선생의 휼수 恤囚 정신에서 이미 잘 드러나 있습니다.

이 책은 전혀 죄가 없는 사람인양 범죄자들에 대해 손가락질만 해대는 우리 대다수의 사람들에게 "네 죄는 아직 드러나지 않았을 뿐이다." 라고 일갈하면서 생활빈성을 독려하는 이 책과 저자에게 책임 있는 공동체의 일원으로서 감사하는 말씀으로 추천사에 갈음합니다.
감사합니다.

황순식
전)과천시의회 의장

추천사: 조성목 원장

추천인은 37년 동안 금융관련 공직에서 서민금융 분야에 있다가 5년 전 민간에 돌아와 서민금융에 특화된 연구기관을 설립해 지금에 이르고 있으니 서민금융 한 길을 걸어왔다 해도 과언이 아니리라. 그 과정인 2000년대 초 사채시장을 양성화하는 대부업법을 제정하면서 저자와 인연을 맺게 되었다.

1997년 IMF외환위기가 우리사회에 가져다 준 큰 변화 중 하나가 이자제한법의 폐지였다. 자연 지하 사채시장의 금리는 연리로 환산하면 수 백%도 모자라 수 천%에 달하는 살인적인 시장이 되었다. 여기에 지하시장의 속성인 가혹한 채권추심이 더해졌고 신체포기각서가 난무했다. 대부업법이 제정된 배경이다.

이를 해소하기 위해 2001년 초 금융감독원에 사금융피해신고센터를 설립해 지하 사채시장을 들여다보고 있던 중 저자와 인연을 맺게 되었다. 당시 저자는 사채업자들(대부업법 시행 전이어서 이렇게 호칭함) 단체인 협회를 결성하고 사금융 양성화를 주창하고 있었다. 상수도가 있으면 하수도가 있는데 하수도 시스템이 금융에서는 사채의 영역이며 이 시스템이 제대로 작동하는데 힘을 보태겠다는 것이었다.

당시 추천인은 서민들을 수탈하는 사채업자들을 많이 적발, 처벌받게 해 왔었지만 처벌이 능사가 아니라는 점을 이해하게 되면서 이 구조적인 문제를 완전히 해결하지는 못한다고 하더라도 어떻게 하면 더 나빠지지 않게 할 수 있을까 하고 골몰해 왔었다.

이 문제로 감독기관에서 해법을 찾아 매진하던 때 같은 문제의식으로 이 책의 저자는 '금융의 하수도'라는 개념으로 접근하면서 해법으로 채무조정의 중요성을 피력해 왔고 공감하게 되었다.

저자와 관계를 맺은지 어언 20여년이 지난 지금, 저자는 '형사채무자' 라는 개념으로 법치의 하수도에 접근하고 있음을 알게 되었다.

'형사채무자'는 형법적 범죄자를 사회적 채무자로 이해하고, 그들의 채무를 갚을 수 있도록 도우는 것이 적어도 개인이나 사회가 더 나빠지지 않게 할 수 있다는 것이다

형사채무자'와 법치의 하수도라 ...
돈과 범죄에 대한 깊은 이해가 없다면 결코 쉽게 이해할 수 없는 말이며, '반성'이라는 방법으로 채무이행을 돕겠다는 말에 이르러서는 한 발 물러서게까지 한다.

그러나 저자의 돈에 대한 오랜 실전적 경험과 고뇌 그리고 지난 10년간의 수행적 삶을 통해 얻은 죄와 반성에 대한 공부를 고려한다면 어려운 일이기는 하지만 불가능하지는 않아 보인다.
더욱이 '법치의 하수도'가 온전히 작동되려면 백년쯤 걸릴지 모르는 일이지만 지금은 그 씨앗을 심는 마음이라고 하며, 이 책 반성별곡이 그 씨앗이 되기를 희망한다고 말한다.

연구대상, 돈키호테... 그가 없는 자리에서 우리가 중종 그를 부르는 말이다. 그는 분명이 연구대상이고 돈키호테이다.
그러나 돈키호테와 마찬가지로 아직은 세상에 완전한 해법을 제시하지는 못했다 하더라도 그의 좌충우돌의 과정을 지켜보는 제3자에게는 삶에 대한 성찰로 이끌기도 하고 때로는 즐거움까지 주었다는 점에서 돈키호테로서의 가치는 충분하다고 생각한다.

저자는, 매년 200만 여명(건)이 형사채무자가 되는데, 자신이 뭘 잘못하고 있는지, 왜 잘못하게 되었는지를 모르고 적절한 도움도 받지 못해, 결국 재범 삼범으로 사회 전체의 오염원이 되니 이들에 대해서는 채권추심이 아니라 채무조정이 최선의 방법이라고 잘라 말하고 있다.

금융다단계에서 사채업, 보이스피싱에 이르기까지 금융의 하수도관리를 제대로 하지 못해 생기는 수많은 문제를 평생 봐 온 추천인으로서는 저자의 주장에 크게 공감한다.

실패할지도 모르는, 게다가 한 세기가 걸릴 일을 산초도, 로시난테도 없이 뚜벅뚜벅 걷는 이 시대의 돈키호테인 그에게 격려와 찬사를 보내며, 백년의 씨앗이 될 이 책 반성별곡을 추천해 마지않는다.

(사)서민금융연구원 원장 조성목

추천사: 혜진 스님

4년전 "수형을 수행으로"라는 기치로 발간되었던 반성수행 가이드가 실제 사례들을 더 잘 반영하여 더 쉽고 보다 폭넓은 내용으로 출판된다고 하니 참으로 반가운 일이다. 죄와 반성이라는 쉽지 않은 주제를 실천적으로 실용적으로 풀어내고 있어 법적 문제로 고통받는 이들에게 더 많은 도움을 줄 수 있겠다고 생각한다. 우리사회의 법적 인권의 사각지대를 밝히는 소중한 가로등이 되리라 확신한다.

우리시대 많은 사람들은 삶의 가치관에 혼란스러워하고 있다고 판단되는 경우를 많이 보게된다. 가치혼란은 범죄적 유혹 앞에 무기력하게 끌려가게되는 결과를 야기하기도 한다. 그래서 가치관의 혼란은 때론 삶에서 치명적 위험상태가 되는 것이다. 무엇보다 자신의 진정한 가치를 직시해야 한다. 즉 자신의 소중함을 직시하고 회복해야 한다.

온 우주가 참여해서 자신의 소중한 생명을 잉태했으며 순간순간 생명현상을 이어가고 있다. 부모의 은혜, 농부의 은혜, 태양과 우주의 은혜 등 우리는 가족적으로 사회적으로 생태적으로 우주적으로 온전히 연결되어 있다. 그리고 그 모든 것의 지극한 은혜와 조화가 나이고 나의 생명이며 생명현상인 삶이다.

이것이 내가 본래적으로 소중한 이유이고 나자신을 소중히 생각하며 존중해야 하는 근거이다.
반성은 매우 중요하다. 삶에서 반성은 나의 삶을 보다 단단하게 하고 그 내용물을 꽉차고, 충실하게 하는 비결이라고 생각한다. 진정성있는 반성은 나 자신의 소중함을 직시하고 대면하면서 동시에 같은 이유로 남과 우리의 소중함을 자각하는 것이라 본다. 이것이 나의 소중한 가치를 인정받고 회복하는 비밀의 문이 될 것이기 때문이다.

법은 도덕의 최소한이라고 했다. 그러나 요즈음 법지상주의 경향은 자율적 도덕이 설 자리를 점점 소멸시켜 사람사이의 관계를 더욱 삭막하고 기계적으로 만들어가고 있다는 생각을 떨칠 수 없다. 이러한 법지상주의, 법치지상주의는 역사적으로 그러한 경향을 추구한 사람 자신도 결국은 그 희생자가 되고 만다는 역사의 인과를 목도하기도 한다. 그리고 지나친 금전만능주의도 결국은 자신의 본래적 소중함에 대한 자각을 무디게 한다. 돈은 벌었어도 성공했어도 채워지지 않는 자아의 허기짐에 직면하면 자아상실의 극한 상황에 쉽게 노출될 수 있다.

일반적으로 종교는 자신의 삶을 돌아보는 거울의 기능을 갖고 있다. 즉 반성의 요소를 갖고 있기에 더 좋은 내용의 미래를 열어줄 수 있다. 저자의 조사로 범죄한 사람 20명 중에 19명 정도는 종교가 없다는 점도 이에 대한 좋은 시사점이 될 수 있겠다.

저자가 설파한 하수도의 논리에 따른다면 경제의 하수도인 파산은 청산과 신용회복을 통해서 구제될 수 있고, 법의 하수도가 반성으로 정화될 수 있다면 종교의 하수도는 참회로 정화될 수 있을 것이다.

저자의 죄와 반성에 대한 탐구는 경제적으로는 금융업과 투자업의 경험과 우리사회의 한계생활자들이 대부분인 경제적 희생자들에 대한 깊은 연민의 마음과 명상수행자로서의 오랜 수행경험이 좋은 토대가 되지 않았나 하고 판단해본다.

부디 저자의 이런 노력들이 여러 사람들에게 닿아 좋은 결실을 맺기를 기원드린다.

샌프란시스코 여래사 주지 대청
(전)동화사승가대학교교수사, 고운사승가대학원 교수사

저자의 글

이 책을 동기는 처벌의 목적이 피해회복(합의)와 재범방지에 있으며, 돈으로 하는 합의 외에 재범방지는 진정성있는 반성으로 가늠된다는 사실의 발견에 있었습니다

합의가 처벌의 50% 전후를 좌우하고, 재범가능성이 처벌의 나머지 50% 전후를 좌우하 한다는 점에서 (때로는 전부를 좌우 하기도 합니다) 진정성있는 반성으로 재범하지 않을 의지를 받는다면, 적어도 그 진정성 만큼이라도 선처받을 수 있다는 것을 발견하였던 것입니다.

그러나 처벌의 50% 전후를
또는 그 이상을 좌우하는, 이른 바 "진정성있는 반성"은 돈으로 살 수 있는 것도 아니고,
누구에게 배운 적도 없으며, 누구에게 도움받을 수도 없다보니,

기껏 변명하고 동정을 구하는 등으로 {진정성있는 반성}과는 거리가 먼 반성 비슷한 것만 하게되어 선처받기도 어려울 뿐 아니라, 반성으로부터 얻을 수 있는 막대한 이로움을 얻을 기회도 사라지는 안타까운 상황으로 결과됩니다

운이 좋게도 필자는 20여년 간의 금융투자업을 통해 돈과 죄의 불가분 관계에서 채무가 쌓이면 결국 범죄로 드러나는 것을 이해하고 있고, 지난 10년간의 명상공부를 통해 반성이 무엇인지, 그리고 그로부터 어떤 이로움을 얻게되는지에 대해 공부할 기회가 있었습니다

이러한 공부들은 진정성있는 반성이 무엇인지, 어떻게 해야하는지, 그리고 그로부터 어떤 이로움을 얻을수 있는지에 대해 그 도움이 필요한 사람들에게 지난 8년간 말과 글로 도움을 주어 왔습니다.

필자는 피의자, 피고인, 수형인, 전과자 등의 통칭으로서 '형사채무자'로 부르는데, 그들을 '형사채무자'로 이해하므로서 그들이 사회에 진 형사적 빚을 갚아 그들의 가치를 회복하는데 도움을 시작하는 방법이기도 합니다.

형사채무자가 사회에 대한 채무를 갚기위한 첫 번째 조건이 자신의 채무(잘못)에 대한 반성으로 시작됩니다

자신이 뭘 잘못했고,
왜 잘못했으며,
앞으로 같은 잘못을 반복하지 않을 방법은 무엇인지를 깨닫는다면,
그 사람의 가치는 도덕적으로나 경제적으로나 이전 보다 훨씬 나아진 사람이 될 것임이 자명하며,

필자가 늘 암송하는 " 반성하는 죄인은 죄짓지 않은 의인보다 도덕적 가치가 높다 " 라는 금언의 증명이기도 합니다

형사적 상황에서는 대개 처벌의 두려움으로 반성을 시작하게되지만 두려움으로부터 시작된 반성이라고 할지라도 반성이 깊어짐에 따라 두려움을 벗어나게 되고, 온전한 반성은 선처라는 현실적 결과를 넘어 큰 이로움을 얻게되는 기회임을 강조하고 싶습니다.

이 책으로 이처럼 중대한 반성에 대해 말하고자 했으나 필자의 부족한 공력으로 희망하는 것에 십분에 일에도 미치지 못했음에 대해 사과드리며

지난 8년 전에 시작한 반성이, 앞으로 92년이 더 걸릴지라도 온전한 반성의 끈을 놓치지 않을 것을 약속드립니다.

2022년 10월 15일

저자 반성사 겸인

이책의 사용법

내가 나라를 팔아먹었나?

반성이 요구되는 상황이 되면 대개 하게되는 말입니다.

어떤 사람이 말하기를 "반성이 없었다면 인간은 그저 날뛰는 원숭이에 지나지 않았을 것이다" 라고 말하고, "반성은 진리를 진리로 만들고 , 정의를 정의로 만들기도 한다"고 합니다.

반성은 언제나 필요한 것 만큼이나 외면하고 싶은 것이기도 합니다. 은연 중에 마음에 쌓인 죄책감(똥들) 때문입니다

그러나 눠야 할 때 누지 않아 급성변비가 된 사람과 같이 반성해야 할 때 최소한의 반성도 하지 않아 결국 강제상황에 이르러서야 반성하게 되는 데, 강제반성 상황에서도 반성하지 않으면 만성 변비의 삶을 살게됩니다.

이 책은 강제 반성 상황에 이르러,
반성해야하는 사람들에게는 기술적인 반성으로 선처라는 사실적 이익을 얻는데 도움되고자 하였으며, 반성하고자 하는 사람들에게는 선치이상의 것을 얻게 하고자 하는 노력입니다.

이 책을 읽는 대개의 사람들은 지푸라기 잡는 심정으로 이 책을 보기 시작했을 것이지만 가다 보면, 시작은 지푸라기였지만 동아줄로 완성되는, 기대하지 못했던 많은 것들을 얻을 수 있음을 장담할 수 있습니다. 이미 내장되어 있는 반성시스템이 작동하기 때문 입니다.

발등에 불 떨어졌을 때는 우선 불을 끈 후
불의 가치와 이익에 대해 말해야 할 것입니다.

만약 독자가 발등에 불떨어진 상황이라면 우선 이 책의 **형사반성을 대략 훑어 보고 그다음 바로 반성의 정석 편을 보는 것이 좋습니다.**

그리고 반성문 작성하는 과정에서 **과연 반성이란 무엇인가** 라는 질문이 어렴풋이라도 든다면 처음부터 차근 차근 읽어나가는 것이 좋습니다. 내면의 반성기능이 작동하기 시작한 것이고 얻고자 하는 선처를 넘어 더 큰 가치도 얻을 수 있는 시작입니다

"반성하는 죄인은 죄짓지 않은 의인보다 도덕적 가치가 높다 "라는 말에 더 해
"경제적 가치도 높아진다"는 것도 자명합니다.

자발적 반성은 고귀한 것이고, 강제반성은 고귀함에 이르게 하는 가치로운 것입니다.

선처받고, 반성으로부터 큰 이로움도 얻기 바랍니다

반성사 겸인 드림

Contents

Contents

Part I. 가치회복 플랫폼

- ✤ 도움 받을 권리
- ✤ IQ75
- ✤ 형사채무자
- ✤ 가치회복 운동
- ✤ 형사채무 조정
- ✤ 내 희생(보상)은 나의 것
- ✤ 반성으로부터의 기회
- ✤ 해우소지기
- ✤ 사전적 재범방지와 사후적 재범방지

▪ 도움 받을 권리

형사적 가해자가 되었을 때 이른 바 피의자. 피고인이 되면 내용에 불문하고 우선 주변으로부터 기피대상이 되어 변호사 외에 아무에게도 도움을 구할 수 없게 되는 데

그 이유는 죄를 무조건 죄악시 하는 자기 최면이 원인이라고 합니다(자신의 죄를 부인하기 위한 무의식적 반응이라고 학자들이 말하고 있습니다.)

그런데 사실 형사적인 죄는 "너희 중 죄 없는 사람이 먼저 이 사람을 돌로 쳐라"라는 말까지 들지 않더라도 우리가 공동체 생활을 하면서 짓게 되는 것(혼자 살면 죄를 지을 수 없습니다)라든가, 죄 없는 사람은 없다는 것은 우리가 짓는 죄는 당사자의 책임만이 이 아니라는 사실을 증명해 줍니다.

아버지 혹은 남편이 짓게 되는 죄의 원인은 아내 가족(의 부양)에 가장 큰 원인이 있다는 사실에서도 죄는 다만 죄지은 사람의 책임만이 아니며 넓게는 사회공동체가 좁게는 가족에게 그 정도에 따라 책임이 있는 것입니다.

그러나 그렇다고 하더라도 범죄의 직접적인 책임은 역시 그 사람에게 있는 것이 분명하다는 점을 고려하고 한편, 처벌이 처벌자체를 목적으로 하는 것이 아니라 재범방지를 목적으로 한다는 점에서 형사채무자(피고, 피의자, 전과자 등의 통칭으로서)는 적어도 **선처 받을** 노력하는데 도움을 받을 수는 있어야 할 것입니다.

재범방지는 한편, "형벌은 형벌이 없음을 목적으로 한다"는 구절과 맞닿아 있습니다.

▪ IQ 75

준비 없는 상태에서,
혹은 준비했다고 하더라도
정작 형사적 문제에 봉착하게 되면 대개는 공황상태에 빠지게 되고, 150을 넘나들던 지능은 100에서 왔다 갔다 하다가, 구속이라도 되면 지능은 50으로 추락하게 되어 지능은 평균 75정도가 됩니다.

그나마 변호사가 있거나, 적극적으로 도움 받을 수 있는 누군가가 있다면 사정은 좀 나아지겠지만 그렇지 못한 경우는 점점 더 나빠지게 되는 데, 술 취한 것과 같이 두려움에 취하게 되기 때문입니다.

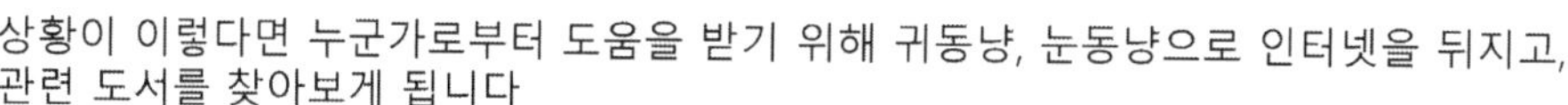

상황이 이렇다면 누군가로부터 도움을 받기 위해 귀동냥, 눈동냥으로 인터넷을 뒤지고, 관련 도서를 찾아보게 됩니다

그러나 형사 피의자가 되었다면 경찰, 검찰이라는 막강한 상대와 상대해야 하기 때문에 '잘 아는 지인'에서 인터넷, 변호사에 이르기까지 온갖 노력을 해도 별로 나아지는 것은 없습니다.

왜냐하면 두려움에 빠져 하게 되는 선택은 거짓하거나 도망하게 하기 때문이고 형법은 이미 이를 알고 있기 때문에 더 많은 처벌을 준비하고 있기 때문입니다.

그러나 처벌의 목적은 처벌이 아니라
피해회복(합의)과 재범방지(그리고 이에 따라 오는 범죄예방)에 있기 때문에
합의하고 진정성 있는 반성 등으로 재범하지 않을 의지를 인정받는다면,
적어도 인정받는 만큼은 선처 될 수 있습니다.

그러므로 형사문제에 봉착했다면 변호사가 있든 없든 75의 지능상태에서는 선처받기 위해 노력하는 것이 최선의 선택일 수 밖에 없습니다

왜냐하면 150의 지능에서의 반성은 '내가 나라를 팔아먹었나" 하는 반발을 하게 되지만 , 75의 지능은 "내가 나라를 팔아먹었는지도 모른다"라는 겸손한 태도는 반성을 일으키고 이는 형법이 목적하는 바 이기 때문입니다

작은 잘못에는 작은 처벌이 따르는 것이 원칙이겠지만
작은 잘못에 반성이 없거나 부인하거나 억울하다는 등의 경우 재범할 가능성이 높다고 간주될 수 있고 , 결국 지은 죄 이상의 처벌이 따르게 되는데 75의 지능 때문에 일어나는 일입니다

나쁜 일이 일어났을 때 내 지능은 75정도가 된다는 것을 우선 인정하고
적절한 때에 도움을 청하여 우선은 더 나빠지지 않게 해야 합니다.

▪ 형사채무자

형사채무자는 피의자, 피고인, 수형자, 출소자가 사회적, 경제적 채무를 인정하고, 이 채무를 이행하고자 하는 사람 들에 대한 통칭 입니다.

형사적채무, 다르게 말해서 형사적인 죄는,
경제적 채무불이행을 원인으로 감정적 채무불이행(혹은 그 반대로)이 더 해진 결과라는 것을 이해한다면, 우리가 보통 말하는 '죄'는 결국 '빚' 이라고 부르는 채무불이행이 원인이 됩니다.

생각해보면,
형사채무는 돈과 직접적으로, 적어도 간접적으로 라도 관련된 문제이고, 여기에 감정적 문제가 더해짐으로써 돈 이상의 문제로 보이기는 합니다만, 결국 근원적으로는 돈 문제이며, 최종적으로는 액수의 문제로 귀착됩니다.

형사채무자라는 말은,
채무불이행이 원인이 되어 결과된 범죄에 대해, 형벌로써 감정채무가 일부라도 해소 되었으니, 나머지 경제적 채무이행을 독려하여, 범죄로부터의 무한책임을 해소할 기회를 주고하는 개념입니다.

사실,
범죄의 원인을 (감정적, 경제적)채무불이행으로 보고, 채무이행을 하므로서 범죄라는 문제를 해소하게 하는 것이 실제로 어려운 일이라고 하더라도, '전과자'라는 주홍글씨로부터 회복할 수 없는 무한책임성으로부터 발생하는 문제를 줄이는 효과가 있음은 자명합니다.

한편, 범죄를 형사채무로 간주하게 되므로서,
부분적으로라도 범죄에 대한 사회적 책임을 인정하게 되고 따라서 징벌적 처벌이 아닌 교화적, 치유적 , 나아가서는 수행적 처벌로 재범이 반복되는 악순환을 방지할 뿐 아니라 ,

진정성 있는 반성을 독려 하므로서 방치된 자원이 보다 가치 있게 재생산되는 방법이라고 말할 수 있습니다.

한편 형사 문제로 가막소에 들게 될 경우 피의자, 피고, 수형자, 전과자로 지칭되어 사회불안의 요소가 되기도 합니다.

그러나 앞에서 말했듯이, 죄짓고 반성하는 것이 아니라, 반성하기 위해, 다시 말해 스스로를 구하기 위해 강제 반성 기능이 작동된 것이고 손상된 삶의 가치를 회복시키는 것이 목적인 만큼 강제 반성의 기회를 받아들인다면 회복된 가치는 도덕적으로 경제적으로 확대되어 반성의 기능이 온전히 달성 될 것입니다.

그렇게 되기 위해 우선 중요한 것은 피의자, 피고, 수형자, 전과자에 대해, 갚지 못할 빚을 진 죄인으로 명칭하기 보다, 단순히 개인적으로 사회적으로 갚아야 할 빚이 많은 형사채무자로 간주하고 그들의 빚 갚을 노력을 지원한다면,

(강제 반성은 반성할 수 있는 기회만 제공하지, 실제로 반성하게 하지는 않으므로 그들의 반성을 독려할 기회가 제공되어야 한다는 점도 인식 되어야 합니다)

아직 극단에 이르지 않은 많은 사람들도 도움 받을 수 있고 따라서 사회자원의 낭비도 막을 수 있을 뿐 아니라

매년 200만 여명(건) 정도로 형사채무자가 된다는 사실을 고려 할 때 그리고 그 가족까지 영향을 미친다는 사실을 고려할 때 이들에 대한 도움은 사회안정뿐 아니라 국가적 규모의 자원 재생산의 효과도 적지 않을 것이므로

결국 반성의 효과가 개인을 넘어 사회적, 국가적 차원에서의 도덕적 경제적 가치를 완성시키는 바람직한 결과로 나타날 것입니다.

▪ 가치회복 운동

가치는 가치가 아닌 것 , 장애 .결핍으로부터 유래한다고 하니, 가치 회복은 그러한 장애, 결핍으로부터 형성된 부조화를 해소함으로써 달성될 것입니다.

한편 가치는 조화이고, 부조화는 비 가치이니, 부조화는 조화의 원인이 되는 것이기도 합니다

축적된 부조화에 의해 엎어짐-실패-이 결과되었을 때 성공이라는 우리가 희망하는 가치는 부조화 해소의 결과에 다름 아닐 것인 바, 비가치에 대한 이해는 곧 가치에 대한 이해와 같습니다.

이유에 불문하고 모든 엎어진 사람 중 일어서고자 하는 사람의 가치회복은 도움받게됩니다. 엎어진 목적은 다시 일어서기 위함 이고,.모든 실패는 성공하기 위한 것이기 때문입니다.

뭔가 이루고자 시도하는 100명중, 엎어지는 사람이 100명이며, 그중 1명이 엎어진 이유와 목적을 알게 되는 사람이고 그 사람이 성공한 사람이고 자신과 가족과 사회의 가치를 회복한 사람이 됩니다.

엎어진 이유와 목적을 이해하게 되는 것이 부조화를 조화시키며 비가치를 가치로 만드는 비결입니다.

어떤 이유로든 엎어진 사람 중 엎어진 목적을 이해하려고 노력하는 사람은 도움받아야 합니다

왜냐하면, 엎어진 후 다시 일어선 사람은 엎어지기 전보다 더 나은 사람이 되기 때문입니다.

장차 오므리려는 것은 반드시 먼저 펴진다
장차 약해지는 것은 반드시 먼저 강해진다.
장차 폐하게 되는 것은 반드시 먼저 흥해진다.
장차 되는 것은 반드시 먼저 주게 된다.
이것을 일러 미묘한 드러남이라 한다.

노자 36

가치회복 운동은 민간차원의 '회복적사법'으로 형사피해자와 가해자의 화해를 통해 당사자의 손상된 감정의 회복을 도모하고자 하는 노력입니다.

당사자간의 문제가 형사 피해자와 가해자로된 경우 가해자는 처벌의 결과로 회복불능 정도의 경제적 손실과 감정적 손상이 따르고, 피해자도 같은 정도로 손상되게 됩니다.

경제적 손실 외에 감정적 손상은 경제적 손실을 넘어서는, 삶 자체의 문제임에도 불구하고 "감정적 문제까지는 어쩔 수 없다 " 고 방치되어왔습니다.

사실, 범죄가 법치. 자본사회의 유지. 존속에 필요한 희생을 생산한다는 점에서 범죄자나 그 범죄에 의한 피해자의 손실에 대한 책임이(그리고 이익이) 상당 부분 사회에 있다는 점이 분명하다면, 이제 그들의 감정적 손상을 회복시켜야 할 사회적 의무가 드러나게 됩니다

사람들의 경제적 가치를 회복시키기 위한 도구로서 신용회복위원회가 만들어지고 개인채무자 회생 제도 등의 방법으로 사람들의 손상된 신용을 회복시켜온 것과 마찬가지로 손상된 가치를 위해서는 가치회복위원회라는 것이 필요할 것으로 보입니다

경제적 가치로 시작된 삶의 가치는 감정적 가치에 이르러 온전해 진다는 점에서 손상된 감정을 회복시키는 것은 개인적으로나 사회적으로 중대한 일입니다.

범죄자를 구속하기 위한 구속시절은 한편, 보호시설이 되기도 하며 인권이 발달한 최근의 상황에서는 구속이라기 보다 보호적성격이 강해지고 있습니다.

한 사람이 구속된 경우에 년간 2500만원 정도 든다고 합니다

반면에 피해자에게는 별다른 노력을 하지 않습니다. 피해자 구제를 위한 제도가 있지만 가해자에게 합의를 강제한다든가 하는 형법적 방법이 있기는 하지만 가해자가 합의 능력이 없다면 피해자는 보상받을 수 없게 됩니다

이는 피해자와 가해자 간의 문제라기 보다 크게 본다면 사회와 당사자간의 문제로 도 볼 수 있습니다

법치 사회가 유지 발전 할 수 있으려면 적절한 수의 범죄가 생산되어야 하고, 이 범죄로부터 법치사회가 유지되는 동력이 발생된다고 합니다.

형사문제가 발생했을 때, 사회는 피해자를 대신하여 가해자를 처벌하면서 피해자에 대한 피해보상의 책임을 지게 합니다.

피해자로부터 처벌권을 위임 받은 것이며, 이것이 궁극적으로 법치사회를 움직이는 동력이 되며, 결국 피해자와 가해자는 사회를 움직이는 동력 생산에 희생되는 것과 같은 결과가 됩니다.

형사문제는 가해자와 피해자 간의 문제에서 시작되며 사회는 피해자를 대리하여 가해자를 처벌하게 되지만, 가해자와 피해자 사이의 감정적 경제적 문제는 여전히 남아 있게 되며

가해자의 경제적 가치는 형편없이 추락하게 되며 피해자의 가치 또한 이전보다 더 나빠지는 것이 대부분의 경우입니다

이런 이념아래 도입된 것이 문제해결법원 Problem-solving Court이다.208

...

문제해결 법원이 재범율을 획기적으로 떨어뜨리고 범죄자를 교도소에서 관리하는 것 보다 훨씬 적은 비용이 지출되는 것으로 연구되자(최초로 약물법원을 운영한 마이애미 주에서 초기 4년간 재범율을 조사한 결과 30%에서 3%로 떨어졌고 1년 수감비용은 3만달러인에 비해 약물법원의 1인당 비용은 700달러로 조사 되었다.)미국 전역에서 그 수와 종류가 급격히 증가했다(2014 12월31일 기준으로 미국내 약물법원은 3057개 이다. <김영사; 어떤 양형이유 209>

회복적사법:
우리 나라에서는 정부장판사가 회복적 사법에 적극적인 관심과 활동을 하고 있는데 회복적사법의 핵심은 “피해자와 가해자가 참여하는 범죄에 관한 대화 통해 가해자의 반성·사과, 피해자의 용서, 상호 간 화해를 끌어내고 범죄에 의해 훼손된 관계나 질서를 회복하는 데 있다”고 밝힌바 있다
(한국법학원 발행 '저스티스'에 게제한 논문)

▪ 형사채무 조정

우리 사회에서는 각 분야의 상하수도가 있습니다.

이 관계는 정상과 비정상, 합법과 불법, 채권과 채무, 정규와 비정규 등의 관계로 나타나기도 합니다.

이것은 우등과 열등의 문제가 아니라 구조의 본질적 형식 문제입니다.물의 흐름과 가장 흡사한 금융시장에서 상수도와 하수도의 관계는 가장 분명하게 드러납니다.

사금융 시장은 정규금융시장의 하수도입니다.
정규금융시장에서 신용이 부족하여 사금융을 이용하게 되는 데 그 정도가 지나치면 결국 제도 금융시장이 오염되고 전체가 손해 보게 됩니다,

즉 사금융이 관리되지 않으면 제도금융시장에 문제가 일어나게 되는 것입니다.

마찬가지로,
법치사회에서는 법치 되는 사람들이 사는 상수도가 있고 법치 되지 않은 사람(앞에서 말한 바와 같이 이들을 우선은 '형사채무자' 라고 부릅니다)이 관리되는 하수도 관리 격인 교도소가 있고,

교도소가 관리되는 하수도라면 조사·재판 단계의 피의자, 피고인과 출소한 사람은 방치된 하수도 요소인 셈이고, 관리되지 않음으로써(원인이 제도적 한계든 뭐든)재범가중의 원인이 됩니다.

그러나 그들이 (재범방지라는 채권추심의 관점이 아니라, 채무조정이라는, 빚을 갚게 도와주는 **회복적사법의 관점**)에서 조사·재판 단계에서 적어도

①선처 받을 노력을 할 수 있는 기회를 적극적으로 제공받는다면,

②강제 반성 생활(징역)할 경우에도 수형을 수행으로 전환시키는 데 어려움이 적을 것이며,

③나아가 수행된 사람에 대해 경제적 재건의 기회를 지원하는 것은 투자 이익의 측면에서도 바람직한 것이므로,

④결과적으로 도덕적 가치 위에 경제가치를 구축하게 되는 이상적인 상황으로 결과될 것입니다.

그러나 현재 관리체제는 결과를 발생시킨 원인이 다시 결과를 해결해야 하는 모순적 상황에 놓이게 되고 이상적인 결과는 차치하고 더 나빠지는 원인이 되고 있습니다.

주 하수도 격인 교도소가 토대가 되고 민간기구(예컨데 형사채무조정기구)가 보조적으로 기능함으로써 더 나빠지는 정도는 적어져 따라서 효과적으로 법치사회의 하수도가 관리될 뿐 아니라

나아가서는 교도소矯導所는 수행처修行處가 되어 과거 감옥, 형무소의 이름에서 진화되어온 것과 같이 명실상부한 수행처가 되어 이상적인 법치의 하부구조로서 사회를 더 나아지게 기능할 것입니다.

"반성하는 죄인은 죄짓지 않은 의인보다 도덕적 가치가 높다" 말과 "우리는 죄 없이 온전해 질 수 없다" 는 말은 오늘날 가중되고 있는 재범문제 해법을 넘어 안전 사회의 구축에 중요한 한 축이 될 수 있는 근본적이고 총체적 전환의 사상적 토대로 보여지며,

이러한 사고의 전환은 자본주의 사회 자체가 전환되고 있다는 사실과 맞물려서도 더욱 자명해 보입니다.

▪ 내 희생(보상)은 나의 것

“내 죄는 드러났고, 네 죄는 드러나지 않았을 뿐”이라는 말은 도덕적인 죄 뿐 아니라 형사적인 죄에 대해서도 마찬가지 입니다

사실 범죄한 사람을 처벌해야 한다면, 우리나라의 13세 이상의 적어도 50% 이상은 어떤 식으로든 처벌해야 할 것입니다.

어떤 사람이 범죄하여 처벌받게 된다면, 그 처벌로부터 이익을 얻는 사람은, 죄를 지었지만 죄가 드러나지 않은 많은 다른 사람들이며, 처벌이 범죄예방에 더 큰 목적이 있다는 점에서도 자명한 사실입니다.

한편, “사회는 그 스스로를 유지하기위해 불가피한 희생을 만들어 낸다고 하며, 희생의 대가는 사회구성원에게 돌아가게된다”고 합니다

달리기에도 1등이 있으면 꼴찌가 있게되는 데, 일등을 위한 상은 꼴찌의 불가피한 패배(희생)으로 이루어지는 것입니다.

물론, 꼴찌 하라고 강제되는 것은 아니며 노력하지 않은 사람이 꼴찌하게 됩니다
(정말 그렇다고 생각해야 합니다)

중요한 것은
나의 희생으로부터 보상의 범위에 자신을 포함시킬 수 있어야 한다는 것입니다.

내가 뭔가를 구매하기 위해 돈을 지불할 때 나는 내 필요를 위해 돈을 희생시키게(돈은 내 노동의 압축된 것입니다) 되는 것 처럼 나의 희생으로 얻어지는 이로움에 나를 포함시킬 수 있어야 하며 사실 그렇게 할 수 있습니다

어떻게 그렇게 할 수 있을까요?

반성이 그렇게 할 수 있는 최선의 방법입니다.

반성과정은 내면에 누적된 부정성들을 해소하게 되므로
내 몸과 마음은 맑아지고 결국 나의 경제적 능력이 크게 향상되므로 반성은 내 희생에 의한 보상의 범위에 나를 포함시키는 아주 훌륭한 방법임에 틀림없습니다.

물론 나의 희생이 다른 이들을 이롭게 하는 것은 더 없이 성스러운 일이기도 합니다.
그러나 우리는 아직 성자는 아니기 때문에 나의 희생으로 나도 이롭게도 할 수 있다면 더 좋은 것입니다.

▪ 반성으로부터의 기회

형사적 문제로 강제로라도 반성하게 되었다면 수행이라는, 일상에서 만나기 어려운 큰 기회를 가지게 됩니다.

반성은 사실, 수행자의 고행 과정이거나 임산부의 출산 과정과도 같은 고통의 과정이며, 수행자의 득도로. 임산부의 득자로 결과되는 것입니다.

강제 반성의 기회가 없다면 보통사람으로서 그렇게 강렬한 반성의 기회를 가질 수 없으며 그렇게 강렬한 힘의 원천을 얻을 수 있는 기회를 갖기 어렵습니다

이러한 반성은
평균 혹은 평균 이하의 사람을 경제적, 도덕적 가치가 증대된 사람으로 변화시키게 됩니다 (이것이 올바른 반성으로부터 선처받게되는 근원적인 이유이기도 합니다)

진정성 있는 반성의 힘은 인류를 원숭이가 아닌 인간으로 진화 시킨 힘이며 모든 문화의 근원입니다.

형사문제로 위기에 봉착했을 때 , 바람직한 상황은 아니라는 점에도 불구하고 다시 태어날, 다시 시작할 기회를 얻었다는 것에 다름 아니라는 점은 몇 번 강조해도 모자라지 않습니다.

▪ 해우소지기

해우소解憂所는 '근심을 해소하는 장소'라는 뜻으로 사찰의 화장실을 말합니다.

반성은 마음의 똥을 누는 과정이므로, 해우소 지기는 사람들이 똥을 잘 눌 수 있도록 휴지도 주고, 물도 주고 필요하다면 똥누는 방법을 가르치기도 하는 사람을 말합니다.

처벌의 큰 목적이 재범방지에 있으므로, 재범가능성은 진정성 있는 반성으로 가늠된다는 점에서 반성은 형량의 50% 전후를 좌우하는 요소이며, 변호사의 변호를 완성시키는 중대한 요소이기도 합니다.

변호사가 법률적 보호를 주된 목적으로 한다면
해우소지기는 반성을 통해 선처 받을 노력을 도운다는 점에서 말하자면 반호인이라 할 수 있을 것입니다

변호가 법률적으로 더 나빠지지 않게 하는 것이라면
해우소지기는 반성의 과정을 통해 더 나빠지지 않고 나아가서 더 나아지게 도우는 것이 됩니다.

죄를 살펴야 하는 어떤 경우든지,
완전한 무죄도 없고 완전한 유죄도 없다면,
무죄를 입증하기 위해서는 변호사가 필요하며
유죄 상황으로부터 이로움을 얻기 위해서는 해우소지기가 필요합니다

반성을 일으키는 유죄는.
무죄인 사람보다 더 나은 사람이 되게 합니다
"반성하는 죄인은 죄짓지 않은 의인보다 더 가치가 높다"는 말은 이에 대한 증명입니다.

법조인과 금융인이 법치.자본사회를 이끌어간다면
해우소지기는 법치.자본사회의 오염을 정화시키는 정화 도우미 입니다.

누구에게 해우소지기가 필요할까요

경제적인 문제로 변호사를 선임할 수 없는 적어도 170만 이상의 사람(사건)들입니다. 매년 형사사건에 가해자로 연루되는 사람, 200만 여명(건) 중 적어도 70% 이상의 사람과 아직 고소. 고발되지 않은 많은 사람들에게 필요합니다.

해우소지기는 조사, 재판과정에서는 선처 받을 노력을 도우고 수형 과정에서는 수형을 수행으로 만들 수 있도록 도우며, 그리고 출소이후 이전보다 더 나은 삶이 되도록 도웁니다

해우소지기는 성직자나 법조인의 사회적 공백을 메꾸어 주는 일을 하게 됩니다

물론 해우소지기는 대가를 받지 않으니 그 역할은 준 성직이라 할 수 있습니다.
우리는 해우소지기, 반호인을 '반성사' 혹은 '반성지도사'로 부르기로 했습니다

형법 제51조(양형의 조건)
형을 정함에 있어서는 다음 사항을 참작하여야 한다.
1. 범인의 연령, 성행, 지능과 환경
2. 피해자에 대한 관계
3. 범행의 동기, 수단과 결과
4. 범행 후의 정황

대상 구성표 (2019, 단위: 명)				
총접수	2,503,478			
기소자수	699,111	27.93%		대검찰청 통계시스템
구속자수	55,347	2.21%	7.92%(기소대비)	
출소자수	56,900		교정청 통계연감 2020	
1)자료취합:	CCJS 범죄와 형사사법 통계정보 Crime and Criminal Justice Statistics		https://www.crimestats.or.kr	

▪ 사전적 재범방지와 사후적 재범방지

4명중 1명이 재범한다는 최근의 기사는 우리보다 선진국이라는 미국, 이나 일본의 3명중 1명보다는 나으며 4명 중 3명은 재범하지 않는다는 긍정적인 측면도 있습니다만 5명중 1명이 또는 10명중 1명이라면 더 좋을 것이라는 생각을 하게 되며 좀더 긍정적인 재범방지 정책이 필요하다고 말할 수 있을 것입니다.

재범가능성은 이른바 진정성있는 반성으로 가늠되는데, 사실 조사 재판과정에서 온전한 반성이 시작되지 못한다면, 수형과정에서는 더욱 어렵고 출소후에는 반성은 아예 먼 이야기가 되니, 이 또한 4명중 1명이 재범하는 원인이기도 합니다

형이 확정되기 전에는 형을 적게 받으려 노력하게 되고 , 형이 확정된 후에는 확정된 형을 줄이려(가석방)노력하게 되는데, 두 노력의 공통점은 진정성있는 반성이 관건입니다.

수형기간 동안 다양한 교화방법을 통해 재범방지가 노력되지만, 형이 확정 된 후의 징역 생활은 다만 욕망을 억압하는 수형이 되고 억압된 욕망은 출소후 재범의 원인이 됨은 불보듯 합니다

형이 확정된 후의 재범방지를 사후적 재범방지라고 할 때,
사후적 재범방지는 형이 확정되기 전 즉 조사.재판 과정에서 피고인이 올바르게 반성할 수 있도록 도우는 것이라 할 수 있는데 사전적 재범방지가 잘 이루어 진다면 피고인의 수형생활은 자연스럽게 반성적 생활이 될 것이고, 출소후에도 반성적 태도가 유지될 가능성이 높으므로 재범율을 낮추게될 것임이 분명해 보입니다.

그렇지 않은 일부를 제외하고 형사채무자가 된 누구든지, 조사 재판 과정에서의 고통은 선처받기 위해 억지로라도 반성하고자 노력하게 되는데,

이때 멈추어 있던 반성기제가 작동하기 시작하고, 한번 작동한 반성기제는 교도소라는 체제의 도움으로 수형기간 내내 반성기간이 되기 때문에 조사 재판에서의 선처와 가석방에도 도움되며 결국 교도소의 재범방지 목적을 달성하게 된다는 점은 사전적 재범방지의 유용함을 강조하게 되는 이유입니다.

"소를 강가로 끌고 올 수는 있지만, 억지로 물을 먹게할 수 없다"는 말은
소가 물먹는 방법을 이미 알고 있다고 생각하고 소에게 물먹는 방법을 알려 주지 않아서 그런 것이 아닐까요?

조사.재판 과정에서의 고통은 소가 물을 찾게하는 원인이니 이때(이때가 골든 타임입니다) 물먹는 방법을 알려주면 소는 스스로 물을 먹게 되고 물맛을 본 소는 수형 기간 중에도 소는 스스로 물을 잘먹게 될 것이며 출소후에, 그렇지 못한 소보다 건강한 소가 되고 재범가능성은 현저히 낮아지게 될 것임은 자명합니다

❖ 변호사 이야기

- 변호사, 그들은 누구인가
- 변호사 유머
- 유죄추정: 죄인일 것이라는 죄
- 변호사를 위한 변명
- 수퍼 변호사 만들기
- 변호사 선택
- 언제 선택해야 하나
- 좋은 변호사 구분

➢ 변호사, 그들은 누구인가

• **사전적 의미**
변호사는 변호사 자격증을 가지고 소송이나 법률행위를 대리하는 사람을 말하며 변호인은 자격증에 관계없이 재판부의 허가에 의해 선임되는 경우가 있습니다.

• **변호사의 자격**
사법시험에 합격하여 사법연수원의 소정과정을 마치거나 판사 또는 검사의 자격이 있는 자 혹은 변호사시험에 합격한 사람(변호사법 제4조)을 말합니다.

• **변호사 수**
2011년 10,976 명
2018년 21,573 명
2019년 21,835 명
2020년 23,416 명
@자료: 나라지표/개업변호사 기준

• **변호사의 성격: 법률적 의사**
심각한 질병이 발병했을 때 의사에게 절대적으로 의존하게 되는 것과 같이 형사문제에 봉착했을 때 변호사에게 절대적으로 의존하게 된다는 점에서 비교되므로 특히 형사 변호사는 의뢰인에 대해 법률적 의사와 같은 입장이라는 점을 이해 할 수 있습니다

• **변호사의 종류**
✓ 전문분야 구분
형사, 민사, 상사 등 각 분야의 전문변호사로 구분하여 59가지로 구분(2018년 기준)되지만 의사 처럼 전문의가 있는 것은 아니고 변호사 협회에 등록하며 등록된 변호사만 00전문이라고 표현할 수 있습니다

자세한 사항은 변호사 협회 홈페이지 공지사항을 참조
https://www.koreanbar.or.kr/

✓ 선임주체 구분
사선 변호사는 의뢰인이 선임한 변호사를 말하며, 국선 변호사는 법원에서 선임한 변호사를 말합니다

✓ 전관구분
전관 변호사는 검사. 판사 출신의 변호사를 말하며, 전관을 선호하는 이유는 전관이 아닌 변호사 보다는 재판에서 유리할 것으로 기대되기 때문입니다.

➢ 변호사 유머

- **상속**

한 나이 든 변호사가 젊은 변호사를 사위로 맞이하면서 한 유산 상속 사건을 물려주었다. 그리고 얼마 뒤, 사위는 장인 앞에 나타나 자랑스럽게 말했다.

"장인 어른! 그 사건은 제가 이겼습니다!"

그러자 장인은 쯧쯧쯧...혀를 차며 말했다.

"이보게! 난 그 사건으로 이때까지 먹고 살았네!"

- **놋쇠 변호사**

한 남자가 골동품상에 들어가 놋쇠 쥐를 골랐다.

주인 : "놋쇠 쥐는 10달러고 거기에 숨겨진 비밀은 1,000달러요."
남자 : "그러면 놋쇠 쥐만 사도록 하지요."

놋쇠 쥐를 사서 나온 남자는 한 무리의 쥐떼가 자신을 따라오는 걸 발견했다. 남자가 부두로 향했을 때 쥐떼는 더욱 불어나 있었다. 남자가 물 속으로 놋쇠 쥐를 던지자 쥐떼들이 모두 물에 빠져 죽었다. 그 뒤 남자는 다시 골동품상으로 향했다.

주인: "아하! 이번엔 비밀을 사러 오셨구만?"
남자: "아니요. **놋쇠 변호사 인형**은 없습니까?"

- **협박**

한 무리의 테러리스트들이 최고급 호텔에 침입해 변호사 연례총회에 참석하고 있던 변호사들을 인질로 붙잡았다. 그리고 그들은 요구사항을 들어주지 않으면 한 시간마다 변호사를 한 명씩 **풀어주겠다**고 으름짱을 놓았다.

출처: 나무위키

➢ 유죄추정: 죄인일 것이라는 죄

"완전한 유죄가 없는 것과 같이 완전한 무죄도 없다"고 합니다
혹은 "내 죄는 드러났고 네 죄는 아직 드러나지 않았을 뿐이다"라고도 말합니다

이 말은 누구나 (종교적이든 형사적이든)죄가 있다는 것이며 다만 죄의 정도의 차이를 말하는 것이며 누구나 변호사가 필요하다는 의미이기도 합니다.(종교적인 죄는 성직자가 필요하군요)

한편 자본주의, 법치사회에서 " 힘 없고 빽 없으면 살 수 없다"는 말에서 힘은 돈이고 '빽'은 변호사가 되면 가장 어울리는 말이기도 합니다

형사적 상황에 처해지게되면 평소 총명하고 지혜로운 사람도- 설사 그 사람이 변호사라고 하더라도- 심하면 공황상태에 빠지게 되고 평소 150을 넘나들던 IQ는 100이하로 떨어지게 됩니다.

고소고발 당한 경우, 경찰 검찰이 피해자를 자동으로 대리하게 되고 돈 없고 빽 없는 가여운 가해자는 국가공권력을 상대해야 하는 상태에 절박한 처지에 놓이게 되며 급기야 '죄인 일 것"이라는 죄 만으로도 주변에 도움 청하기 어려우며, 가까운 사람일 수록 도움 청하기 더 어려워지는 현실에 처해집니다.

이 때 다행히도 변호사라는 훌륭한 도움처가 있습니다.

그러나 이른바 변호사의 '의뢰인'이 되기는 하지만 죄인일 것이라는 죄로 변호사는 또 다른 어려운 사람이 되며 , 유.무죄를 다투는 경우 뿐 아니라, 선처 받고자 하는 경우에도 변호사는 유일한 동아줄이 되고 변호사에 대한 어려움은 가중 됩니다.

한편, 의뢰인은 변호사가 자신을 위해 최선을 다해 줄 것을 기대 하지만 종종 그렇지 못한 최악이 결과되어 죽일놈 살릴놈 등 온갖 악담을 하게 되는 데, 최악의 결과를 책임지지 않는 데다가 챙겨야할 이익도 이미 챙겼기 때문입니다.

그런데 문제는 앞에서 말한 자본주의, 법치사회에 살고 있기 때문에 변호사는 유일한 도움이기 때문에 어떻게든 변호사와 잘 지내야 하는, 피할 수 없는 상황에 놓이게 된다는 것입니다.
이러한 상황은 피의자나 피고인이 되면 더욱 가중됩니다.

➢ 변호사를 위한 변명

사실 변호사가 우리가 기대하는 것이상으로 최선을 다해 준다면 최악의 결과라고 하더라도 진행 과정에서 어느정도 결과가 감지 되기때문에 변호사를 원망하게 되지는 않을 것이지만, 돈만 받고 최선을 다하지 않았다는 생각 때문에 더욱 원망하게 되는 것입니다.

변호사가 실제로 최선을 다한다면 그렇지 않은 경우보다 훨씬 바람직한 결과가 나올 수도 있습니다.

여기서 우리는 질문해야 합니다
왜, 변호사는 우리를 위해 최선을 다하지 못하거나 않하는 것일까?

이 질문은
첫 번째는 변호사에 대한 이해가 부족했다는 점이고
첫 번째에서 따라 나오는 두 번째는 내 할 일을 하지 않았다는 것으로 귀결됩니다.

첫 번째 질문에서.
변호사도 사람인지라 피해자를 변호할 때와 가해자를 변호할 때가 다를 수 있다는 점을 이해하지 못하고 피해자를 변호할 때 와 같은 정도의 노력을 요구한다는 것입니다. 사실 변호사가 피해자를 변호할 때는 피해자에 대한 동정심이 생기게 마련이고, 이때문에 수임료 이상으로 노력하게 됩니다.

반면 가해자의 변호사가 되면 피해자에게 가졌던 동정심 이상으로 혐오심을 가지게 되는 데, 여기에 가해자의 반성 없는 태도가 더 해질 경우 "이런 나쁜놈을 위해 내가 돈 몇 푼 받고 변호해야 하나" 하는 마음이 생기게 되고 이 마음은 결국 최악의 원인인 대충 대충으로 나타나게 됩니다.

이런 경우 종종 변론 도중 사임으로 결과 되기도 합니다

두 번째의 '내 할 일을 하지 않았다'는 것은,
변호사의 본연의 업무는 변호하는 일이며 그외 합의, 반성문, 탄원서 등에 대해서는 자문정도만 해야 하는 데 , 이 모든 일을 변호사에게 맡겨 놓으면 변호사는 덜 중요한 일에 시간을 뺏기기 되고 결국 중요한 일을 소홀히 하게 되는 결과가 오게 됩니다.

의뢰인은 변호사가 모든 일을 해줄 것으로 생각하지만 사실 모든 일을 해 줄 수 없고 그렇게 해서도 안됩니다(왜냐하면 의뢰인은 모든 일을 하고 청구하는 보수를 감당하기 어렵기 때문에 대충하게 되고 이 대충은 결과에 심각한 영향을 미치게 됩니다..)

➢ 수퍼 변호사 만들기

그러므로 "좋은 변호사는 의뢰인 하기 나름"이라는 말은 "나쁜 의뢰인이 나쁜 변호사"를 만든다는 말과 같습니다, 가해자로서 의뢰인은 변호사의 최선의 노력을 이끌어 내기 위한 세 가지 조건은 다음과 같이 정리될 수 있습니다.

첫 번째:
변호사가 의뢰인에 대한 혐오증을 누르고 최선을 다할 수 있도록 진지한 반성의 태도를 인정받아야 한다는 것이고 (사실 검사나 판사에게 선처 받을 노력하기 전에 변호사에게 선처 받을 노력하는 것이 더 우선되어야 할 일입니다.)

두 번째:
변호사 본연의 업무에 집중할 수 있도록 양형자료 등 필요한 일은 의뢰인이 직접하여 변호사의 업무부담을 덜어주어야 한다는 것입니다(반성문, 탄원서 등 양형자료는 변론만큼이나 중요하고 성공적인 변론이 되도록 뒷 받침 하는 한편 변호사의 노력이 통하지 않을 경우 보험으로도 작용할 수 있습니다)

세 번째는
변호사는 환자를 치료하는 의사 입장이기도 하고, 죄인을 도우는 성직자적 성격도 있지만 사실상 성인 군자이기를 기대할 수는 없으므로 적은 수임료는 적은 노력의 원인이 되고 결국 변호사의 의도와는 별개로 부실한 변호가 되기 쉬우니 충분치는 않더라도 적절한 수임료가 필요하다는 점입니다

변호사에게 지불되는 수임료의 효과는 수임료 100에 대해 적어도 300이상의 경제적 효과를 기대할 수 있으므로 변호사가 깍아준다고 하더라도 효과 높은 결과를 기대한다면 깍지 말아야하고, 오히려 더 줄 수 있도록 노력하는 것이 비용 결과 측면에서 더 나은일이 틀림없습니다.(수임료를 깍고자 한다면 그 만큼 자기 무덤을 파는 것과 다름 없다는 것과, 깍아주는 변호사는 깍아주는 만큼 보다 훨씬 덜 일하겠다는 말에 다름 아님을 이해 해야 합니다(일부 변호사는 분명히 그렇습니다)

위 내용을 간단히 말한다면,
1. 변호사에게 선처할 마음을 내게 하는 진지한 반성의 태도가 필요하고
2. 반성문,탄원서 등 양형 자료는 직접 챙겨 본래 변호 업무에 집중할 수 있도록 하고
3. 적절한 수임료가 무엇보다 중요하다는 것으로 요약할 수 있습니다.

사실 변호사가 최선을 다해주면 기대하는 만큼의 결과가 나오지 않았다고 하더라도, 혹은 최악이 결과 되었다고 하더라도 담담히 받아들일 수 있게 되며,

최선을 다했으므로 강제수행 기간 동안 잘 수행하게 될 것임을 생각한다면 변호사가 최선을 다할 수 있도록 돕는 것은 곧 스스로를 돕는 것이라는 점을 잘 이해할 수 있습니다

➢ 변호사 선택

▪ 어떤 변호사를 선택해야 하나

형사 사건 의뢰인에게 변호사 유형은 사건의 결과를 크게 좌우할 수 있는 중대한 요소이나 궁박한 상태에 있는 의뢰인은 어떤 변호사가 좋은지 판단하기 어려워 누구에게 물어보는 것도 쉽지 않아 ,

결국 인터넷을 뒤지고 귀 동냥하는 등 가장 나쁜 방법으로 변호사를 선택하게 되는 ,말하자면 울며 겨자먹기식의 선택은, 앞에서 말한 2가지 잘못으로 연결되고 결국 나쁜 변호사를 선택한 것으로 결과되어, 본인은 많이 나쁘고 변호사도 조금은 나쁜 결과가 됩니다.

형사문제로 변호사에게 기댈 수 밖에 없는 입장상 변호사 선택은 그 결과를 좌우하게 되기 때문에 가능한 한 목적에 맞는 변호사를 선택하는 것이 최선이며 간단하게 구분하는 방법이 있습니다.

.

✓ **전투형**

전투형 혹은 투사형 변호사는 유.무죄를 다투어야 하는 경우에 적합 할 것입니다.

이 경우는 검사와 승부해야 하기 때문에 보통은 검사 출신 변호사를 선호하게 됩니다. 그러나 이 경우에도 질 경우에 대비한 선처 받을 노력은 반드시 준비되어야 합니다

✓ **선처형**

전투형과 달리 검사와 승부하는 것이 아니라 성실한 논증을 하지만 범죄동기, 재범하지 않을 이유 등으로 재판부에 호소하는 경향의 변호사를 말하는 데, 선처목적의 경우에 가장 적합 합니다.

✓ **타협형**

타협형은 전투형과 선처형의 중간형이라고 할 수 있으며. 일부 무죄 주장의 경우에 적절하며 주로 판사출신의 변호사에게 이 경향을 많이 발견할 수 있습니다.

대개 변호사가 변호사로서의 노력이 무위로 돌아갈 때 쯤에 선처구하는 노력하자는 말을 하는 경우가 있는데 사실, 변호사로서는 체면 안서는 일이기도 합니다

왜냐하면 선처 받을 노력이라는 것은 변호사의 전문성있는 노력이 아니라 의뢰인의 반성문, 탄원서, 등 양형자료에 의존하는 것이기 때문입니다

그러나 의뢰인의 선처라는 목표를 전제한다면 나중에가 아니라 처음부터, 변호사가 필요없다고 하더라도 양형자료는 준비되어져야 합니다.

➢ 언제 선택해야 하나

"골든 타임"이라는 것은, 위급한 상황에서 더 나빠지지 않게 할 수 있는 적절한 때를 말하는 것인데, 형사적 상황에서도 적절한 때의 적절한 대응은 결과를 크게 좌우할 수 있습니다.

형사문제에서 고소. 고발 되기 전이라도 의뢰하는 것이 좋으나, 그렇게 하지 못한다면 다음 각각의 때에 의뢰가 좋습니다.

- 고소. 고발사실을 알게 된 때
- 경찰 조사 때 : 경찰조사로부터 조사 출석을 요구 받은 때
- 검사기소 전 : 경찰조사가 끝나고 사건이 검사에게 송치된 때
- 재판 과정이 시작된 때: 법원으로부터 소환장 받은 때
    - 영장실질 심사 때
    - 구속적부심 때
    - 항소심 때
    - 상고심 때
    - 이외 마음이 불안할 때

• 비용은 어느정도인가

변호사 비용은 사건마다 다르며, 기본적으로 난이도에 따라 다르다고 말할 수 있는데, 유.무죄를 다투는 경우 해야할 일이 가장 많기 때문에 비용이 가장 높으며 선처를 구하는 경우는 변호사가 할일이 최소화 되기 때문에 가장 낮다고 할 수 있습니다.

형사 변호사의 보통 500만원 전후를 기본비용으로 하고(2022년 현재) 사건의 난이도에 따라 상향, 혹은 하향 조정되며 수백만원에서 수천만원까지 혹은 그 이상 되는 경우도 있습니다

(*선처목적의 경우는 인정 사건이며, 양형자료(반성문, 탄원서 등) 중심이기 때문에 변호사의 노력이 최소화되며 따라서 보통의 절반 전후의 비용으로 선임할 수도 있을 것입니다.)

➢ 좋은 변호사 구분

검사는 피해자 편, 판사는 사회정의 편 그리고 변호사는 피고인의 돈 편 이라는 악담이 있는 것은 형사피고인이 변호사 선임 때 겪는 어려움을 말하는 것입니다.

이른바 좋은 변호사에 대해서 여러 기준이 있겠지만, 선처 받을 목적을 전제로 한다면 구분은 그리 어렵지 않을 것입니다.

- **퍽 좋은 변호사**

" 죄 없는 사람은 없다"는 점을 이해하고 피해자를 변호하든, 가해자를 변호하든 환자를 치료하는 의사 입장을 견지하는 변호사는 퍽 좋은 변호사가 틀림없습니다.

- **좀 좋은 변호사**

퍽 좋은 변호사는 아니지만 받은 수임료 만큼이라도 하는 경우는 덜 좋은 변호사에 비해 좀 좋은 변호사라고 할 수 있을 것입니다.

- **덜 좋은 변호사**

가해자에 대한 혐오증을 돈으로만 누르려고 하는, 돈에 의해서만 움직이는 변호사는 충분한 돈을 지불할 수 없다면 덜 좋은 변호사임이 분명합니다.

- **더 덜 좋은 변호사**

말할 것도 없이 돈만 밝히고, 가해자라는 등의 이유로 의뢰인을 무시하고, 결국 대충 대충하는 변호사는 결과에 책임지지 않아도 된다는 점을 악용하는, 더 덜 좋은 변호사의 전형 입니다.

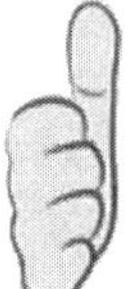

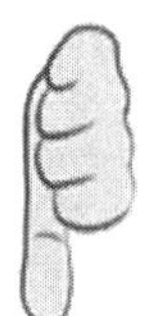

이 경우는 세 가지 공통된 특징을 보인다고 합니다.

- ✓ 무책임한 언행 : 내가 해결할 수 있다
- ✓ 무분별한 수임 : 어떤 분야든 내가 할 수 있다
- ✓ 무전유죄 기계 : 돈이 부족하여 실패했다 돈을 더 내라

"굶주린 사자보다 배고픈 변호사가 더 무섭다"라고 변호사들이 말하는군요

변호사에 대한 믿음
변호사는 한편으로 환자를 보살피는 의사이기도 하고, 죄인을 보호하니 성직자이기도 합니다 한편, 법률공부를 통해 충분히 지적. 정신적 수련을 한 사람이니, 그만큼 도덕성이 있을 것이라는 점 또한 우리가 믿어 의심치 않습니다.

나쁜 의뢰인이 나쁜 변호사를 만든다는 말은 좋은 의뢰인이 좋은 변호사를 만든다는 말에 다름아님을 잘 이해해야 합니다

우리는 죄 없이 온전해 질 수 없다,
죄는 우리의 선에 이르게 하는 최상의 방법이다.

헨리 데이빗 소로

We cannot well do without our sins;
They are the highway of our virtue.

Henry David Thoreau

스님이 일깨우고,
신부님이 독려하고,
목사님이 외치고,
도사님이 닦아 대고.
판사님이 호통하는,

반
성
이
란

무
엇
인
가

Part Ⅱ. 조사·재판 선처 받기

- ✤ 형사과정
- ✤ 형사반성
- ✤ 과정별 반성문
- ✤ 반성의 반성
- ✤ 반성의 정석
- ✤ 반성의 완성
- ✤ 반성문의 실제
- ✤ 탄원서와 봉사활동, 기부 등

부록 Ⅰ : 참고자료(합의서, 사죄문 등)
부록 Ⅱ : 반성문 · 탄원서 모음

❖ 형사과정

- 조사·재판 전체 요약
- 내 사건 조회하기
- 경찰, 검찰 조사과정
- 경찰 조사받기
- 검찰로부터 선처받기
- 경찰, 검찰의 구속

- 구속과 불구속
- 의견서
- 국선변호인

❖ 형사과정

➢ 조사 · 재판 전체 요약

형사적 처벌은 피해회복(합의)와 재범방지에 있다고 해도 과언이 아니며, 이러한 목적 하에 경찰, 검찰, 법원은 각각의 위치에서 각자의 역할을 하게 됩니다.

고소. 고발 기타 형사적 문제의 경우 경찰조사에서 시작하여, 검찰조사, 재판, 징역, 출소의 과정을 거치게 됩니다.

- 어떤 경우는 경찰.검찰조사에서 끝나거나
  - ✓ 무혐의, 증거불충분, 기소유예, 벌금 등

- 어떤 경우는 재판에서 종료되거나
  - ✓ 무죄, 집행유예, 벌금,선고유예, 등

- 또 어떤 경우는 징역까지 가서 종료됩니다 :
  - ✓ 특별사면, 가석방, 만기출소 등

➢ 내 사건 조회하기

고소/고발/신고 등으로 형사사건에 연루되게 되면,
경찰조사에서 시작하여,
검찰조사, 1,2심 재판까지 보통은 8개월 전후의 기간이 소요되므로.
사건이 끝날 때까지 법무부에서 운영하는{형사포털사이트 } 반드시 사용하여
불필요한 실수를 없게 해야 합니다.

- 조회대상자: 피의자, 고소인, 고발인, 피해자 및 법정대리인, 변호사
- 대상사건: 입건사건, 전자 약식사건

- 조회방법 형사포털사이트
  ✓웹: http://kics.go.kr
  ✓모바일 앱: kics

형사포털사이트: 앱:kics

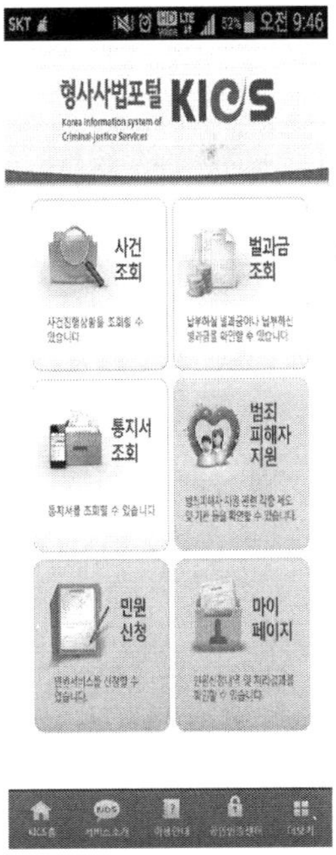

국민과 함께하는 형사사법
형사사법포털이 만들어갑니다.

➢ 경찰, 검찰 조사과정

• 국가는 국민은 보호하는 것이 최우선 의무 입니다
대외적 위험으로부터 국민을 보호하고- 이를 위해 군대가 있으며,
대내적 위험으로 즉, 불법적인 위험으로부터 국민을 보호하기 위해 –경찰, 검찰이 있습니다.

▪ 그러므로 경찰과 검찰은 피해자 중심으로 공정하게 됩니다.
따라서 가해자가 공정한 수사를 요구하는 것은 피해자 중심의 공정의 기준에 맞지 않을 수 있으므로 그러한 요구는 매우 신중하게 해야 하며 증거가 없는데도 불구하고 공정수사 운운하는 주장이 반성의 태도가 없는 것으로 보인다면 선처 받는데 장애가 될 수 있으니 유의해야 합니다.

- 고소, 고발 등 기타의 사유로 수사를 시작할 경우 경찰은 2개월 이내에 조사를 종료하고, 검찰은 3개월 이내에 기소 여부를 결정하게 되어 있어 사건이 접수된 후 경찰조사와 검찰 조사는 3개월의 기한 내에 이루어 져야 하는 것입니다.

- 보통은 그렇게 진행되나 그렇게 하지 않는다고 하더라도 제제규정이 없기 때문에 복잡한 사건의 **경우 3개월 이상 수사기간이** 길어지기도 합니다.

재판 전까지 과정을 간단히 요약하면 다음과 같습니다.
- ✓ 경찰 조사 기간 : 10일 전후
- ✓ 검찰 송치 : 경찰 조사 후 10일 전후
- ✓ 검사 조사 : 검찰 송치 후 1개월 전후
- ✓ 조사 종결 : 검사 조사 후 1개월 전후

조사. 재판은 불구속이 원칙이나 다음의 경우는 구속 조사. 재판 받을 수 있습니다.

1. 증거인멸
2. 도주우려
3. 주거부정

형사소송법, 제257조(고소 등에 의한 사건의 처리) 검사가 고소 또는 고발에 의하여 범죄를 수사할 때에는 고소 또는 고발을 수리한 날로부터 **3월 이내에 수사를 완료하여 공소제기여부를 결정**하여야 한다.

구속되어 조사. 재판을 받게되는 경우 여러가지로 불리한 입장에 처 하게 되니,

구속되기 전에 조사에 적극적. 성실하게 응해야 하며, 만약 구속 되었더라도 영장 실질심사/구속적부심은 결국 세가지를 기초로 하게되므로,

반성문 탄원서 등을 제출하여 반성의 진정성을 인정받는 다면, 불구속의 가능성을 높일 수 있습니다.

➢ 경찰 조사받기

• 선처 받기 위한 노력의 시작
처음부터 말했지만 이 자료는 선처 받을 목적에 국한되어 있습니다.

따라서 경찰조사 단계에서도 사실무근의 고소에 대해 무죄를 주장하는 경우가 아니라, 일부라도 유죄를 인정한다면, 처음부터 선처 받을 노력하는 것이 상황을 더 나쁘지 않게 하는 기초라 할 수 있습니다.

경찰조사 단계는 검사의 구형과 최종적으로 재판에서 선고의 토대가 되는 기초자료이므로 선처 받고자 한다면 조사단계에서부터 노력이 시작되어야 하며, 올바르게 노력되었을 때 선처 받을 수 있는 토대가 되는 것입니다.

• 경찰의 선처능력
한편 이전에는 검사의 지휘하에 경찰이 수사를 함으로서 경찰의 직접적 선처능력이 제한되었으나 2022년 9월 부터 검수완박의 상황으로 조사 완결권이 생겨 선처할 수 있는 권한도 많아 졌습니다.

✓ 반성형 진술서
경찰조사를 받기 전에, 사건경위에 대한 진술서 미리 작성해두고 조사 받을 때 제출하면 조사받는 시간을 절약할 수 있으며, 반성형으로 작성된 경우에는 선처 받는 데 도움될 수 있습니다 (반성형 진술서는 p65, p108을 참조)

✓ 조사의견

조사관이 피의자에 대해 조사(수사)를 한 후 그 결과에 대해 '기소', '불기소' 등의 의견을 첨부하여 검찰로 송치를 하게 되는 데 , 사건을 송치 받은 검사는 이 의견에 구속 되지 않지만 대개는 의견을 참작하여 처리하게 되므로 조사관의 조사 의견은 재판의 최종선고에 매우 큰 영향을 미칠 수 있으니 조사관으로부터 부정적이지 않은 의견을 받는 것은 선처 받는 데 중요한 요소라 하겠습니다

(아래 표는 조사종결 후 고소인에게 가는 결과 통지 내용의 일부(예)입니다.)

<table>
<tr><td>접수일시</td><td>2014.</td><td>접수번호</td><td>2014-</td><td>사건번호</td><td>2014-</td></tr>
<tr><td>진행상황</td><td colspan="5">1. 송 치 (0) : 검찰청
2. 이 송 ( ) : .
3. 종 결 ( )</td></tr>
<tr><td>주요내용</td><td colspan="5">피의자 에 대한 상해와 강요는 기소의견, 감금과 협박은 불기소(혐의없음)의견으로 검찰청에 송치하였습니다.</td></tr>
<tr><td>담 당 자</td><td>경위</td><td>소속 및 연락처</td><td colspan="3">경제1팀</td></tr>
</table>

➢ 검찰로부터 선처받기: 기소전 선처 받을 노력: 송치된 사건과 직접조사 사건

경찰조사후 사건이 검찰로 송치되면 1개월 전후하여 기소여부를 결정하게 되므로 기소 전에 선처 받는 데 필요한 자료(반성형 진술서, (자백형)반성문, 탄원서 등)제출하는 것이 좋습니다.

- **검찰의 수사권**

2022년 9월 경 시행될 이른바 '검수완박' 은 검찰 수사권을 완전히 박탈하는 것으로 검찰이 가진 6대 수사의 대부분을 경찰이 하게되고, 검찰은 기소 만을 담당하는 것으로 미국의 FBI제도와 같은 것입니다.

검수완박:

검수완박이 이루어지면 검찰은 법률에서 정한 예외적인 경우를 제외하고는 수사 업무를 수행하지 못하고 기소 및 공판 업무를 전담하게 된다.

즉, 일부 수사 권한이 유지된다는 점에서 수사권의 완전한 박탈은 아니지만, 유지되는 수사권을 행사하는 경우에도 검사는 '사법경찰관으로 간주'되어 이를 행사하여야 하기 때문에, 그 범위나 내용 측면에서 수사권이 실질적으로 완전히 폐지되는 것으로 볼 수 있다. (나무위키 참조)

@이 책은 검수완박 이후 변경될 내용은 반영하지 않았습니다

검찰청법 [시행 2021. 1. 1.] [법률 제16908호, 2020. 2. 4., 일부개정]

제4조(검사의 직무) ① 검사는 공익의 대표자로서 다음 각 호의 직무와 권한이 있다. <개정 2020. 2. 4.>
1. 범죄수사, 공소의 제기 및 그 유지에 필요한 사항. 다만, 검사가 수사를 개시할 수 있는 범죄의 범위는 다음 각 목과 같다.
가. 부패범죄, 경제범죄, 공직자범죄, 선거범죄, 방위사업범죄, 대형참사 등 대통령령으로 정하는 중요 범죄
나. 경찰공무원이 범한 범죄
다. 가목 · 나목의 범죄 및 사법경찰관이 송치한 범죄와 관련하여 인지한 각 해당 범죄와 직접 관련성이 있는 범죄
2. 범죄수사에 관한 특별사법경찰관리 지휘 · 감독
3. 법원에 대한 법령의 정당한 적용 청구
4. 재판 집행 지휘 · 감독
5. 국가를 당사자 또는 참가인으로 하는 소송과 행정소송 수행 또는 그 수행에 관한 지휘 · 감독
6. 다른 법령에 따라 그 권한에 속하는 사항
② 검사는 그 직무를 수행할 때 국민 전체에 대한 봉사자로서 헌법과 법률에 따라 국민의 인권을 보호하고 적법절차를 준수하며, 정치적 중립을 지켜야 하고 주어진 권한을 남용하여서는 아니 된다. <개정 2020. 12. 8.> [전문개정 2009. 11. 2.]

➢ 경찰, 검찰의 구속

✓ 48시간 구속: 긴급체포 혹은 영장체포 (형사소송법: 200조의2, 200조의3)

긴급한 사유로 영장 없이 체포한 경우, 또는 체포영장에 의해 구속한 경우 48시간 내 구속영장이 발부되지 않으면 석방됩니다.

✓ 10일간 구속: 경찰서 구속기간(형사소송법 202조)
구속영장이 발부되어 피의자를 구속할 경우 경찰서 유치장에 최장 10일간 유치할 수 있으며 이후는 검사에게 넘겨야(인치 한다고 합니다)합니다

✓ 10일~20일간 구속: 검사의 구속기간(형사 소송법 203조, 205조)
검사가 피의자를 구속한 때 또는 피의자를 넘겨받은 때는 10일 이내에 공소를 제기해야 하며,

이 기간을 넘기면 석방해야 합니다, 그러나 10일에 한해 구속기간을 연장할 수 있습니다.

(피의자의 구속은 경찰에서는 자체 유치장에, 검찰에서는 자체 유치장 혹은 구치소로 이동시켜 구속하게 됩니다)

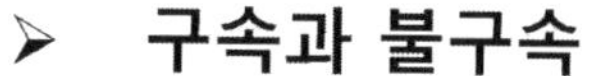

- 구속될 것인가
- 영장실질심사
- 구속영장 발부 현황

➢ 의견서

➢ 국선변호인

➢ 구속과 불구속

▪ 구속될 것인가? : 조사 중 구속

경찰조사 중에 구속되지 않았을 때 도중에 특별한 문제가 발생하지 않았다면 검찰조사에서도 구속되지 않을 가능성이 높습니다.

그러나 구속할지 말지는 결국 영장실질 심사에서 판사가 결정하는 것이기 때문에 조사받는 중에 아래 구속사유에 해당하는 일이 없도록 **성실한 태도로 조사받는 것은** 매우 중요한 일입니다. (우선은 검사가 영장질실짐사를 청구합니다)

형사소송법 198조(준수사항) ① 피의자에 대한 수사는 불구속 상태에서 함을 원칙으로 한다.

형사소송법 제70조(구속의 사유) ①법원은 피고인이 죄를 범하였다고 의심할 만한 상당한 이유가 있고 다음 각 호의 1에 해당하는 사유가 있는 경우에는 피고인을 구속할 수 있다. <개정 1995.12.29>
1. 피고인이 일정한 주거가 없는 때
2. 피고인이 증거를 인멸할 염려가 있는 때
3. 피고인이 도망하거나 도망할 염려가 있는 때

②법원은 제1항의 구속사유를 심사함에 있어서 범죄의 중대성, 재범의 위험성, 피해자 및 중요 참고인 등에 대한 위해 우려 등을 고려하여야 한다. <신설 2007.6.1>
③다액 50만원 이하의 벌금, 구류 또는 과료에 해당하는 사건에 관하여는 제1항 제1호의 경우를 제한 외에는 구속할 수 없다. <개정 1973.1.25, 1995.12.29, 2007.6.1>

구속기준에 대한 보다 자세한 내용은, 이 자료의 부록과 더 구체적인 내용은 [구속 수사 기준에 관한 지침: 대검예규 기획 제400호]를 참고할 수 있습니다. 카페자료보기: http://cafe.naver.com/noranribbon/24821

▪ 영장실질심사

영장실질심사는 조사관의 조사의견 등에 의해 구속하여 조사하고자 할 경우 법원에 청구하며 법원에서 이를 재판으로 심사하는 것입니다

- 불구속수사가 원칙이지만 (형소법 70조)
  - ✓ 증거인멸
  - ✓ 도주우려
  - ✓ 주거부정 등의 이유로 조사가 어렵다고 판단될 경우에 구속영장을 청구하여 구속영장이 발부되면 구속하게 됩니다.(구치소로 이동)

- 구속영장의 심사는
  영장청구 접수 당일 **오후에** 이루어지고(오후2시 이후 접수 건은 다음날 오전) 결과는 당일 오후의 심사인 경우는 오후 8시~9시에 나오는데 중요사건인 경우는 새벽1시를 넘기는 경우도 있습니다.

- 구속사유로서는 (형소법 201조)
  - ✓ 범죄의 중대성,
  - ✓ 재범의 가능성,
  - ✓ 피해자 및 중요 참고인에 대한 위해 우려 등이 주로 고려됩니다.

- 따라서, 영장실질 심사에서 구속되지 않는 선처를 구하려면
  - ✓ 혐의를 인정하는 태도(혐의를 인정한다면)
  - ✓ 반성하고 있으며, 피해회복 노력하는 중이며, 성실하게 조사. 재판 받겠다는 확실한 의지를 인정받아야 합니다.(그러므로 진정성 있는 반성문, 관련자료 등의 제출은 반드시 도움될 것입니다)

▪ 구속영장 청구 발부현황

	2018	2019	2020
전체사건 접수	2,302,601	2,391,529	2,255,553
청구	30,060	29,647	25,770
전체사건 접수 대비 구속영장청구율(%)	1.3	1.2	1.1
발부	24,438	24,018	21,098
발부율(%)	81.3	81.0	81.9
기각	5,585	5,587	4,656
기각률(%)	18.6	18.9	18.1
구속점유율(%)	1.2	1.1	1.0

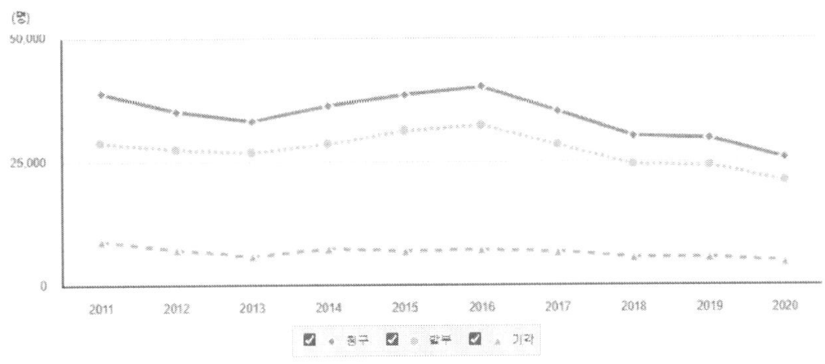

✓ 구속영장 청구 추이

- 구속영장청구 인원은 2020년 25,770명으로 전년 대비 13.1% 감소(전체 사건접수(신수) 인원은 5.7% 감소)
- 전체사건 대비 구속영장 청구율은 1.1%로 최근 5년 1.1 ~ 1.6% 수준에서 등락을 보이고 있음
- 구속영장 발부인원은 21,098명이며, 발부율은 81.9% 수준임
- 구속영장 기각인원은 4,656명이며, 기각률은 18.1% 수준임
- 전체사건 대비 구속점유율은 1.0% 수준으로 최근 5년간 1.2% 내외 수준으로 유지

자료 출처:
나라지표: http://www.index.go.kr/potal/main/EachDtlPageDetail.do?idx_cd=1727

➢ 의견서: 법대로?, 선처?

① 법대로 할 것인가
② 선처를 구할 것인가

사선변호사가 없는 경우 의견서가 포함된 법원소환장을 받게 되는 데, 의견서를 통해서 결과를 좌우할 수 있는 중요한 방향 선택을 하게 됩니다.

이 선택은 전부 또는 일부를 부인하는 경우와, 전부 인정하는 경우인데 어떤 경우이든, 형을 줄이고자 하는 것이 목적이 되는 데 말하자면,

1. 법대로 하여 형을 줄이고자 할 경우
2. 선처를 구하여 형을 줄이고자 할 경우입니다.

법대로
선처구하기
의견서

어느 쪽이 나은가 하는 것은, 증거가 있는 경우와 그렇지 않은 경우의 차이로 말할 수 있으며

예컨데, 전부 또는 일부를 부인할 때, 인정받을 만한 증거가 있는 경우에는 이를 제출하여 인정될 경우에 형은 줄게 될 것이나,

.

{가장 나은 것은, 부인의 증거가 있다고 하더라도 겸손하게 선처를 구하는 태도일 것입니다.}

인정받지 못할 증거로 부인으로 일관할 경우, 그 부인의 사실을 심리하는 기간 동안 선처를 구할 기회를 놓칠 뿐만 아니라, 죄질이 나쁨의 평가도 받을 수 있기 때문에 유의해야 할 일입니다.

물론, 주장에 대한 증거를 겸손히 제출하고, 마땅한 반성문도 제출한다면 증거만 제출하는 경우보다 더 나은 결과가 있을 것임은 자명합니다.

한편, 주장에 대한 증거가 없거나, 전부 인정할 경우는 공소장을 받고 의견서를 작성하는 날부터 라도 선처를 구하기 위한 노력이 시작되어야 할 것 입니다

▪ 피해회복과 재범방지
처벌은 재범방지에 큰 비중을 두고 피해회복(합의)정도를 참작하게 되는 데, 재범방지는 재범가능성 평가로 이루어 지며, 사건을 중심으로 과거 삶의 흔적을 토대로 반성의 진정성 등으로 평가될 수 있습니다.

법원으로 소환장을 받아 의견서를 제출해야 할 때, 그러한 평가의 제소요가 포함되어 있으므로 신중히 작성해야 합니다.

▪ 기소내용을 인정하는 재판에서는 진지한 반성의 노력만이 자신을 구하게 됩니다.

의견서는 경찰,검찰이 수사한 내용에 대응하여 사건에 대해 피고가 작성하는 사건내용을 종합하여 제출하는 자료로서, 내용에 따라 재판 결과에 매우 큰 영향을 미칠 수 있으니,

선처 받고자 하는 입장이라면, **처벌을 피하고자 하는 마음 버리고, 변명이나 동정을 구하는 마음도 내려 놓고** 오직 의연한 반성의 마음으로 작성되는 것이 최선일 것입니다.

경철,검찰의 기소자료에 비교하여 피고가 내는 자료는 의견서와 선처 받을 자료(반성문 탄원서 등)임을 잘 이해하고 작성해야 합니다.

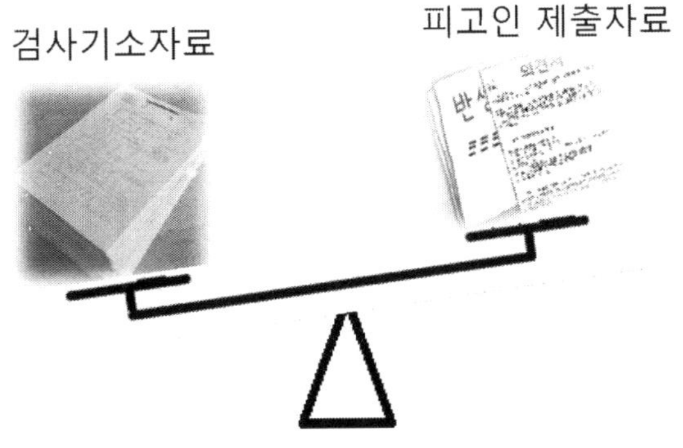

▪ 의견서에서 중요한 부분

의 견 서

사　건 :
피고인 :

이 의견서는 피고인의 진술권 보장과 공판절차의 원활한 진행을 위하여 제출하도록 하는 것입니다.피고인은 다음 사항을 기재하여 이 양식을 송부받은 날로부터 7일 이내에 법원에 제출하시기 바랍니다. 진술을 거부하는 경우에는 진술을 거부한다는 내용을 기재하여 제출할수 있습니다.

1. 공소사실에 대한 의견

가. 공소사실의 인정 여부
(1) 공소사실을 모두 인정함(　　)
(2) 세부적으로 약간 다른 부분은 있지만 전체적으로 잘못을 인정함(　　)
(3) 여러 개의 공소사실 중 일부만 인정함(　　)
(4) 공소사실을 인정할 수 없음 (　　)
(5) 진술을 거부함(　　)

나. 공소사실을 인정하지 않거나{1의 가. (3), (4) 중 어느 하나를 선택한 경우}, 사실과 다른 부분이 있다고 하는 경우{1의 가. (2)를 선택한 경우}, 그 이유를 구체적으로 밝혀 주시기 바랍니다.

2. **절차진행에 대한 의견**

3. **성행 및 환경에 관한 의견**

4. 정상에 관한 의견(공소사실을 인정하지 않는 경우 기재하지 않아도 됨
가. 범행을 한 이유
나. 피해자와의 관계
다. 합의 여부 (미합의인 경우 합의 전망, 합의를 위한 노력 및 진행상황)
라. 범행 후 피고인 생활
마. 현재 질병이나 신체장애 여부와. 억울하다고 생각되는 사정이나 애로사항
사. 그 외 형을 정함에 있어서 고려할 사항

➢ 국선변호인

헌법 제12조 4항 누구든지 체포 또는 구속을 당한 때에는 즉시 변호인의 조력을 받을 권리를 가진다. 다만, 형사피고인이 스스로 변호인을 구할 수 없을 때에는 법률이 정하는 바에 의하여 국가가 변호인을 붙인다.

국선변호인은 헌법에 명시된 국민의 권리이며, 사선변호인을 선임할 수 없을 때, 법원에서 정해주며, 소환장에 첨부되어 안내됩니다.

그러나 대개 재판을 잘 모르는 피고가 국선변호인이 알아서 해주겠지 하거나, 내가 돈을 안주니 무성의 하겠지 하고 별로 기대하지 않고 무성의 하게 대하게 되고, 따라서 국선변호인도 의례 그러려니 하고 대충하게 됩니다.

즉, 국선변호사가 성의 없이 하는 것은 대부분, 피고인이 성의 있고 적극적으로 국선 변호인을 대하지 않아서 그렇다는 것입니다.

그러나, 국선변호인도 변호사 인지라 자기가 맡은 일을 제대로 해내려고 하는 경우가 당연히 있고,

피고인이 적극적으로 성의 있게 대한다면 변호사 본연의 임무를 수행하게 되는 경우가 많습니다.-사선변호인처럼 하지는 못한다고 할지라도-

국선변호인이 선임되는 경우:
피고인이 ①구속된 때 ②미성년자인 때, ③70세 이상의 자인 때, ④농아자인 때 ⑤심신장애의 의심이 있는 자인 때 ⑥사형, 무기 또는 단기 3년 이상의 징역이나 금고에 해당하는 사건으로 기소된 때에, 피고인에게 변호인이 없는 경우 법원은 직권으로 변호인을 선정해야 **한다**

또한 피고인이 위 항목에 해당하지 않더라도 빈곤 그 밖의 사유로 변호인을 선임할 수 없는 때에는 피고인의 청구에 의해 변호인을 선임할 수 있으며, 피고인은 위 사유에 대한 소명자료를 법원에 제출해야 하나, 사건기록에 의해 그 사유가 명백히 소명됐다고 인정될 때에는 그러하지 아니하다

허삼만 작: 반성

❖ 형사반성

- ➢ 처벌과 선처
- ➢ 선처 받을 이유- 귀한 피고
- ➢ 반성과 처벌의 도식
  - ▪ 피해회복(합의)과 재범방지
  - ▪ 합의, 공탁, 기부, 봉사활동
- ➢ 자백과 고백
- ➢ 반성의 도덕적, 경제적 가치
- ➢ 골든 타임

- ➢ 선처3보
- ➢ 선처 받기 4단계
- ➢ 대표적인 선처 3+1
  - ▪ 반성형 진술서
  - ▪ 사죄문
  - ▪ 최후진술

➢ 처벌과 선처(善處)

처벌의 목적이 재범방지에 있으며, 재범방지는 올바른 반성으로부터 주어진다는 점에서, **처벌의 목적에 부합하는 올바른 반성이** 인정 될 경우 그 정도에 상응한 조치를 '선처 ' 라고 할 수 있습니다.

(피해자의 선처는 – 처벌 불원하는 것, 조사관의 선처는 – 불구속의견을 내는 것, 검사의 선처는 구형량을 줄이는 것, 판사의 선처는 형량을 줄이는 것 등이라 할 수 있습니다)

다르게 말하자면 선처라는 주어진 기준대로 하는 것 즉, 단순히 법대로 하는 것이 아니라 대상의 사정을, 혹은 노력을 참작한 처벌을 하는 것을 말하는 것입니다.

처벌은 처벌 자체가 아니라 **처벌 양의 즉 형량의 문제인데** 최종적인 처벌양은 죄의 양적 측면과 질적인 측면을 고려하게 되므로

- 죄의 양: 피해의 정도와 피해회복(합의)의 정도와 법적인 처벌기준 등 양적으로 측정할 수 있거나 측정 기준이 있는 것을 말하는 것이며

- 죄의 질: 과거 삶의 행적, 범죄한 이유, 향후의 재범 가능성, 반성의 정도 등 양적으로 측정할 수 없거나 기준이 없는 것을 말하는 것입니다.

결과적으로 선처는 죄의 양적인 기준만이 아니라 재범하지 않을 가능성(불가피성우발성 및 반성의 정도 등)의 질적인 면을 종합한 **처벌이라** 할 것입니다.

@1,000원의 절도에도 징역형이 선고되고, 수 억원의 사기에도 징역을 면하는 큰 이유는 죄의 질과 재범가능성 평가에 의한 것인 바 이런 점에서 무전유죄無錢有罪의 경우보다 무지유죄無知有罪의 경우가 더 많은 것도 사실입니다

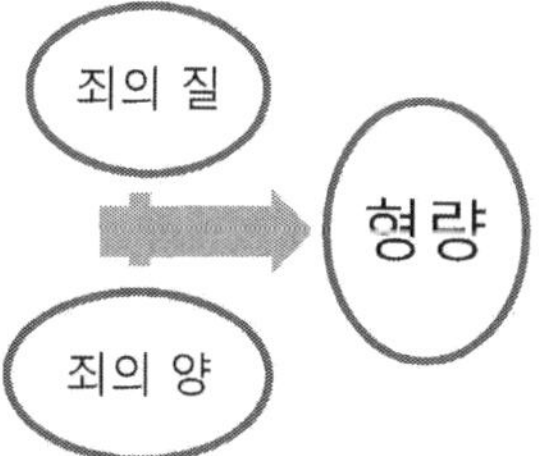

형법, 제51조(양형의 조건) 형을 정함에 있어서는 다음 사항을 참작하여야 한다.

1. 범인의 연령, 성행, 지능과 환경
2. 피해자에 대한 관계
3. 범행의 동기, 수단과 결과
4. 범행 후의 정황

➢ 선처 받을 이유-귀한 피고

뒤에서 말하게 되지만, 판사님은 올바르게 반성하는 혹은 하려고 노력이라도 하는 피고를 발견하게 되면, 그 만큼 혹은 그 이상 반드시 선처하게 되는데,

왜냐하면 대다수의 피고가 헛된 변명을 하거나, 동정심 구하기로 일관하기 때문에 **올바른 반성의 태도를** 가지는, 따라서 재범가능성이 적은 피고는 발견하기 어렵기 때문입니다.

실제로 1인당 연간 1천 건 전후의 재판(서울지역)을 재판을 진행하는 판사의 입장에서 올바른 반성의 태도를 가진 피고는 재판의 목적을 밝혀주기도 하기 때문에,

필연적으로 선처하게 되며 이러한 피고는 전체의 1% 전후이기 때문에 **귀한 피고**라 할 수 있는 것입니다

형사부 판사가 증거 다음으로 많이 읽는 글은 반성문이다
어떤 피고인들은 어린 자녀가 자신에게 혹은 직접 재판부에 보내는 편지를 첨부하거나, 아이들 사진을 붙여 내기도 한다. 속보이는 것이라고 야멸차게 넘기다가도 인지상정에 이끌려 아이들 편지와 사진을 본다.

아이들 편지에는 삐뚤 빼뚤한 글씨로 '우리 아빠 용서해주세요' '아빠 몇 밤만 자면 와? 출장 갔 다오면 같이 놀아'라는 말이 주로 적혀 있고 '하트 뿅뿅'이 그려져 있다.
[김영사: 어떤 양형이유 p 161]

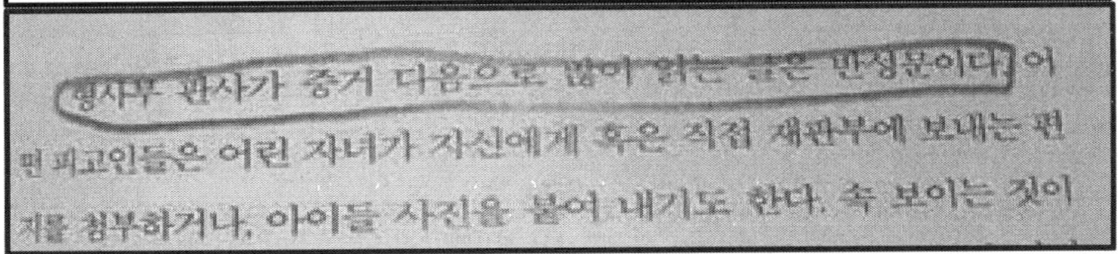

형사부 판사가 증거 다음으로 많이 읽는 글은 반성문이다. 어떤 피고인들은 어린 자녀가 자신에게 혹은 직접 재판부에 보내는 편지를 첨부하거나, 아이들 사진을 붙여 내기도 한다. 속 보이는 것이

- ➢ 그러나 사실 사람들이 반성하지 않으려고 하는 것이라기 보다 처벌의 두려움 때문에 판단력이 흐려지고
- ✓ 평소 생활에서 반성적시간을 가지기 못해 반성이 무엇인지 모르고
- ✓ 가해자에 대해서는 아무도 동정하지 않는 사회정서와
- ✓ 무전유죄라는 등의 변명성 편견 때문에

결과적으로 반성하고자 해도 올바르게 반성하지 못하게 되기 때문 올바르게 반성하는 피고는 더욱 귀하게 되는 것이며 **그러한 피고는 완치된 환자에 대한 기쁨을 느끼는 의사 처럼, 참회하는 죄인을 대하는 성직자 처럼, 판사님의 보람이기도 한 것입니다.**

➢ 반성과 처벌의 도식

• 처벌의 목적은
  ✓ 가해자에 대해서: 재범방지
  ✓ 피해자에 대하여: 피해회복(합의)
  ✓ 이를 통한 사회질서 유지라는 3중 목적이 있습니다.

- 피해자에 대한 피해보상은 현금보상이 원칙이며
- 가해자에 대한 처벌은 재범가능성 평가로 결정되며
- 재범가능성은
  ✓ 본인-반성문
  ✓ 주변-탄원서
  ✓ 그리고 반성의 진정성의 보충 또는 증명을 위한 봉사활동 기부, 기증 등이 평가기준이 될 수 있습니다

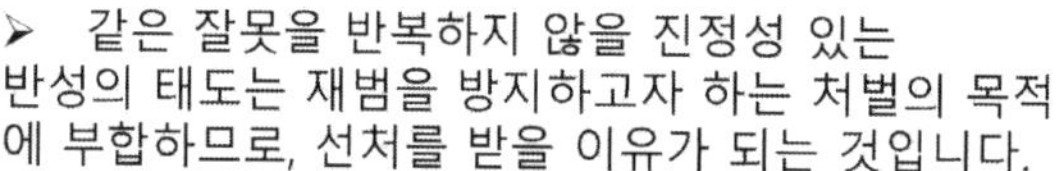

➢ 같은 잘못을 반복하지 않을 진정성 있는 반성의 태도는 재범을 방지하고자 하는 처벌의 목적에 부합하므로, 선처를 받을 이유가 되는 것입니다.

그러므로, 합의하지 못한 경우, 죄질이나쁜 경우는 그 정도 만큼 반성은 깊어져야 할 것입니다.

합의, 죄질 및 반성에 따른 처벌은 예시와 같이 간단한 도식으로 참조할 수 있겠습니다.

반성과 처벌의 도식(예)

합의	죄질	반성	처벌
X	X	X	중상
X	X	OO	중
O	-	X	중
X	-	OO	중하
O	O	O	하

▪ 피해회복(합의)과 재범방지

앞에서 말했지만, 처벌의 큰 목적은, 재범방지를 전제로 피해 회복(합의)과 그리고 이를 통한 사회질서의 확립이라 할 수 있으며, 사실, 재판과정이라는 것은 이 세가지를 달성하기 위한 과정이라고 할 수 있습니다

1)가해자-재범방지라는 목적은 피고에 대한 재범가능을 평가하는 것이며, "강제적 반성"을 위한 처벌로써 달성 하려고 합니다.

그러나, 고통에 의한 강제 반성은 고통이 사라지면 반성도 사라지게 되는 경우가 많아, 이것은 치료제가 아닌 진통제의 효과로 비유할 수 있겠습니다.

그러나 자발적인 반성의 기회를 가질 경우, 진통제가 아닌 치료제의 효과를 낼 수 있는 것이므로 ,

강제 반성과, 자발적인 반성 중 후자의 경우가 재범방지의 효과가 더 높을 뿐 아니라, 재범방지에 소요되는 막대한 직, 간접 비용을 고려한다면, 자발적 반성은 더욱 중요해지는 것입니다. (그러나 사실 강제반성으로 시작하지만 자발적 반성으로 이어질 수 있게 되는 경우가 많습니다, 반성기제가 작동한 것입니다)

➢ 2)피해자-피해회복(합의)은 현금보상이 원칙이며
이것이 여의치 않을 때 공탁이라는 간접적인 방법이 있습니다.

(공탁이 반드시 합의로 간주되지는 않으나, 조건에 따라서는 준 합의 또는 적어도 합의 노력으로 인정 될 수는 있습니다.)

만약 피해자가 개인이 아닌 경우 라면 피해자가 없는 것이 아니라 **사회가 제2차 피해자가 되는 것이고** 이 경우의 피해보상은 말하자면 개인에 대한 합의금의 맥락에서 사회단체에 대한 기부금으로 갈음할 수 있게 됩니다.

▪ 합의, 공탁, 기부, 봉사활동

합의와 ,공탁, 그리고 사죄문은 피해자로부터 선처 받기 위해 각각의 경우에 필요한 노력인데 합의는 처벌의 절반 전후를 좌우하는 중요한 요건이나, 사죄문은 원만한 합의를 도출하기 위해, 혹은 경제적 사정 등으로 합의할 수 없을 경우, 처벌불원서 등 피해자로 부터 선처 받기 위한 경우의 노력입니다.

합의는 금전 합의가 원칙이지만 이른바 외상합의도 종종 용인되며 금액 등의 문제로 합의할 수 없는 경우는 공탁제도를 이용할 수 있으나 공탁은 합의에 준하는 정도의 노력으로 인정될 수 있습니다

합의할 경우, 합의서는 사건내용과 합의 내용으로 구성되지만 "민, 형사상의 책임을 면 한다"는 내용이 필수적 기재조건이라 할 수 있습니다.

합의서의 제출은 쌍방이 같이 "가서" 혹은 피해자가 직접 제출할 경우에는 인감증명이나 도장이 필요 없으나, 가해자가 제출할 경우는 피해자의 합의사실을 확인하기 위해 인감증명서 및 인감도장이 필요하게 되며, 이외 다른 방법으로 피해자가 합의내용에 동의한다는 사실을 확인할 수 있다면 그 확인으로 갈음될 수 있습니다.

✓ 합의서 형식은 부록을 참고.

✓ 공탁: 공탁은 여러 가지 이유로 합의할 수 없을 경우에 법원에 공탁하여 합의에 준하는 효과를 얻기 위한 노력입니다.

✓ 기부: 상대방과 합의할 수 없을 때 제2차 피해자인 사회에 대한 보상의 취지로 사회복지 재단 등에 기부함으로써 사회에 대한 피해를 보상하는 방법이 있습니다.

일반적으로 기부는 기업의 선처 받을 노력으로 선택되기 하나 합의, 공탁 등을 할 수 는 개인의 선처 받을 노력이 되기도 합니다.

✓ 봉사활동: 장애인, 치매환자 보살피는 복지시설에서의 봉사활동은 반성과 합의, 기부,기증의 진정성을 더 해주게 됩니다.

➢ 자백과 고백

혐의의 일부 인정과 전부 인정의 차이는 무엇일까요.

결론적으로 말한다면 선처 받고자 하는 전제에서 일부 인정은 전부 인정으로 대하는 것이 좋습니다.

미수범이 기수범 보다 처벌을 많이 받는 경우는 미수범임에도 불구하고 "자백하지 않아 반성의 태도가 없어" 재범가능성이 높다고 본 것이며, 기수범은 자백 및 반성으로 재범가능성이 낮다고 본 결과입니다.

따라서, 일부 인정이라 하더라도 전부 인정과 같은 자백의 태도가 선처 받는 관건이 되는 것은 자명합니다.

- 자수는 선처 받을 노력의 기초가 되는 선택이며,
- 자백은 차선의 선택이라 할 수 있으며
- 고백은 최선의 선택이라 할 수 있습니다.

자수는 형의 감경 또는 면제조건이지만, 그러나 임의적 이므로 "진정성이 결여"된 자수에 대해서는 감경 또는 면제 되지 않을 수 있습니다.

자술과 자백, 자수 등은 수사. 조사과정에서 범죄를 스스로 인정하는 경우를 말합니다.

자백 등은 검찰. 경찰이 좋아하는 것이기도 합니다.

✓ 그런데, 자백을 넘어선 **고백**은 누가 좋아할까요?

형법, 제52조(자수, 자복) ① 죄를 범한 후 수사책임이 있는 관서에 자수한 때에는 그 형을 감경 또는 면제할 수 있다.
②피해자의 의사에 반하여 처벌할 수 없는 죄에 있어서 피해자에게 자복한 때에도 전항과 같다.

➢ 반성의 도덕적 · 경제적 가치

피고를 처벌하면, 처벌하는 비용 때문이라도 개인적, 사회적 손실이 있지만, 재범으로 인한 사회적 비용의 부담이 크기 때문에 경제적 이유에서라도 처벌하지 않을 수 없습니다.

그러나, 피고가 충분히 반성한다면, 반성으로부터 마땅히 얻게 되는 지혜는 도덕적으로나 경제적으로나 사회에 크게 기여하게 됩니다.(1명의 온전한 반성은 99명에게 선한 영향을 미치기 때문입니다)

이것이 처벌을 통해 강제적으로라도 반성 시키고자 하는 이유이며, 진정성 있는 반성에 선처로 보상하는 이유이기도 합니다

----반성의 도덕적 ·경제적 가치 (예)----

①처벌비용: 100
②재범으로 인한 사회간접비용 1,000=100 X 10
③다른 사람에게 끼치는 영향 10,000=100 X 100

반성하는 죄인은 죄짓지 않은 의인보다 도덕적 가치가 높다. g197

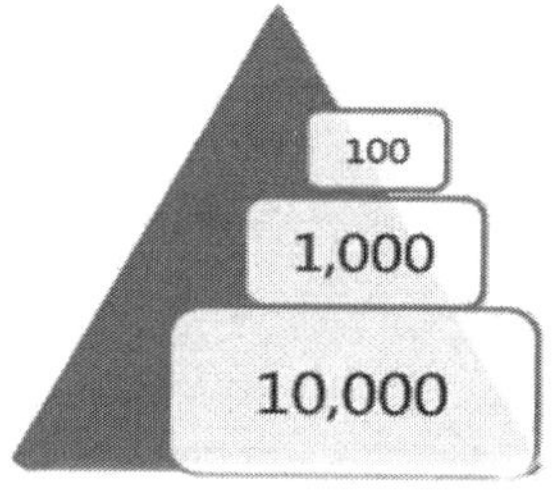

교도소 수감자 1인당 관리 비용 '연 2,500만 원': YTN
https://news.naver.com/main/read.naver?mode=LPOD&mid=tvh&oid=052&aid=0000686156

“정부 교정시설에 수용된 사람들의 관리 비용이 지난해보다 50억 원 늘어나 사상 처음으로 천 억원대를 돌파했다고 합니다.”

무기수 오원춘에 드는 비용은?헤럴드
http://biz.heraldcorp.com/view.php?ud=20130117000222&mod=skb

수많은 시민은 오원춘에게 사형 선고가 내려지지 않은 데 분노하며, 그의 교도비용에 국민 세금이 들어가는 것이 부당하다고 주장하고 있다.

...제반 비용을 포함하면 수형자 1인당 연간 소요비용은 2281만원까지 늘어난다.

..
특히 한국 남성의 평균 기대수명이 77.6세인 것을 감안하면 현재 43세의 오원춘이 사망할 때까지 들어가는 교도비용은 모두 7억6185만원이 될 것으로 예상된다.

➢ 골든 타임

어떤 위급한 상황이 발작적으로 일어날 때 , 혹은 급작스럽게 위급 상황에 처하게 될 때 소위 {골든 타임}이라는 것이 있습니다

준비된 상태가 아닌 상황에서 구속되었을 때 역시 골든 타임이 있다는 것을 이해하면 적어도 덜 나빠지도록 노력할 수 있으며, 나아가서는 더 나빠지지 않게, 그리고 더 나아짐을 시작할 수 있을 것입니다.

준비되지 않은 상황에서 조사 재판은 극심한 스트레스로 평소에는 잘 작동하던 판단력이 절반 이하로 떨어지고, 말하자면 평소 아이큐가 150이던 사람이 75이하 정도가 되어 올바른 사고가 매우 힘들 뿐 아니라 하지 않아도 될 실수를 하는 등 하여 상황을 더 나쁘게 만들기 일쑤 입니다.
...
현행범으로 구속되던, 조사. 재판과정에서 구속되든, 구속은 유치장 혹은 구치소 그리고 교도소의 구속이 있습니다

이때
체포되었을 때 유치장에 가지 않기 위한 노력이 ,
유치상에 있을 때는 구치소에 가지 않기 위한 노력이,
구치소에 있을 때는 교도소에 가지 않기 위한 노력이,
교도소에 있을 때는 가능한 빨리 출소하기 위한 노력이 ,
그리고 출소하기 전에 다시 재기할 수 있는 노력이 필요할 것입니다.

그러나 구속된 본인도 무엇을 어떻게 해야 할지 정확히 모르고, 구속된 사람을 수발해야 하는 사람은 더욱 당황스러운 상황에 처하게 되며 변호사가 없다면 당황함은 가중되게 됩니다.

골든 타임은 고소되기 전에, 구속되기전에, 출소하기 전에, 언제나 더 나빠지지 않을 수 있는 기회가 존재하며 이미 늦었다는 것이 오히려 존재하지 않습니다.

➢ 선처3보

선처3보는, 말하자면 선처를 받기 위한 세 가지 보물 정도로 이해할 수 있겠으며 반성문, 탄원서, 봉사활동 또는 기부.기증 등을 말합니다.

이러한 노력은 합의와는 달리, 선처 받는데 대한 보장성이 없습니다.
그러나 그럼에도 불구하고 하는 노력이므로 오히려 선처 받을 수 있다는 점으로 이해할 수 있습니다.

- **제1보: 반성문**

선처3보의 핵심이며 진정성을 그 생명으로 합니다.

✓ 반성형 진술서
경찰단계에서는 조사에 협력한다는 차원에서 반성형 진술서

✓ 자백형 반성문
검찰단계에서는 기소에 협력하다는 차원에서 자백형 반성문

✓ 고백형 반성문
법원 단계에서는 재범하지 않을 의지를 보이는 차원에서 고백형 반성문

- **제2보: 증언적 탄원서**

탄원서는 그 성격이 피고의 성실함에 대한, 재범하지 않을 가능성에 대한 객관적, 증언적 보충자료의 성격입니다.

직장동료, 상사, 동아리 회원 등 사회적 관계에 있는 사람으로부터 받는 것이 좋습니다.

- **제3보: 봉사활동, 기부.기증**

  ✓ **징벌적 봉사활동**
  봉사활동은 반성의 진정성을 보충하기 위난 노력입니다.

  봉사활동은 일상적 봉사활동 보다, 장애자 등에 대한 징벌적 봉사 활동이 더 낫습니다

  ✓ **기부.기증: 합의에 갈음**
  기부, 기증은 봉사활동이 여의치 않을 경우에 봉사활동을 대신 한다는 의미도 있으며, 피해자와 합의가 어려울 경우 제2차 피해자
  인 사회에 대한 기부로 합의노력에 갈음한다는 의미도 있습니다.

- **선처3보를 균형 있게 구성한다면**

반성문 1건에 탄원서 3건, 봉사활동 3회가 무리 없는 구성이라고 할 수 있습니다.

➢ 선처 받기 4단계

선처 받을 노력은 기본적으로 4단계로 이루어지게 되며 첫 단계가 잘 이루어지게 되면 형량이 정해지는 마지막 단계까지 순조롭게 진행될 수 있습니다.

- **1단계: 피해자로부터의 선처(사죄문)**

피해자로부터의 선처는 합의금이 전제가 되는 것이기는 하나 합의금 지불 능력이 부족 하다고 하더라도, 합의하려고 애쓰는 태도는 중요하며, 합의서는 받지 못한다고 **하더라도 처벌 불원서 혹은 탄원서를** 받는 것은 크게 도움될 수 있으므로 피해자에 대한 사죄문 등의 제출은 필요합니다.(합의가 처벌의 50% 전후에 영향을 미친다면 합의가 없는 처벌불원서는 25%전후의 영향이라 할 수 있을 것입니다.)

- **2단계: 경찰(반성형 진술서)**

경찰단계에서는 조사관으로부터 선처 받을 노력이 필요합니다, 조사관 단계에서는 피의자의 인적사항에서, 사건의 경위, 피의자의 태도, 합의 등에 대한 기초적이고 종합적인 조사가 이루어지고 조사 후

조사관의 의견은, 사건이 검찰로 송치될 때 반영되고 대개의 경우 조사관의 의견은 받아들여지게 되고

선고에서 형량을 결정할 때 기초자료가 되므로 **조사관에게 선처 받는 것은 매우 중요한 일입니다**.

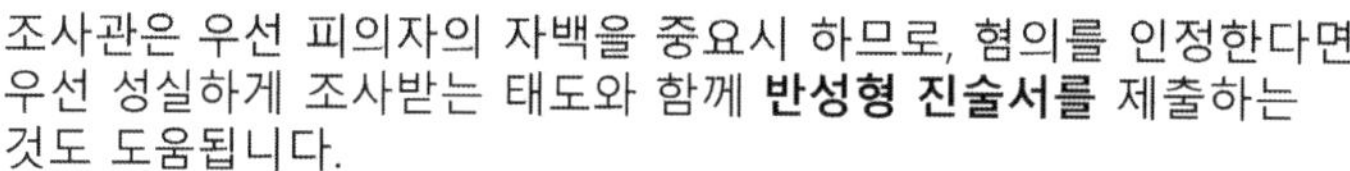

조사관은 우선 피의자의 자백을 중요시 하므로, 혐의를 인정한다면 우선 성실하게 조사받는 태도와 함께 **반성형 진술서를** 제출하는 것도 도움됩니다.

경찰의 수사권이 확대된 이후로 이 노력은 더 중요해 졌습니다.

- **3단계:검찰(자백형 반성문 + 탄원서 등)**

사건을 경찰로부터 송치 받은 검찰은 검사의 판단에 따라 보강 혹은 추가조사를 하게 되는 데, 이 단계에서 본격적으로 노력 되어야 하며,**기소 결정하기 전까지 반성문과 탄원서 등이 제출되는 것이 좋습니다.**

검사님은 피의자에 대해 기소여부 및 형의 정도를 결정할 권한이 있으므로 검사님으로부터 선처 받는 것은 재판까지 가지 않거나 혹은 재판에 가더라도 형량범위를 낮게 하는 효과가 있습니다

- **4단계: 법원(고백형 반성문 + 탄원서 등)**

기소가 되었다면 1개월 전후하여 1심 공판이 시작되고 특별한 사건이 아니고 부인하는 사건이 아닌 경우 보통 2회 공판으로 종료되므로 기소된 후 3개월 전후하여 종료됩니다
(물론 이경우도 더 걸리거나 덜 걸리기도 하지만 6개월을 넘어가지는 않습니다)

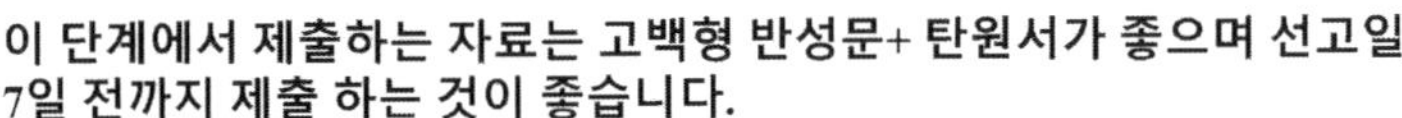
이 단계에서 제출하는 자료는 고백형 반성문+ 탄원서가 좋으며 선고일 7일 전까지 제출 하는 것이 좋습니다.

판사님은 경찰조사에서 검찰조사에 이르기까지 제출된 모든 자료를 바탕으로 죄의 양과 질을 평가하며 최종적으로 피의자의 형량을 결정하게 되는 데 경찰 단계에서부터 성실하게 그리고 일관성 있고 진정성 있는 반성의 태도를 보여 왔다면 반드시 선처 받을 수 있을 것입니다.

앞서의 3단계의 걸친 노력은 **결국 판사님으로부터 선처 받기 위한 노력이라고 할 수 있으며** 어떤 이유로 3단계 까지는 소홀히 했다고 하더라도 최종적으로 판사님에 게 진정성 있는 반성을 인정받는다면 이 또한 선처 받을 수 있을 것입니다.

➢ 대표적인 선처 3+1

기소유예에서, 선고유예, 집행유예에 이르기 까지 대표적인 선처는 형법 제51조를 근거로 하고 있는데, 결국 일반적인 조건을 제외한다면 "진정성 있는 반성의 태도"가 핵심이라 할 수 있습니다. (관련조문은 부록 참조)

- **기소유예**

죄가 되지만, 처벌하지 않아도 되는 경우
검사의 대표적인 선처로서 무죄에 준하는
하는 효과가 있다

✓ **형사조정**

사기,횡령, 배임, 명예훼손 등 민사적 성격의 형사사건에 대해 고소인과 피고소인과 합의 할 수 있도록 도와주는 제도로서, 조정위원은 사회 각 분야의 전문가로 구성되며 합의 조정이 되면 형사적 선처가 되기도 한다.

- **선고유예**

죄가 되어 형을 선고는 하지만, 2년간 재범이 없다면 "면소(불기소 비슷)"된 것으로 간주 하는 판사의 대표적인 선처의 하나.
(예: 피고에게 징역6월을 선고한다 다만 이 **"선고를 2년간"** 유예한다)

- **집행유예**

징역형 사유가 되어 징역형을 선고하지만 일정기간 **"집행"**을 유예한다는 판사의 대표적인 선처의 하나(예: 피고에게 징역1년을 선고한다 다만 그 집행을 2년간 유예한다)

형법, 제51조(양형의 조건) 형을 정함에 있어서는 다음 사항을 참작하여야 한다.
1. 범인의 연령, 성행, 지능과 환경
2. 피해자에 대한 관계
3. 범행의 동기, 수단과 결과
4. 범행 후의 정황

▪ 반성형 진술서

조사를 받게 될 때 압박과 긴장의 상태에서 조사를 받기 때문에 자신이 하고 싶은 말을 조리 있게 하기 어렵기 때문에 조사받기 전에 미리 진술서를 작성하여 제출하는 것은 도움되며 경찰 조사단계에서 반성형 진술서는 반성의 진정성이 확인된다면 **형량 결정의 토대가 될 수 있습니다.**

대개 피의자가 되면 자동적으로 고소, 고발, 신고(이하 고소)내용의 전부나 일부라도 부인하게 되는 데, 직접, 혹은 간접적 증거 없이 부인하게 되면 선처 받는 데 장애가 될 수 있습니다.

그러므로 일부라도 인정이 되는 경우 혐의를 인정하고 반성형 진술서를 제출한다면 경찰단계에서 선처 받을 가능성이 높아 질 것입니다.

경찰조사단계에서 제출 하는 반성형 진술서라는 것은 사실 중심의 간결한 내용과 함께 피해자에 대한 피해회복방안과 사죄로 구성하는 것이 좋습니다.

▪ 추가 진술서

경찰서에서 반성형 진술서를 제출했다면, 이 자료는 전부 검사실에서 보게 되는데 자기가 쓴 내용에 대해 다시 한번 살펴보고 반성문을 써야 합니다. 만약 경찰조사 때에 진술이 부족한 점이 있었다면 추가 진술서를 제출할 수도 있을 것입니다.

▪ 반성문은 진정성이 생명

재범방지가 처벌의 궁극적 목적이라면, 진정성 있는 반성의 정도는 처벌의 정도를 결정하는 중요점임에 틀림없습니다.

따라서 반성문에 모르고 그랬다든가, 한 것 같은데 기억이 나지 않는다 든가 충동적으로 그랬다든가 하는 자기 잘못을 정당화 시키는 일체의 변명성 반성과 한편, 무조건 잘못했다는 식의 읍소형 반성은 처벌이 두려워서 하는 일종의 거짓 반성으로 해석될 수 있으므로 주의해야 합니다.

✓ 변명: 그 사람이 먼저 욕을 해서 내가 때리게 되었다.

✓ 반성:
그 사람이 욕을 한 것은 잘못의 시작이지만
내가 그 사람을 때려서 잘못을 완성시켰다. 내 잘못이 더 크다.

- ## 사죄문

사죄문은 선처의 가장 기본 단계인 피해자에게 내는 사적 자료이므로 반성문 보다는 사죄문이라 표현하는 것이 좋으며, 사죄문의 목적은 합의하지 못할 경우라도 피해자로 대한 진지한 사죄을 뜻으로 내는 것이 좋습니다.

사죄문을 가장 많이 내는 경우는 공무원이 합의 대상이 된 경우(대개는 공무집행방해)의 경우인데. 공무원은 합의대상이 아니기 때문에 합의서는 받을 수 없으므로 탄원서나 혹은 처벌불원서를 받는다면 합의에 준하는 효력이 있습니다.

사죄문은 "내 잘못을 사죄하는 의미에서 소정의 사죄금을 공탁하겠다 " 는 내용이 포함되어 있는 것이 좋으며 추후에 피해자에게 처벌불원서 혹은 탄원서를 요청할 수 있습니다

사죄문의 작성예는 부록I 을 참고하시기 바랍니다

▪ 최후 진술

긴, 혹은 짧은 재판을 마무리하는 결심 재판에서 검사 측의 마무리인 구형이 있고 나면 피고인은 자신의 사건과 재판 등에 대한 최후진술의 기회가 주어집니다

최후진술을 끝으로 선고공판기일이 정해지므로 해당 재판에서 피고인이 그동안 해온 선처 받을 노력을 마무리 하는 중요한 과정이기도 합니다.

최후진술은 몇가지 의미가 있으나, 가장 중요한 점은 그동안 반성문 등으로만 피고인의 태도를 짐작 해온 판사가, 피고인으로부터의 최후진술을 통해 직접 진정성 등을 확인하고자 하는 것이므로 그동안의 노력을 평가받는 것이기도 합니다.

말하자면, 오랜 수련과정을 마치고 이 수련을 평가받기 위해 무대에 서는 것과 같은 상황으로 그 동안의 노력이 3분 전후의 시간으로 평가된다는 것으로 비유할 수 있습니다.

최후진술은 구두로 진술할 수도 있지만, 구두진술이 어려울 경우 그동안 제출했던 반성문을 A4 한 페이지 정도로 요약해서 읽는 것이 좋으며, 최후진술인 만큼 최선의 노력하는 태도로 노력해야 하는데 이 과정은 판사에게 절하기를 시작으로 7번 절하기를 중심으로 요약할 수 있습니다

피고인의 모든 태도(옷매무새, 앉은 자세 등)는 반성이라는 잣대로 측정됨을 유의해야 합니다
더 자세한 설명이 필요하면 email로 문의: boolin@naver.com
최후진술과정은 몇 번 연습하고 가는 것이 좋습니다.

"새로운 삼성으로 효도할 것"...눈물 삼킨 이재용의 최후진술 : KBS: 2020.12.30
https://news.kbs.co.kr/news/view.do?ncd=5083887

반
성,

마
음
에

쌓
인

을

누
는

것

❖ 과정별 반성문

- ➢ 경찰과 진술서
- ➢ 검찰과 반성문
- ➢ 재판과 반성문

➢ 경찰과 진술서

형사사건에서 보통 처음 만나게 되는 사람이 수사, 조사를 담당하는 형사(조사관)입니다.

누차 말한 것처럼 경찰이든, 검찰이든, 법원이든 형법적 목적을 전제로 하여 각자의 직무에 맞는 업무를 하게 되는 데 조사받는 상황은 사건 전체의 과정 중 초기 상황이기 때문에,

재판과정에서 경찰조사에서 어떻게 진술이 있었는지가 중요해지는 경우가 많은데 진술의 일관성이 중요하기 때문입니다.

#변호사를 동반하지 못하거나, 조사 받기 전 사전 준비를 하지 못하면 대다수 적절치 못한 상식, 선입견, 불리한 진술할 것에 대한 우려, 혹은 잘 모르니 도움 받을 수 있을 것이라는 태도로 조사 받게 되는데,

공정한 수사(조사)를 원칙으로 하는 조사관 입장에서는 피의자가 잘 몰라서 자기에게 불리한 진술을 한다고 하더라도 도와줄 수 없다는 것을 잘 이해해야 하며 (그러나 합의 등 피해자에게 도움될 수 있는 경우는 도움 받을 수 있습니다)

한편, 가해자 입장에서 자기 기준에서의 공정한 수사를 기대하는 것은 오히려 나쁜 결과-반성의 태도가 없다는 이유로-가 될 수도 있으니 주의해야 합니다.

결국 선처 받을 노력해야 할 입장이라면 적절치 못한 상식 등으로부터의 결과를 피하는 한편, 조사관으로부터 선처 받을 수 있는 준비로서 '반성형 진술서'를 미리 작성하는 방법이 선처 받는데 도움될 수 있읍니다.

반성형 진술서는,
사실 중심으로 육하원칙에 따라 진술된 반성문으로 이해할 수 있으며 변명 등 사실 외의 내용이 없을 수록 진정성이 인정될 수 있음을 이해해야 할 것입니다.

한편 거의 언제나 올바르지 못한 진술을 대하는 조사관에게 제출된 진정성 있는 반성형 진술서는 조사 업무에도 상당한 도움이 될 수 있기 때문에 결과적으로 선처 받는 데도 도움될 수 있게 됩니다.

* 반성형 진술서 예는 이 책의 ' 참고자료" 항목에 포함되어 있습니다

➢ 검찰과 반성문

존경하는 검사님

판사의 경우와 마찬가지로 죄를 처벌하는 직위에 있으므로 검사檢事라는 직위에 대해도 존경을 표하지 않을 수 없습니다.

그러나 검사는 처벌하는 것을 목적으로 하는 직위라, 검사님에게 반성문은, 처벌을 많이 **하지 말아야 할 이유를** 발견하는 이유가 될 것입니다

판사님이 반성문을 통해 처벌을 **적게 해야 할** 이유를 발견하고자 하는 것과는 반대 방향에 있는 것이지요

결과적으로 형량을 결정하는 것은 판사님 이지만, 재판에 넘기는 것(기소)을 결정하는 것은 검사이기 때문에 검사님에게도 반성문은 중요한 단서가 됩니다.

만약 검찰단계에서 반성의 진정성이 인정된다면 검사님으로부터 선처(기소유예, 약식기소, 불기소 처분 등)도 가능할 것입니다.

검사에게 제출하는 반성문
형사, 검사, 판사는 같은 형법적 목적을 전제로 하지만 각각의 목적업무가 다르기 때문에 업무성격에 맞는 반성문의 제출이 중요할 것입니다.

형사에게 내는 반성문이 일어난 일에 대해 반성형 진술서라면,

검사는 형사의 조사를 토대로 죄가 되는지 안되는지를 검토하고 필요한 보강조사를 하고 재판에 넘길 것인지, 구형은 어느정도 할 것인지를 결정하게 되므로, 일어난 사건에 대한 자백형 반성문이 되어야 할 것입니다.

그러나 어느 경우에나 처벌을 피하고자 하는 읍소형, 변명성 반성문은 처벌을 가중하게 될 수 있으니 반드시 주의 해야 합니다.

➢ 재판의 반성문

존경하는 판사님

우리가 판사에 대해 '존경하는 판사님'이라고 존칭하는 이유는 판사 개인을 말하는 것이 아니라, 사람의 죄를 판단 해야 하는 판사(判事)라는 성스러운 직위에 있기 때문에 그 직위를 존경하는 것이기 때문입니다. 그리고 존경하는 판사님은 죄의 최종 판단에 반성문을 참조하게 됩니다.

▪ 반드시 반성문을 정독해야 할 이유

보통 반성문을 쓸 때 이 반성문을 과연 판사님이 볼 것 인가하는 의구심을 자주 갖게 됩니다.
결론부터 말한다면 판사님은 반성문을 반드시 정독 해야 합니다

> 예컨데, 판결문의 끝에,....진지한 반성의 태도를 보이지 않는 점을 고려하여 초범이지만 실형을 선고한다" 의 경우와"....
> 피고가 범행을 인정하고 진지한 반성의 태도를 보이며, 범행 직후의 행적을 참작, 집행유예를 선고한다" 의 경우로 보겠습니다.

왜냐하면 앞에서 말한 바와 같이 처벌의 목적은 재범방지에 있는 것이고 재범의 여부는 강제적 반성보다 자발적 반성이 훨씬 나은 것이기 때문이며, 기본적으로는 도덕적 가치에 경제적 가치도 높기 때문입니다.

한편, 한 사람을 처벌하는 것은 한 사람의 삶을 송두리째 뒤집는 것이기 때문에 본질적으로 재판하는 판사님의 부담은 매우 큽니다.

> 자백은 진지하게 참회하므로 특별히 양형에 참작하는 면도 있지만 증인 심문등 증거조사를 생략해 불필요한 공핀을 줄여시 판사에게 유무죄 판단의 고통을 덜어주기 때문에라도 유리한 정상이 된다.
> <김영사: 어떤 양형이유 p32>

▪ **오진과 오판**

마치 의사가 오진에 따르는 부담과 같은 것입니다.이때 피고가 올바르게 반성 하고 있다면, 판사님의 부담을 덜어 줄 뿐만 아니라, 의사의 기쁨이 환자의 완치에 있는 것처럼 판사님의 기쁨은 죄인의 지지한 반성에 있으므로, 반성문은 깊게 살펴보게 되는 것 입니다

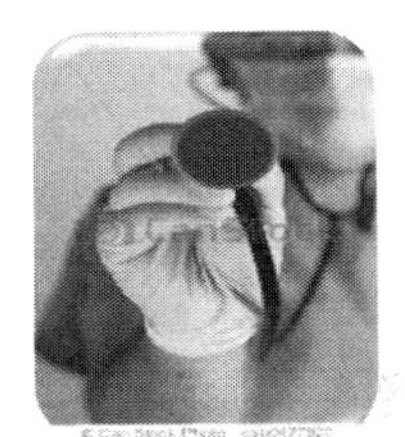

사실, 판사는 죄를 치료하는 의사의 입장이기도 하며,도덕적 판단을 도와주는 점에서 선생님이기도 하며 죄의 반성을 독려 하고 참작하는 점에서 성직자이기도 합니다.

이 모든 점에 비추어 볼 때 **지극한 반성문은 다른 어떤 증거보다 중요한 자료가 될 수 있으므로** 판사님은 반성문을 정독할 수 밖에 없는 것 입니다.

판사생활 수십년해도 판결은 어려워:
윤재윤 전 춘천지법원장은 '재판은 참 어려운 것이네요'란 글을 통해 형사판결을 할 때 징역형의 형기를 정하는 것이 특히 힘들다고 토로 했고...동아일보: 2014-11-04

아니면 이러한 피해 조차도 더 큰 가치를 지키기 위해 우리 사회가 감수해야할 사회적 비용은 아닌지, 오히려 피고인을 법이 허용하는 한도에서 조금이라도 관대하게... <문학동네: 판사유감 60>

문제해결 법원이 재범율을 획기적으로 떨어뜨리고 범죄자를 교도소에서 관리하는 것 보다 훨씬 적은 비용이 지출되는 것으로 연구되자(최초로 약물법원을 운영한 마이애미 주에서 초기 4년간 재범율을 조사한 결과 30%에서 3%로 떨어졌고 1년 수감비용은 3만달러인에 비해 약물법원의 1인당 비용은 700달러로 조사 되었다.)미국 전역에서 그 수와 종류가 급격히 증가했다(2014 12월31일 기준으로 미국내 약물법원는 3057개 이다. <김영사: 어떤 양형이유 p209>

가끔이라도 해야 했던 반성은
종종 , 형사 반성으로 강제됩니다.

그러나
반성은 더 나빠지는 것을 중단시키고
더 나아지게 하는 힘 입니다.

그러니,
죄지어서 반성하는 것이 아니라
반성하기 위해 죄 짓는 것이 아닐까요?

❖ 반성의 반성

- 겸 과 손
- 반성
- 부조화
    - 얻으려는 노력
    - 얻지 않으려는 노력
- 하인리히-사고의 법칙

반성의 반성은,
나의 반성이
바르게 반성되고 있는지에 대한
반성입니다

➢ 겸 과 손

바람직하지 못한 상황에서의 반성은, 바람직한 상황으로 회복하고자 하는 것, 즉 가치회복이라고 할 수 있을 것입니다.

사랑, 평화, 부 등 행복으로 귀결되는 삶의 가치는, 조화를 토대로 하며 가치회복은 우선 부조화를 해소시키는 것, 즉 비운다는 행위로 시작됩니다

마음을 비운 것은 **겸**謙 이고
몸을 비운 것은 **손**巽 이라고 하니

겸손은 비워진 몸과 마음이며, 비움에는 반성이 가장 나은 방법이니 몸과 마음을 겸손에 이르게 하는 최선의 방법은 반성임에 틀림 없습니다.

형사채무자의 가치회복은, 강제 반성의 기회에 우선 몸의 부조화를 해소 시키므로서 가치 회복을 시작하고. 마음의 부조화를 해소하여 가치회복을 완성시키게 되어

형사채무자가 되기 이전 보다 더 나은 가치로운 삶을 가능케 할 것입니다.

"반성하는 죄인은, 죄짓지 않은 의인보다 도덕적 가치가 높다"는 말은 반성으로부터의 가치회복을 증명하는 것이며, 나아가 경제적 가치까지 높이게 될 것은 자명합니다

겸 謙
겸 謙
군 君
자 子
용 用
섭 涉
대 大
천 川
길 吉

겸손하게 겸손한 군자는 이를 써 큰 어려움을 건넌다 -주역15-

▪ 삼성 삼겸

일일삼성 一日三省
일상에서의 반성을 생활 반성이라 할 때, 잘 참조되는 여러 가지 유교 전통 중에 일일삼성 一日三省(혹은 일일 日日三省)이 있습니다.

일일삼성은, 공자님의 제자인 증자가 '하루에 세번 반성' 혹은 '하루에 세가지를 반성"함의 뜻인데 요약은 다음과 같습니다.

첫 번째: 남을 도우는 일에서 충분히 성실했는지,
두 번째: 친구와의 교제에서 충분한 신의가 있었는지,
세 번째: 스승에게 배운 바를 충분히 익혔는지

일일삼겸一日三謙
일일삼성을 토대로 오늘날 우리에게 필요한 생활 반성은, 일일삼겸一日三謙
어로 표현할 수 있습니다.

겸손은 '강화된 반성'의 결과라고 할 수 있으며
일일삼겸은 하루에 세번 '겸손하게' 반성한다는 의미로 다음과 같이 요약 할수 있겠습니다.

① 겸손하게 사과했는지: 내가 아는 잘못과 모르는 잘못에 대해,
② 겸손하게 감사했는지: 나를 도운, 내가 아는 사람과 모르는 사람에 대해,
③ 겸손하게 겸손했는지: 오늘 내가 한 겸손한 언행이 형식에 머무르지 않았는지.

➢ 반성

- **반성의 대상: 드러나게 한 원인**

반성의 절반은,
잘못한 것을 알아차리는 것이고,
나머지 절반은 잘한 것을 알아 차리고자 하는 것으로

드러난 사건에 대해
드러나게 한 원인을 살피는 과정이며,

반성의 목적은
드러난 사건을 반복하게 할 것인가
중단 시킬 것인가를 결정하고자 하는 것입니다.

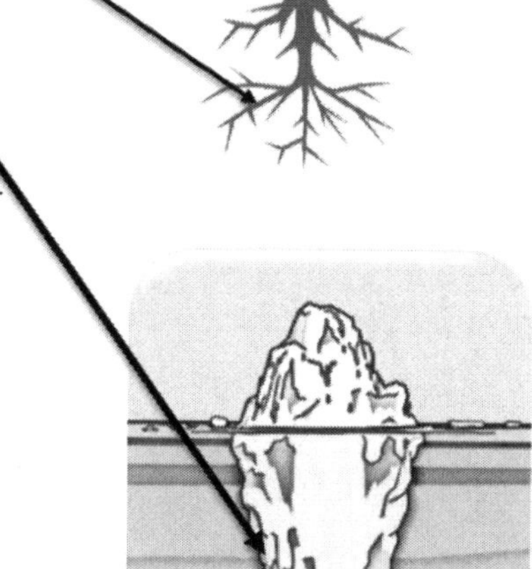

즉,
드러난 일이 바람직 한 일일 경우
드러나게 한 원인을 유지하면
바람직한 일이 유지.반복될 것이며

드러난 일이 바람직 하지 않다면
드러나게 한 원인을 제거 하면
더 이상 바람직하지 않은 일이 일어나지 않을 것입니다.

그러므로
✓ 올바른 반성은
어둠에서 빛으로,
혹은 빛에서 빛으로 나아가게 하고,

✓ 올바르지 못한 반성은
빛에서 어둠으로,
혹은 어둠에서 어둠으로 깊어 들게 하니,

반성은 가치 중의 가치로서,

"반성하는 사람은,
죄짓지 않은 의인보다 도덕적 가치가 높다" 는 것에 다름 아닐 것입니다.

- **반성의 기능 : <u>천입심출</u>** <u>淺入深出</u>

'천입심출'이라는 말은 글자 그대로 말한다면 얕게 들어가서 깊게 나온다라는 말입니다.

좀 더 쉽게는 '가볍게 시작해서 깊게 끝낸다'고 말할 수도 있습니다.

결국 지혜에 이르게 하는 반성의 고유 기능 중, 하나는 천입심출적 기능이라고 할 수 있는 데, 억지로 혹은 강제로 시작해서 진지하게 성찰하게 하게 한다는 것입니다.

이러한 기능 덕분에 우리는 강제 반성의 상황에 처해, 억지로 반성하다가도 진지한 반성에 이르게 되고, 결국 천입심출과 같은 효과가 있게 됩니다

반성의 기능 중 다른 하나로서,
반성적 상황, 특히 강제 반성의 상황은,
상황을 더 나빠지지 않게 하고,
나아가서는 더 나아지게 하는 분명한 기능이 있으니

- ✓ 스님이 참회를 읊조리고,
- ✓ 신부님이 반성을 독려하고,
- ✓ 목사님이 회개를 외치고,
- ✓ 선생님이 반성을 야단하고,
- ✓ 판사님이 반성을 호통하는 이유를 알 수 있는 것입니다.

"우리는 죄 없이 온전해 질 수 없다, 죄는 우리의 선에 이르게 하는 최상의 길이다"
We cannot well do our sins; They are the high way our virtue: (Henry David Thoreau)

라는 금언은 이 책에서 자주 반복되고 있을 정도로 반성에 대한 중요성을 잘 말해주고 있으며

반성의 기능을 고려할 때 죄인이라서 반성하는 것 이라기 보다, 강제 반성하기 위해 죄인이 된 것이라는 점을 또한 반성하지 않을 수 없습니다.

▪ **반성 신호**

일상에서 잘 음식 한 후 잘 소화되었다면 부조화는 축적되지 않을 것이지만 잘 소화되지 않았다면, 부조화는 축적되고 축적된 부조화는 말하자면 '마려운'느낌으로 신호 되며 결국 부조화 누기 과정으로 이어집니다.

일상에서의 크고 작은 일로부터 생성된 감정들이 잘 소화되지 않을 경우 음식의 경우와 같이, 마음에 축적되며, 감정부조화를 일으켜 마음이 답답 하다던가 하는 등으로 말하자면 '마려운' 느낌으로 신호 됩니다.

이 때 적절한 해소과정이 없다면, 더 나빠지기 전에 강제로 해소하는 과정 즉 강제 반성이 선택됩니다.

강제 반성은 자의로 혹은 타의로 반성이 강제되는 상황입니다. 해야 하지만 스스로는 하지 못하는 경우, 무의식적으로 작동하는 강제 반성에 의존하게 됩니다.

✓ **강제반성-강제의 이로움**
강제(로) 반성하게 되는 상황은 몸과 마음에 축적된 부조화를 해소하고자 하는 비의도적 무의식적 과정입니다.

예컨데 사소한 실수에 대해 사과하지 않거나, 사과 받지 못한 경우에 이 감정들은 축적되어 스트레스라는 부조화로 몸과 마음을 지배하게 되고,

우리의 무의식은 우리를 보호하기 위해 부조화의 극단으로부터 일어날 일(큰 사고)을 피하기 위한 강제해소, 즉 강제 반성의 과정을 작동시킵니다.

보통사람은, 질병, 불의의 사고 등으로 입원하거나,
혹은 형사 사건에 연루되어 조사.재판 받고 가막소에 들게 되며
수행자들은 무문관에 들게 됩니다.

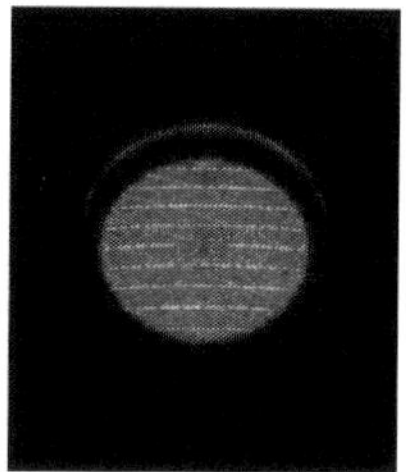

병원이거나,
가막소 이거나,
무문관 이거나,

강제 반성은 고통가운데 반성을 일으키고, 반성으로부터 부조화를 해소시켜 삶을 바르게 시작할 힘을 얻게 되는 계기가 됩니다.

특히 형사반성은, 고소.고발 등에 의해 피의자 피고 입장에서 조사. 재판 등의 형사적 상황에서 강제로 반성해야 하는 상황에서의 반성이며,

올바른 반성은 처벌의 목적인 바, 형량의 절반 전후를 좌우하는 원인이기도 하므로 형사적 상황에서의 반성은 강제 반성의 가장 강력하고 최종적 상황으로서 일생의 중대한 반성 상황이 되기도 합니다.

➢ 부 조 화

내면에 어떤 스트레스가 (쓰레기)가 쌓여 있는지 모르고 살면서 그 스트레스들의 상호 작용은 분노하게 하고, 혐오하게 하여, 온갖 문제를 일으키는 원인이 됩니다.

쓰레기 통이 비워지지 않으면 , 마치 소화되지 않은 음식물 처럼 대장에 적체되어 실제적 죽음의 위기에 처할 수 있습니다..

평소에 몸이 약한 사람은 고혈압, 심장병 등으로 급사하는 경우이고, 교통사고 등 불의의 사고를 당하는 경우가 그런 경우입니다.

그래서 조상님이 도우든, 자기가 믿는 신이 도우든, 또는 스스로 도우든, 극단적인 상황이 생기기 전에 **강제로 쓰레기 비우는 과**정이 선택됩니다.

- ✓ 죽지 않을 병에 걸리든가,
- ✓ 죽지 않을 사고를 당하든가,
- ✓ 형사적 문제가 생기게 되는 것도 그 중의 하나입니다.

형사적 문제로 상담하는 10명중 9명 정도는 종교 없는 것이 확인 됩니다.

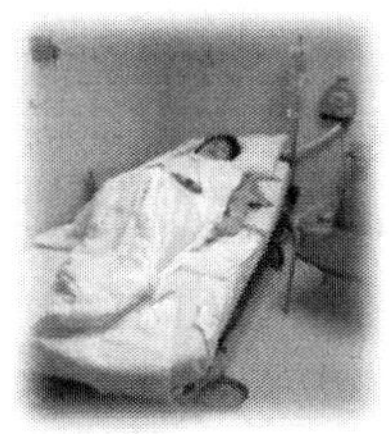

무슨 의미일까요,
결론부터 말한다면 쓰레기통을 비워지는 최소의 행위도 하지 않고 살았다는 것입니다.

말하자면 종교활동은 말하자면 감정적 쓰레기통을 비울 수 있는 자연스러운, 최소한의 기회 인데 그것 마저 하지 않았다고 할 수 있습니다.

종교활동이 아니더라도, 건전한 여가활동은 특히 봉사활동은 쓰레기를 혹은 스트레스를 비우는 가장 효과적인 방법 중 하나입니다.

▪ 얻으려는 노력

우리는
- 사랑을 얻으려고 노력하고,
- 권력를 얻으려고 노력하고,
- 돈을 얻으려고 노력하며,
- 또 다른 무엇인가를 얻으려고 애쓰고 삽니다.

살아있는 과정은 욕망의 과정이고 말하자면 불가피하게 욕망의 부산믈, 즉 감정적 쓰레기가 쌓이는 과정입니다.

그래서, 무엇인가를
- ✓ 얻게 되거나,
- ✓ 얻지 못하게 되는 결과가 오게 되는데,

얻는 경우에는 얻는 대신 무엇인가를 포기 또는 희생 하게 되고
얻지 못 하는 경우는, 얻지 못한 것에 대한 욕구 불만을 얻게 됩니다.

이것들은 말하자면 쓰레기통에 쌓인 쓰레기들이라 할 수 있는데,
이것을 비우지 못하면 이제 심각한 화학작용이 일어나 독극물 이상의 작용을 하게 됩니다.

이것들은 희생당한 것이고, 불 만족된 것이어서 무엇보다 불안정한 강력
한 화학적(감정적)쓰레기로 이것이 적절히 해소되지 않으면, 정신적, 신체적 병의 원인
되고 결국 형사적 문제의 원인이 되는 것입니다.

▪ 얻지 않으려는 노력

우리가 무엇인가를 열심히 원하는 행위로부터 쌓인 쓰레기는, 반대로 우리가 무엇인가
를 원하지 않는 열심한 한 행위로 쓰레기를 비울 수 있을 것이며

대다수의 행위가 돈을 벌기 위한 과정에서 쌓인 쓰레기라면, 이 쓰레기는 **돈을 벌지 않
는 열심한 행위**로부터 해소 될 수 있습니다.

✓ **봉사활동은,**
돈을 벌지 않는 행위이며, 돈을 벌 때 보다 더 진지하고 열심히 하기 때문에 비움의 효과가 매우 크며, 힘든 봉사활동일 수록 그 효과는 더 큽니다.

✓ **기도하기**
성당이든 교회든 절 이든 또는 다른 어떤 종교시설에
서 가만히 앉아만 있어도 돈을 벌지 않은 행위이기 때문에 "비움"의 효과가 있습니다.

✓ **명상은,**
쉽게 말하자면 봉사활동과 기도하기의 중간 쯤에 있는 방법이라 할 수 있습니다.

봉사활동이 동적인 방법이고, 기도가 정적인 방법이라면 명상은 정적이면서 동적인 방법입니다.

명상은 내면에서 일어나는 모든 생각, 느낌을 '반응없이' 알아차리는 것입니다.

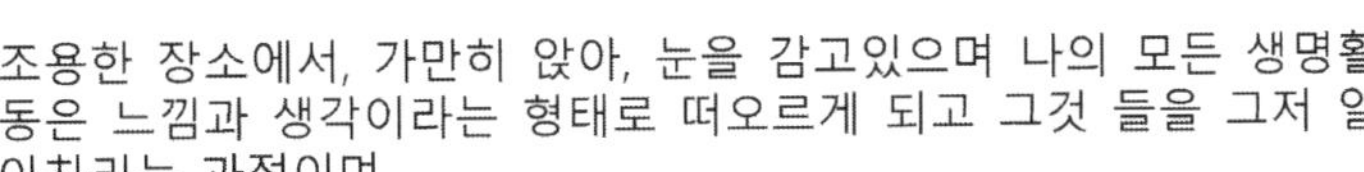

조용한 장소에서, 가만히 앉아, 눈을 감고있으며 나의 모든 생명활동은 느낌과 생각이라는 형태로 떠오르게 되고 그것 들을 그저 알아차리는 과정이며

이 과정에서 자연스럽지 않은 내면의 부조화는 자연스러운 상태 즉, 조화된 상태로 회복되기 시작하므로 부조화를 해소하는, 반성하기에 가장 좋은 방법입니다.

➢ 하인리히-사고의 법칙

- 일어난 사건에 대한 원인적 이해.

일어난 사건을 기준으로, 일어나게 한 29가지가 있고, 29가지를 일어나게 한 300가지의 원인이 있다는 것을 이해한다.

하인리히의 법칙.
하나의 드러난 사고는.
작은 29개의 사고로 예고되고,
29개는 300개의 더 작은 부조화가
원인이다.

1: 29: 300의 법칙이라고도 한다. 어떤 대형 사고가 발생하기 전에는 그와 관련된 수십 차례의 경미한 사고와 수백 번의 징후들이 반드시 나타난다는 것을 뜻하는 통계적 법칙이다. {나무위키 참조}

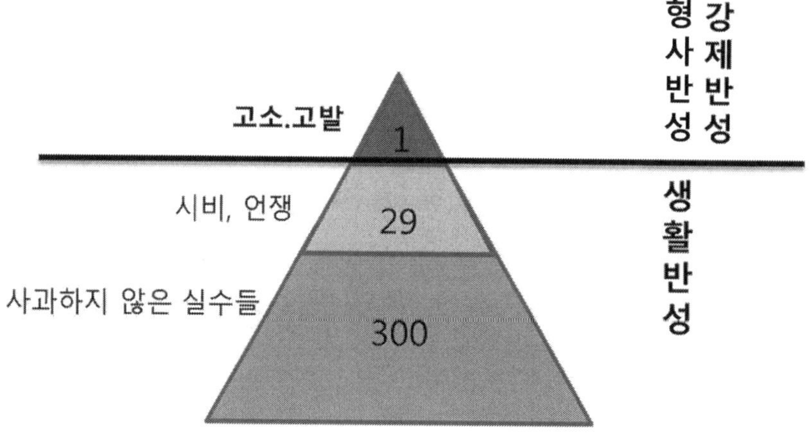

❖ 반성의 정석

- 왜
- 무엇을
- 어떻게
- 언제
- 재판단계
- 어디서
- 누가

▪ 왜

두려움에서 반성을 시작하고, 두려움을 버려 반성을 완성한다

1. 첫 번째 이유 – 선처 받기 위해 (반성의 시작)
처벌의 큰 목적이 재범방지라는 점에서 생각할 때 피고의 반성의 진정성 여부를 판단하는 것은 결국 재범가능성을 판단하는 것이고, 따라서 피고의 반성의 정도가 깊다고 인정되면 형량은 그 만큼 비례하여 줄어든다고 할 수 있을 것입니다.

형량은 결국 부족한 반성을 강제하기 위해 그만큼 강제 반성의 정도를 정한 것이므로 피고가 충분히 반성하고 있다면 그만큼 형량이 줄어드는 것은 당연한 일입니다.

2. 두 번째 이유- 더 나아지기 위해(반성의 완성)
반성은 말하자면 부조화를 일으키고 있는 내면을 조화시키는 과정이라고 말할 수 있습니다.

우리의 일상은 이런 저런 시비로 얽히지만 원만히 해결되는 경우보다 그렇지 않은 경우가 더 많은 것이 사실입니다.

해결되지 않는 시비들은 스트레스가 되어 마음 한 구석에 축적되며 "마음이 무겁다" 라는 느낌으로, 소화시키지 못한 음식물이 변비가 되는 것과 같이 마음의 변비를 일으킵니다.

반성은 내면의 부조화를 해소하는 과정이며, 형사문제에 처해 강제 반성하게 된 것은 말하자면 변비 상태의 마음의 부조화를 해소시키게 하는 과정에 다름 아니며 사실은, 이 두 번째 이유가 반성해야 하는 본질적인 이유라 말할 수 있습니다.

일상에서의 반성이 부족하여 마음에, 그리고 몸에 누적된 부조화가 결국 형사적사건으로 드러난 것임을 고려한다면 강제적이라 할지라도 반성의 기회를 가지게된 것은 말하자면 불행 중 큰 다행에 다름아닙니다.

1심 재판부는 "죄질이 좋지 않지만, 초범이고 반성하고 있는 점을 감안했다"면서 A씨에게 징역 1년에 집행유예 2년을 선고했다.

▪ 무엇을

✓ 반성대상-29번의 잘못 찾기

(사고의 법칙)에서 말한 하인리히의 법칙의 예를 들어 말한다면 드러난 1번의 큰 잘못은 29번의 중간 잘못이 있었고, 29번은 300번의 아주 적은 잘못에 의해 드러나는 것이라고 말할 수 있습니다.

{무엇을 반성해야 하는가}의 문제는
드러난 문제가 아니라 **드러나게 한 원인적 잘못** 즉, 숨겨져 있는 29번의 잘못을 발견하는 것이 과제라고 할 수 있습니다

한 번의 잘못에 대해서 한 번의 반성이 가능하다는 점에서 29번의 잘못을 발견 하고, 따라서 29번의 반성(문)이 가능할 것입니다.

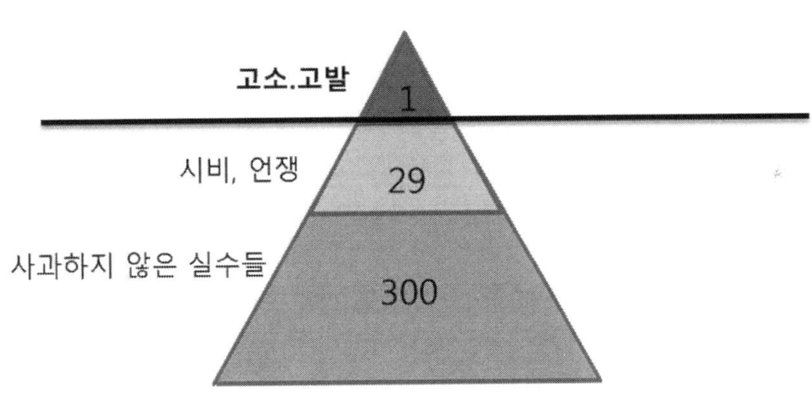

형법, 제51조(양형의 조건) 형을 정함에 있어서는 다음 사항을 참작하여야 한다.

1. 범인의 연령, 성행, 지능과 환경
2. 피해자에 대한 관계
3. 범행의 동기, 수단과 결과
4. 범행 후의 정황

▪ 어떻게

✓ 반성노트 작성

일상에서의 해결하지 못한 29가지 잘못들을 하나씩 노트에 기록하면 원인을 찾아낼 수 있게 되고 따라서, 같은 잘못을 반복하지 않을 방법도 발견하게 됩니다.

1)아내와 다투고 화해하지 않은 일
2)직장 동료를 폭행한 일
3)직장 동료에게 모욕을 당하고 풀지 않은 일
...
29)

예1: 아내와 다투고 화해하지 않은 일
1)왜 아내와 다투었나 : 매일 술 먹고 늦게 온다는 잔소리
2)왜 술 먹고 늦게 오나:직장생활이 힘들다
3)왜 힘든가?: 일이 잘 안 풀린다.
4)왜 잘 안 풀리나: 내가 성실하지 못해서 그런 것 같다.

해법: 아내와의 다툼은 남편이 왜 술 먹고 늦게 오는지 이해하지 못해서 그런 것이므로 우선 아내에게 상황을 설명하고 충분하게 대화한다. 그런 다음에 일이 잘 안 풀리는 문제의 해법을 연구한다..

예2: 폭행사건
1) 왜 상대를 때렸나 : 술을 과하게 먹었다
2) 왜 과하게 먹었나 :회사에서 상사에게 질책을 당했다
3) 왜 질책 당했나?: 상습적 지각을 해서
4) 왜 상습적으로 지각했나: 술을 과하게 먹어서

해법: 우선 술을 과하게 먹었다는 것이 표면적인 이유로 보이기는 합니다만, 모든 사람이 술을 과하게 먹었다고 해서 폭행하는 것은 아니라는 점에서, 술이 문제가 아니라 폭행하게 되는 것이 문제이므로 폭행하게 되는 숨은 이유를 찾아내는 것이 더 중요합니다.

폭행해서 얻는 것이 뭔가?를 생각해야 합니다.

폭행해서 얻는 것은 뭔가 자신을 벌하고자 하는 요구를 실현시키는 것일 수도 있습니다,
강제로 반성하게 되는 이유입니다

▪ 언제

✓ 골든 타임

앞장에서 이미 말했지만, 반성문 제출에도 골든 타임이 있습니다

처벌의 목적은 재범방지에 있고, 재범가능성은 진정성있는 반성으로 평가되며 , 이 평가는 사건 발생직후부터 판결선고에 이르는 전 과정에서 평가되므로, 때에 맞는 반성의 노력이 필요합니다.

한편 조사에서 처벌에 이르기까지 과정에서 경찰은 경찰대로, 검찰은 검찰대로 법원은 법원대로의 관점에서 반성의 태도를 평가하게 되지만, 평가의 잣대는 재범가능성 즉 반성의 진정성이 되므로 각각의 상황에 맞는 반성의 노력을 해야 하며

한편, 위급한 상황에서 더 나빠지지 않게 하는 분기점 즉 골든 타임이 존재하는 데, 조사 재판의 전 과정에서도 **골든 타임** 놓치지 않는 것이 좋습니다.

각 단계에서 해야 할 노력과 골든 타임은 다음과 같습니다.

▪ 조사단계

✓ 경찰단계

조사 받으러 경찰서에 **출석할 때** <u>반성문과 피해자에 대한 사죄문을</u> 지참하고 제출하는 것이 좋습니다.

✓ 검찰단계

경찰에서 조사를 마친 후 기소, 불기소 의견 등을 첨부하여 검찰로 넘기게 되면 검찰에서 경찰조사틀 토대로 하여 보강 조사를 하게 되는 경우가 많습니다. 이 경우에는 **조사 받을 때** <u>반성문과 탄원서를 제출</u>하면 도움될 수 있습니다.

▪ 재판단계

1)반성문 제출
1심 재판은 보통 2~3회 이루어지는 데, 재판 하는 날 7일 전에 제출하며 2회 재판이면 각 재판 마다 1번씩 내는 것이 좋습니다.

2)최후 진술
최후 진술은 검사의 구형 후, 사건에 대해 문서가 아닌 구두로 진술하는 것인데 경찰조사에서 재판까지 자신이 제출한 반성문을 요약하는 정도로 하는 것이 좋으며, 구두진술이 어렵다면 진술문을 작성하여 읽는 것도 좋습니다.

✓ 재판 後

재판 결과가 어떻든 자신의 죄를 살피고 판단해준 점에 대해 감사 반성문을 제출하는 것이 좋습니다.(선고 후 7일 이내에 제출하는 것이 좋습니다.)

조사.재판과정에서 제출한 반성문은 선처 받을 목적으로 보일 수 있으나 재판이 끝난 후의 반성문은 선처 받을 목적이 아닌 순수한 반성이 되므로 그 동안의 노력을 완성시키는 반성문이라 할 수 있습니다.

재판 후 제출하는 감사 반성문은 매우 중요할 수 있으니 반드시 제출하시기 바라며 (감사 반성문 참고) 왜 중요한지에 대해서 굳이 알고자 하면 문의하시기 바랍니다
boolin@naver.com

▪ 어디서

해우소(화장실)의 평화
반성과정은 마음에 있는 부조화를 비우는 과정이며, 쉽게 말하면 과식한 후 화장실에서 소화된 나머지를(똥을) 누는 과정과 같습니다.

반성은 마음의 부조화를 해소하기 위한 자연스럽게 누는 것과 같은 과정이므로 우선 몸과 마음을 화장실에 앉아 있을 때처럼 자연스럽게 만들어야 합니다.

종교가 있는 사람은 우선 마음을 자연스럽게 만들기 위한 기도를 하는 것도 좋고 종교가 없는 사람은 정한수 떠놓고 조상님에게 잘 반성할 수 있게 해달라고 한 다음에 반성을 시작하는 것이 좋습니다

그리고 잘못한 것들을 떠올리게 되면, 화장실에서 자연스럽게 누게 되는 것처럼 자연스럽게 잘못한 일들이 마음에 떠오르게 됩니다.

그렇게 하고 나서, 반성노트에 하나씩 잘못한 것들을 적어 나가고, 나중에 다시 정리하면 좋은 반성문이 될 수 있습니다.

▪ 누 가

✓ 누가 반성해야 하는가?

우선은 잘못에 첫 번째 책임이 있는 사람인 내가 반성해야 하고,
그 다음 내 잘못에 책임이 있는 사람도 책임이 있는 만큼 반성해야 합니다.

부모 형제와 같이 사는 사람이라면, 부모님의 책임이 가장 많을 것이며,
형제도 책임이 있다고 할 수 있습니다.

본인이 남편이라면 부인이 가장 책임이 많을 것이며,
본인이 부인이라면 남편의 책임이 가장 클 것 입니다.
물론 자식들도 그만큼 책임이 있을 것입니다.

이와 같이 '누가 반성해야 하는가? ' 에 대한 질문은 '잘못에 책임 있는 누구든지 그 만큼 반성해야 한다'라고 답할 수 있습니다.

처벌의 큰 목적이 재범방지에 있는 것이라 할 때 , 가족의 진지한 반성은 재범의 원인에 대한 적극적인 반성이 되므로, 본인의 반성 이상으로 중요한 것이 됩니다.

한편 가족의 진지한 반성은 '범죄에 대한 사회적 책임'으로 곧장 확대되어 갈 수 있음을 기대하게 되고 나아가서 우리 사회의 바람직한 발전의 계기로도 작용할 수 있을 것입니다.

내가 내 범죄에 대해 반성해야 하는 것은 물론 이거니와 내 범죄에 책임 있는 누구든지 책임 있는 만큼 반성해야 하는 것이 마땅합니다.

크게는 ,
내 잘못은 내가 처한 환경으로부터 영향 된 결과이고, 그 결과는 범죄예방 및 재범방지 비용의 형식으로 사회가 부담하는 반성이 되며 결국 시민이 내는 세금으로 내 죄에 대한 반성으로 결과된다고 할 수 있습니다.

적게는,
대개의 범죄가 가족부양으로부터 발단 된다고 할 때, 그 가족은 부양 받은 이상으로 책임이 있으므로 그 만큼의 죄에 대해 반성하는 것이 당연한 것인 한편 , 탄원서만 제출하는 가족을 둔 피고인과, 반성문을 제출하는 가족을 둔 피고인 중 어느 쪽이 재범가능성이 낮은지를 생각한다면 가족의 반성문은, 피고인의 선처를 넘어 재범방지를 위해서라도 반드시 필요한 것이라 할 수 있습니다

한 나라 감옥이 죄수를 대우하는 정도는
그 나라의 발전, 문명, 민주 정도와 정비례 된다: 간디

부모는 자식의 범죄에 대해 부실한 교육의 책임이 있고
아내는 남편의 범죄에 (미필적으로라도)방조한 책임이 있을 것이며
자녀는 부모가 미필적이 아니라 적극적으로 범죄하게 되는 제일 큰 이유임은 조금만 생각해도 알 수 있습니다

"반성하는 죄인은 반성하지 않는 의인보다 (도덕적, 경제적)가치가 높다"라는 말과
"내 죄는 드러났고, 네 죄는 드러나지 않았을 뿐 우리는 이미 다 죄인이다"다는 말은 반성하므로 얻게 되는 크고 고귀한 가치를 웅변하고 있으니 반성은 전화위복의 기회임은 분명합니다.

❖반성의 완성

- 불구하고, 반성문
- 가족의 반성문
- 배우자의 반성문(예)
- 나쁜, 이상한, 좋은 반성문
- 반성의 완성: 감사 반성문

▪ 불구하고, 반성문

변호사가 있다고 해서, 그리고 죄를 부인한다고 해서 반성문을 쓰지 않는 것은 어리석은 일 입니다.

변호사가 있던 없던, 죄를 인정하든 안 하던 반성문을 제출하는 것이 좋습니다.

완전한 유죄가 없듯이, 완전한 무죄는 없다는 것 외에 형사재판에 처해진 피고는 적어도 도덕적 잘못은 분명히 있을 것이므로 반성하는 태도는, 설사 무죄를 주장 할 때에 주장의 진정성을 더하게 될 것입니다.

한편, 변호사가 최선의 결과를 책임지거나 보장하지 않으므로, 변호사는 변호사의 일을 하게 하고 본인은 본인의 일을 하는 것이 현명한 선택입니다.

따라서 선처 받을 노력은, 모든 노력 뒤에 하는 것이 아니라 처음부터 시작해야 합니다.

✓ 반성문은 변호사의 일을 완성시켜주거나, 변호사의 실패에 대한 보험이기도 합니다.

한편, 죄를 부인하는 입장이라 하더라도, 결국 최종 심판은 판사님이 하는 것이므로 반성문을 내는 것은 도움되는 일이며, 반성문을 낸다고 해서 죄를 인정하는 것은 아니라는 것 입니다.

기소내용의 일부나 전부를 부인할 경우에 쓰는 반성의 취지는 다음과 같은 것입니다.

> ...저의 법률적인 죄의 유무를 떠나서 이러한 사건의 당사자로서 최소한 도덕적인 책임이 있음까지 부인할 수는 없으며 원고와 사회에 끼친 누에 대해, 그리고 이외에도 드러나지 않은 죄가 있음에 대해서도 반성하지 않을 수 없습니다..."

▪ 가족의 반성문

앞장, '반성문-누가 ' 에서 이리 말한 바와 같이 범죄의 책임이 일부라도 사회에 책임이 있듯이, 대개의 경우 범죄는 그 본인의 책임만은 아닙니다.

어떤 경우, 책임의 일정 부분은 부모형제에게 있고, 또 일정 부분은 가족-남편, 아내에게 있으며 , 친구에게도 책임이 있습니다.

반성이 '적어도 같은 잘못을 반복하지 않을 목적'이 있는 것이라면, 잘못에 일부라도 책임이 있는 부모형제, 배우자, 혹은 친구의 반성은 탄원서와는 별개로 같은 잘못을 반복하지 않는 데 크게 기여할 것입니다.

부모가, 혹은 남편, 아내가 혹은 자식이 범죄한 경우, 대개의 발단은 본인의 부귀영화가 원인 이라기 보다, 배우자(대개는 아내), 부모 혹은 자식을 위한 것이 원인이 됩니다.

✓ 첫 번째 원인은 부모가 자식들을 양육하는 과정에서 짓는 죄이며

✓ 두 번째가 남자가(혹은 여자가)상대의 요구를 채워 주기 위한 과정에서 일어나게 됩니다.

✓ 세 번째는 첫 번째 두번째가 발단이지만 자신의 욕망을 통제하니 못해서 짓게 되는 죄 일 것입니다

① 어머니 뱃속에서 보호받은 은혜
② 낳으실 때 괴로움을 격어 주신 은혜
③ 아기 낳고 모든 시름 잊으신 은혜
④ 좋은 것만 가려 먹여 주신 은혜
⑤ 마른자리 젖은 자리 가려주신 은혜
⑥ 젖 먹이며 다독거려 키워 주신 은혜
⑦ 더러운 것 세탁하며 청결케 한 은혜
⑧ 집을 떠나 먼 길가도 잊지 않는 은혜
⑨ 자식 위해 악업을 마다 않는 은혜
⑩ 어른 되도 끊임없이 걱정하신 은혜
{불설 대보 부모 은중경}

이와 같이 우리는 남편이나, 아내, 부모 등 가족의 죄가 드러났다면 이에 대한 원인자로서 반성해야 함이 마땅할 것이며,

아내(혹은 약혼자)의 경우는, 남편의 성공에 절반 이상의 공은 아내에게 있는 것과 같이 남편의 실패(죄)에도 아내의 책임이 절반 이상 있는 것이므로 죄인은 반성문을 쓰는 것이 마땅 할 것 입니다.(책임의 정도는 민법상 법정상속분을 기준으로 할 수 있습니다)

한편 형법적 처벌이 재범방지에 큰 목적이 있다는 점에서 아내(가족의)의 반성문은 피고의 재범방지의 근원적인 영향을 미칠 수 있는 것인 바 따라 아내(가족)의 올바른 반성문은 선처 받는데 도움될 수 있다는 것은 자명합니다.

이외, 약혼한 경우와 혹은 여자친구의 경우라도 피고의 범죄에 조금이나마 책임이 있거나 혹은 이후 재범하지 않도록 노력하고자 하는 경우라도 마찬가지라 할 수 있겠습니다.

민법

제1000조(상속의 순위) ①상속에 있어서는 다음 순위로 상속인이 된다. <개정 1990. 1. 13.>
1. 피상속인의 직계비속
2. 피상속인의 직계존속
3. 피상속인의 형제자매
4. 피상속인의 4촌 이내의 방계혈족
②전항의 경우에 동순위의 상속인이 수인인 때에는 최근친을 선순위로 하고 동친등의 상속인이 수인인 때에는 공동상속인이 된다.
③태아는 상속순위에 관하여는 이미 출생한 것으로 본다. <개정 1990. 1. 13.>
[제목개정 1990. 1. 13.]

제1009조(법정상속분) ①동순위의 상속인이 수인인 때에는 그 상속분은 균분으로 한다. <개정 1977. 12. 31., 1990. 1. 13.>
②피상속인의 **배우자의 상속분은** 직계비속과 공동으로 상속하는 때에는 직계비속의 상속분의 5할을 가산하고, 직계존속과 공동으로 상속하는 때에는 직계존속의 상속분의 5할을 가산한다.

▪ 배우자의 반성문(예)

존경하는 판사님,

늘 죄와 사람을 헤아리시는 성직적 노고에 국민의 한 사람으로 존경과 감사를 먼저 올립니다.

저는 피고 000의 아내로서, 피고가 지은 죄가 저로부터의 원인 임을 깨닫게 되어 피고 같은 죄인으로서 저의 죄를 고백하고, 피고와 제가 같은 잘못을 반복하지 않는 기회로 하고자 반성문 올리게 되었습니다.

피고가 지은 사기라는 죄를 지은 것의 원인을 생각해보니 돈을 벌어 오는 것에만 신경 쓰고 평소 남편의 사업에 무관심하며 잘되고 있겠지 하는 안일한 생각이 우선 첫 번째 원인으로 생각되며

두 번째는 아이를 잘 키우는데 돈이 많이 들어가기 때문에 남편에게 늘 돈 걱정을 시킨 것이 원인으로 생각되며,

세 번째로는 아이를 잘 키우는 것을 단지 돈으로 해결하려 하였다는 것을 발견하고 이 어리석음이 남편이 죄를 짓는 데 원인의 원인이 되었다는 것을 생각할 때 남편에게 죄스러움을 금할 수 없습니다.

이 외에도 아직 생각나지 않는 수많은 잘못이 있을 것이라는 생각에 이르러서는 남편의 잘못에 대한 원망을 하였던 저로서는 남편에게 그리고 아이들에게도 얼굴을 들 수 없는 사람이 되고 말았습니다.

...

그러나 이제 이렇게 큰 대가를 치르면서 알게 된 저의 오랜 잘못에 대해, 다시 같은 잘못을 반복하지 않기 위해서라도, 판사님이 허락하신 다면 하나씩 핀사님께 고해하는 마음으로 반성문 올리고자 합니다

존경하는 판사님

....

저는 이번의 남편의 사건을 통해 남편의 깊은 반성과 같이 저도 남편이상으로 저의 삶 자체를 돌아보는 계기가 되었음을 말씀 드리며, 이 고통으로부터의 얻는 지혜가 고통보다 더 큰 지혜이기를 간절히 바라고 있습니다.

....

피해자에게 충분히 피해 회복하지 못한 것에 대해서는 나중이라도 조금씩이라도 반드시 갚아 나갈 것이며

남편이 조사, 재판 받는(징역) 기간 동안 저는 같은 죄인으로서 피해자에게 대한 직접적인 보상은 못하더라도, 사회에 끼친 피해라도 갚기 위해서 XXX 복지원에서 매월 3회 이상 자원봉사활동을 하기로 하여 등록하였고 1회 봉사활동 하였습니다(인증서 첨부하였습니다)

이번 기회에 또 하나 알게 된 것은 평생을 살면서 남의 도움을 받으면서 살았지 대가 없이 남을 도와준 적이 없다는 것을 깨닫게 되면 또 한 번 얼굴이 뜨거워졌습니다.

...

존경하는 판사님,

우리 가족의 이 크나큰 사건으로 우리 가족이 더 나빠지지 않고 더 나아질 수 있기를 바라며 남편이 속죄하게 되는 그 날까지 같이 속죄하며 ,

향후는 남편과 제가, 그리고 우리 자식들이 이 소중한 날의 교훈을 깊이 간직할 것을 약속 드리면서 판사님의 성직적 노고에 죄인이기는 하나 국민의 한 사람으로서도 감사와 존경을 올리면서 부족한 반성문 마칩니다.

202x년 00월 00일

위 피고인의 아내 000 올림

▪ 나쁜, 이상한, 좋은 반성문

이하의 내용은 이 책의 곳곳에서도 언급되고 있지만, 반성문 작성에 흔히 저지르는 실수에 대해 간략히 정리한 것 중 가장 최근의 내용입니다.

①나쁜 반성문
1)가장 나쁜 반성문은 여기저기 보고 베낀 반성문 혹은 어설프게 대필한 반성문입니다, 베낀 반성문도 티가 나지만 본인의 정황을 충분히 반영하지 못하고 미사여구로 위장된 반성문은 나쁜 반성문이 될 수 있습니다.

보는 사람이 검사, 판사라는 보통 사람보다 직관력, 통찰력, 논리력이 훨씬 뛰어난 사람이 본다는 점을 고려할 때 위와 같은 거짓 반성은 더 나쁘게 만든다는 사실에 이르러서는 가장 나쁜 반성문임이 틀림없습니다.

2)두 번째 나쁜 반성문은, 변명형 반성문입니다.
예를 들자면,
"취중이라 기억이 잘 나지 않으나 내가 한 것 같다."
"고의로 한 것이 아니라 우발적으로 한 것이다" 라는 등의 반성문입니다.

고의가 아니라던가 기억이 나지 않는다는 변명을 하게 되면, 반성할 수 없게 되고 변명을 위한 변명을 계속 늘어놓게 되기 때문에 필요한 반성에 이르지 못하게 되니 매우 유의하여야 합니다.

3)세 번째 나쁜 반성문은 동정형(읍소형) 반성문입니다.
예를 들면 "생활이 어려워서 절도하게 되었다." "평소 우울증이 있어서 절도하게 되었다" 라는 등 입니다,

늘 강조하지만 처벌은 합의 외에 재범가능성 정도에 따라 좌우되는 것인데 그러한 불우한 사정이 있다고 하더라도,혹은 불우한 사정이 재범가능성의 이유가 될 수 있기 때문에 그러한 동정을 구하는 것은 얻는 것보다 잃는 것이 많습니다.

②이상한 반성문
이상한 반성문은 분량도 많고 열심히 썼으나, 결국 무엇을 썼는지 알 수 없는, 반성도 아니고, 반성이 아닌 것도 아닌, 넋두리형 혹은 주저리 주저리 진술형 반성문 입니다 .
노력만하고 얻는 게 없는 반성문입니다.

③ 좋은 반성문,
좋은 반성문은 우선 처벌을 두려워하는 마음은 내려놓고 **<u>내가 정말로 무엇을 잘못 했는지에</u>** 대해 진지하게 고민하는 반성문이라 할 것입니다.

사실 나쁜 반성문 혹은 이상한 반성문은 반성하지 않으려는 것이 아니라 단지 처벌에 대한 두려움으로부터 비롯되는 것이므로, 이를 내려 놓으면 자연히 좋은 반성문이 될 수 있습니다

좋은 반성문은 우선 두 가지를 들 수 있는데
1)내 자신의 잘못을 정면으로 인정하고 같은 잘못을 반복하지 않을 방법을 발견하고 이를 실행할 의지를 분명히 밝히고 증명하는 것입니다.

예를 들자면
취중이라(혹은 우발적이라)생각했지만 사실 이일 말고 이전에도 수 차례 이런 일이 있었다는 것을 발견하여 왜 같은 잘못을 반복하고 있는지 발견하고자 애쓰고 있습니다. 라는 반성문입니다.

2)가장 좋은 반성문, 내가 지은 죄 뿐 아니라, 지을 수 있었을 죄까지 혹은 드러나지 않은 죄까지 고백하는 것입니다..(물론 이렇게 하기 위해서는 상당한 용기가 필요합니다)

"판사님, 피해자가 잃어버린 것이 3개라고 하지만 저는 2개 밖에 가져 가지 않았습니다. 그러나 그 장소에 3개가 있었다면 그 것도 제가 가져갔을 것임에 틀림없으니 3개에 해당하는 처벌을 달게 받겠으며 피해자와 그렇게 합의 하겠습니다.

그리고 같은 잘못을 반복하지 않기 위한 저의 의지를 잊지 않고자 매주 1회 이상 치매노인 돌보기 하고자 하였고 XXX복지원에 등록하고 1회 봉사활동 다녀왔습니다.(봉사활동 인증서 첨부하였습니다)

④기타
형사적 상황에서 반성문은 경우에 따라서는 처벌 전체를 좌우하기도 합니다, 처벌의 궁극적 목적은 재범방지에 있기 때문입니다.

그러나 반성문이 쓰기 어렵다는 이유로 위와 같은 나쁜, 혹은 이상한 반성문을 작성하게 되면 더 나빠질 수 있으니, 처벌의 두려움은 우선 내려놓고 작성 되어야 함을 다시 한 번 말씀드립니다. (사즉생, 생즉사)

▪ 반성의 완성: 감사 반성문

앞에서 이미 말했지만 , 재판 후(가능한 한 7일 이내에)에 제출하는 감사반성문은 매우 중요합니다.

최근에 충분치는 않다고 하더라도 신실한 반성의 노력을 인정받아 선처받은 경우가 자주 있습니다.

(무전유죄라는 비인간적 상황에서 진정성 있는 반성을 인정해주시고 선처해주신 조사관님. 검사님, 그리고 판사님께 재삼 감사드립니다.)

형사적 상황에 봉착하여 강제로라도 반성하게 되는 것은 다행한 일이며 강제적 반성을 통해 올바른 반성에 이르게 된다면 이것은 훌륭한 일입니다, 나도 모르게 수행을 한 것과 같은 것입니다.

...

이제 반성을 시작했으니 그 마무리가 필요합니다, 반성의 완성입니다

조사관으로부터든 검사님이든 혹은 판사님이든 선처 받았다면(혹은 선처 받지 못했다고 하더라도, 내 죄를 살펴준 것에 대한, 혹은 반성의 기회를 가질 수 있게 해준 것에 대한) 감사의 반성문을 작성할 수있어야 합니다.

이전의 반성문은 선처 받기 위해 시작한 반성문이었다면, 사후의 반성문은 반성이라는 수행을 완성시키는 반성이 될 것이며 여러모로 바람직한 것입니다.

감사반성문이 왜 중요한지 굳이 알고자 하면 별도로 문의하시기 바랍니다 (boolin@naver.com)

@고통은 잊어라 그러나 그것이 준 교훈은 잊지 마라: 허버트개서

❖반성문의 실제

- 준비
- 유의사항
- 구성 요약
- 작성(예)
    - ✓ 헤드와 도입부
    - ✓ 본론
    - ✓ 결론
    - ✓ 마무리

▪ 준 비

반성문은 진정성(지성)이 충분할 때 비로소 선처의 결과가 있게 됩니다
(지성감천 至誠感天)

반성문을 작성하기 전에 마음을 먼저 가라앉히는 과정이 반드시 있어야 합니다.
이를 위해 성당이나, 교회나, 절이나 또는 어디든 고요한 장소에서 마음을 가라앉힌
다음 시작하는 것이 좋습니다.

✓ **반성3심** : 선생님에게
① 죄를 고백하는 마음으로,
② 벌을 청하는 마음으로,
③ 송구하고 감사한 마음으로
(왜, 무엇이 감사한지는 쓰다 보면 알게 됩니다)

✓ **반성문의 적- 감정과잉**
처벌에 대한 두려움, 가족보호에 대한 걱정, 처벌로 잃게 될 것들, 자기 혐오 등으로 감정과잉 상태가 되면 **온전한** 반성을 위한 냉정함이 결여 되니 유의해야 할 일입니다.

✓ **반성문은 진술서가 아닙니다.**
사건에 대한 내용은 경찰, 검찰 조사의 진술서에 반영되어 있으므로, 이외의 내용을 반성문에서 진술하면 변명으로 해석될 수 있으니 유의 해야 합니다.

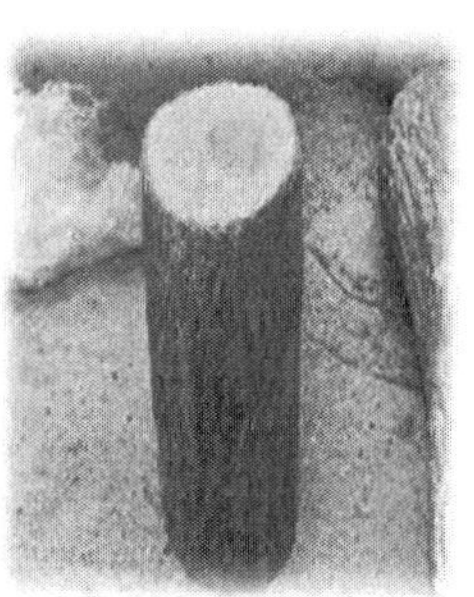

✓ **반성문은 탄원서가 아닙니다.**
잘 모르고 그랬다, 취중이라 잘 기억이 안 난다, 사정이 어려워서 그랬다. 다시는 안 그럴테니 선처를 구한다든가 하는 내용은 변명성으로 반성의 진정성을 훼손하게 됩니다.

이러한 종류의 내용은 탄원서에서 호소하시고 반성문에서는 오직 반성으로 일관하는 것이 좋습니다.

▪ 유의사항

진정성 있게, 읽기 **쉽게(**큰 글씨, 단락**)** 적절한 **양**으로, 작성하여 적절한 **시기에 제출**

✓ **반성문 작성자**
-본인
-가족 또는 가족에 준하는 사람으로서 죄에 책임이 있는 사람

대필된 반성문이 거짓된 반성일 경우, 가중처벌 될 수 있으니 반드시 유의해야 합니다, 힘들게 노력한 자체가 반성의 태도가 인정될 수 있으며, 악필일 경우는 손글씨로 하고, 프린트본을 첨부하면 됩니다.

✓ **반성문 작성:**
-손 글씨로
-크게 (12PT)

✓ **반성문 구성**
-단락 구성 : 3줄 이상 넘어가지 않게
-페이지 분량 : 3페이지 이상 작성(A4 x 3)

✓ **반성문 제출:** 선고 전까지 3회 이상(1재판당 1회 이상)

✓ **제출시기** : 재판일 7일 전까지

▪ **기타 유의:** 진정성을 훼손 할 수 있는 일체의 표현
- ✓ 미사여구
- ✓ 가벼운 어투
- ✓ 사건설명 : 변명으로 보이므로
- ✓ 과장된 표현: 감정이 과잉한 표현은 일종의 거짓이므로
- ✓ 금지문구 : 한 번만 용서해주면 다시는 그러지 않겠다
  (용서해주지 않으면 다시 그럴 것인가?)

▪ 구성요약

반성문은 특정한 양식이 없기는 하나, 필요한 형식을 고려한다면 다음과 같이 구성 됩니다.

✓ 표 지 : 오른쪽 예와 같습니다

✓ 내용

-헤드: 사건명 , 인적 사항 등의 기재

-도입부 : 인사말씀

-본론 :
사건 이후 상황에 대한 간략한 설명
사건의 핵심적 원인에 대한 설명

-결론 : 같은 잘못이 반복되지 않을 방법에 대한설명

-마무리 : 감사말씀

반 성 문

사건번호:
성 명:

202X 년 월 일

00 지방법원 형사 00000

▪ 작성(예)

✓ **헤드:** 사건과 인적사항에 대해 표시합니다.

✓ **도입부** : 본문의 시작은 반드시 존경하는 판사님(재판장님)께라고 하는 것이 좋습니다.

{존경한다는 의미는, 판사 개인보다 용서와 처벌이라는 직위와 직무에 대한 존경심의 표현입니다}

존경하는 판사님
늘 죄와 사람을 같이 살피셔야 하는 과중한 업무에 저의 죄까지 살펴주시기 청하는 마음 송구스럽습니다.

저는 위 사건의 피고로서 제가 지은 죄에 대해 살펴주십사 부득이 하게 판사님께 반성문 올리게 되었습니다.

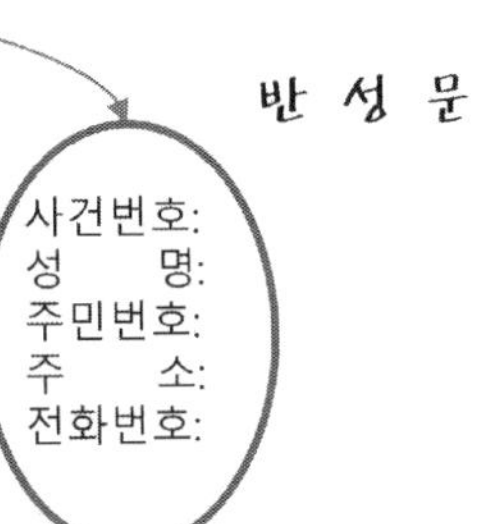

반 성 문

사건번호:
성 명:
주민번호:
주 소:
전화번호:

존경하는 판사님
늘 죄와 사람을 같이 살피셔야 하는 과중한 업무에 저의 죄까지 살펴주시기 청하는 마음 송구스럽습니다.

저는 위 사건의 피고로서 제가 지은 죄에 대해 살펴주십사 부득이 하게 판사님께 반성문 올리게 되었습니다.

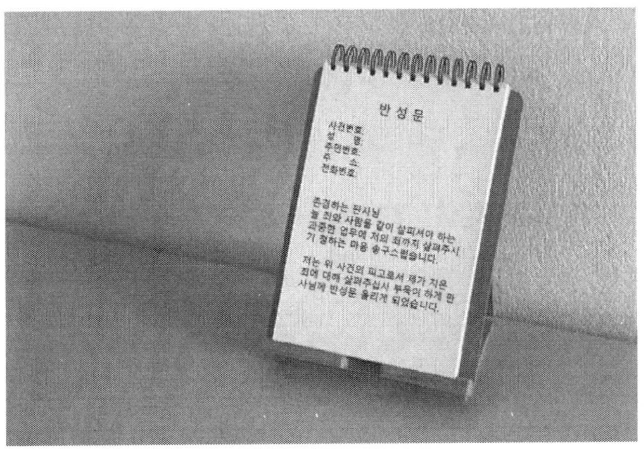

✓ **본론:** 사건 이후의 상황과 사건의 핵심적인 내용, 왜 그런 일이 일어나게 되었는지 설명한다.

약속을 이행하지 못하여 사기로 고소된 후, 오늘에 이르기 까지 이런 일이 생기게 한 자신에 대한 혐오와, 가족을 보호하지 못함에 대한 걱정과, 처벌에 대한 공포심으로 매일 밤을 가위에 눌려 잠을 제대로 자지 못하고 있었습니다.

...

처음에는 사업이 어려워서 지불약속을 못 지킨 것이 원인이 되었다고 생각하였지만, 좀 더 생각해보니 **다른 사람도 사업이 어렵다고 해서 나 같이 약속을 지키지 못했는지 생각 해보니 그렇지 않음을 알게 되고**, 결국 사업이 어렵다는 핑계로 스스로를 속이고 나아가서 다른 사람을 속이고 있음을 알아차리게 되었습니다.

...

이 문제들이 충분한 준비 없이 요행심과 어리석음이 이 모든 일의 뿌리가 된 것을 발견하게 되었습니다.

✓ **결론**

이제 그 원인을 알았으니 같은 잘못을 하지 않을 방법을 말합니다.

존경하는 판사님
제가 발견한 것이 이 죄의 원인의 전부는 아닐지라도 상당한 부분임을 분명하다고 생각되며 다시는 같은 잘못을 반복하지 않기 위해, 사업뿐만 아니라

어떤 일에 있어서도 충분히 준비되지 않았다면 시도하지 않을 것 임과, 일에 임함에 있어 요행심을 경계해야 함을 다짐하게 되었으며

이 마음을 유지하기 위해 재판기간 동한 해 오던 봉사활동을 매주 하기로 하였습니다

조사와 재판을 받는 동안 저의 공황상태를 극복하는 한편, 저 자신의 잘못을 질책하고자 봉사활동을 꾸준히 하여 오면서 느끼게 된 것은 봉사활동을 통해 장애아이들을 돕는 것이 나를 돕는 것이구나 하는 것이었으며

종교가 없는 저로서는 앞으로도 있을 수 있는 문제에 대해 경각심을 가지는 계기가 될 것으로 생각되기 때문입니다.

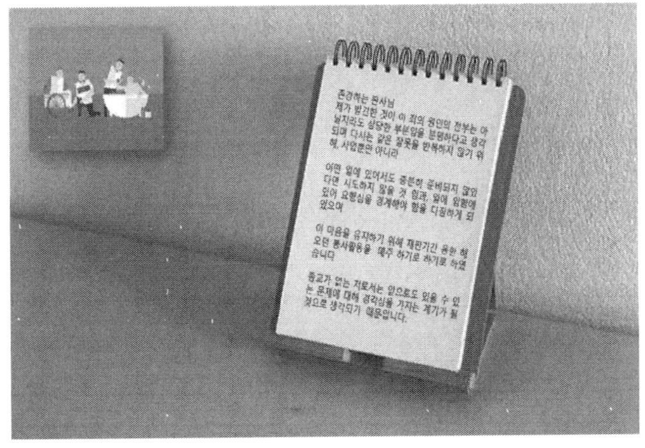

✓ 마무리

강제적 상황이지만 난생 처음 진지하게 반성하게 된 것에 대한 감사말로 마무리 한다.

존경하는 판사님
이 사건으로 힘겹게 나날을 이어가는 가운데 어떤 사람이 저에게 말하기를, 당신이 진정으로 반성한다면 나중에는 판사님에게 감사하게 될 것이다.

누가 우리의 반성의 마음을 받아 줄 것이며 누가 우리의 죄를 살펴줄 것인가
판사님은 성직자와도 같은 사람이며, 마땅히 감사해야 할 일이다.라고 말했습니다.

이제 그 사람의 말이 제 마음에 다시 떠오르며 반성문을 살피시고 제 죄를 살펴주시는 판사님에게 송구한 마음에 앞서 감사함이 먼저 제 마음을 채웁니다.

제가 아직도 충분히 반성하고 있다고는 생각되지는 않지만, 죄를 살피시고 사람까지 살피셔야 하는 판사님께 죄인이기에 앞서 국민의 한 사람으로서 재삼 감사 드립니다.

감사합니다 존경하는 판사님

202X 년 월 일

위 피고인 0 0 0

❖탄원서와 봉사활동, 기부 등

- 탄원서란
- 탄원서 작성(예)

- 봉사활동
- 봉사활동의 치유효과
- 기부, 기증 등

▪ 탄원서란

피고인을 위한 탄원서는 제3자가 피고인의 진정성 있는 반성노력에 대한 **증언적 내용으로** "죄가 있지만 과거에 성실하게 살았고 지금 충분히 반성하고 있으니 선처를 구합니다."는 취지로 작성됩니다.

반성문이 피고 내면의 주관적인 자료라면, 탄원서는 피고 생활 주변에 대한 객관적 자료로서 피고의 환경과 관련하여 재범하지 않을 가능성에 대한 증언적, 보충자료의 성격입니다.

평소 사회성이 좋았다면, 탄원서 받기 어렵지 않을 것이나 그렇지 않다면 쉽지않은 일이므로 탄원서는 스스로의 사회성에 대해 평가를 하게 되는 기회이기도 합니다.

탄원서는 반성문과 같이 제출되어도 좋으나, 선고재판 때 최후 반성문과 함께 탄원서가 한꺼번에 제출되는 것이 좋습니다.

- 작성자: 본인을 포함한 관계자, 그러나 사회적 관계에 있는 사람이 더 좋습니다
- 용도: 재범의 가능성을 환경측면에서 평가 할 수 있는 자료
- 구성 : 피고의 생활환경, 평소 성품 등 성실성을 중심으로 한 구성
- 탄원서 작성
  - ✓ 손 글씨로
  - ✓ 큰 글자로 읽기 쉽게 (12Pt이상)
  - ✓ 1~3페이지로
- 탄원서 작성자
  - ✓ 1순위 : 사회적 관계에 있는 사람(직장, 모임 등)
  - ✓ 2순위 : 친구
  - ✓ 3순위 : 친, 인척
  - ✓ 4순위 : 가족, 본인
- 탄원서제출 : 선고재판 7일전 마지막 반성문과 봉사할동 등 자료와 함께 제출
- 첨　부: 탄원인의 주민등록증 앞뒤 사본
- 기　타: 허위가 아니라면 탄원서는 많을 수록 좋습니다.

▪ 탄원서 작성(예)

- 표지: 사건번호, 피고인성명

탄 원 서

사건번호:
피 고 인:

202X 년 월 일

OOO 지방법원 형사000

- 본문

✓ **머릿글 :** 사건과 인적 사항에 대해 표시한다

✓ **도입부**: 인사말씀과 피고인과 관계를 설명

존경 하는 판사님,
죄와 사람을 살피시는 중차대한 업무에 국민의 한 사람으로 존경과 감사를 표하며 이 탄원서가 판사님의 노고를 더 하지 않기를 바라는 마음으로 탄원서를 올립니다.

저는 000과는 같이 봉사활동 하면서 알게 된 사람으로 그의 성실한 태도에 감명받은 바 있어 탄원서를 올리게 되었습니다.

✓ **본론: 피고의 성실한 태도 등을 설명한다.**
피고인이 어떤 경위로 죄를 지었는지는 사실 저는 자세히는 모르나, 피고가 괴로와 하는 가운데 성실한 봉사활동을 통해 반성하는 것으로 보고,

이렇게 진지한 태도로 반성하는 사람이라는 것을 알려드리는 것 또한 의미가 있을 것이라는 생각에 탄원서를 작성하게 되었습니다.

탄 원 서

사건번호:
피 고 인:
주민번호:

탄 원 인:
주민번호
연 락 처:

존경하는 판사님
....
...

✓ **마무리**

존경하는 판사님
죄는 미워하되 사람은 미워하지 않는다는 말씀에 기대어, 그리고 반성하는 죄인은 죄짓지 않은 의인보다 더 도덕적 가치가 높다는 말씀에 기대어 죄를 살피시기 보다, 사람을 살펴주시기 간곡한 청 올리며.

국민의 한 사람으로 판사님의 성직적 노고에 감사와 존경으로 외람된 탄원서에 갈음합니다,

감사합니다 존경하는 판사님

0000년 00월 00일

위 탄원인 올림 (인)

0000년 00월 00 일

위 탄원인 올림(인)

첨부:
1,주민등록증 사본1부
2.봉사활동 확인증1부

▪ 봉사활동

라파엘의 집
라파엘 주간보호센터

- **봉사활동은,**

반성의 **진정성을 보충/증명하는** 중요한 것이기도 하지만,

무엇보다 축적된 부조화를 해소 하는데 **종교이상으로 도움되는** 일이기도 합니다.

이 경우의 봉사활동은 반성의 의미를 강조하는 것이므로,

이른바 **징벌적 봉사활동**이 바람직하다고 보겠습니다.

징벌적 봉사활동은,
스스로 벌하는 태도의 반성적 봉사활동을 말하며 비교적 힘든 봉사활동을 선택하는데

- ✓ 장애인 보호시설
- ✓ 노인 요양원 등이 있습니다

@ 반성문 작성할 때 봉사 활동 중에 느낀 점을 기술하면서 증거로 봉사 활동증명서를 첨부합니다.

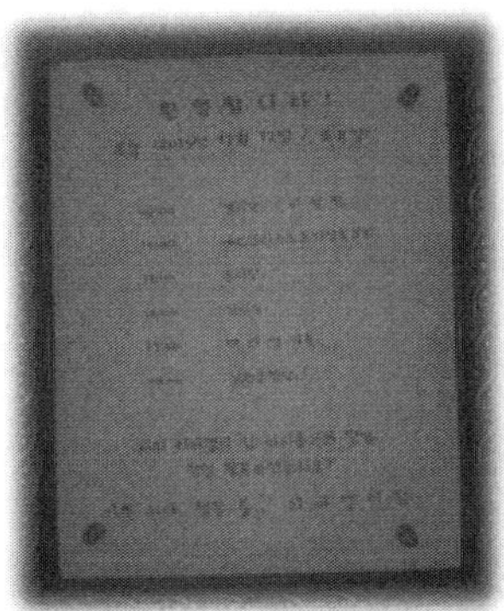

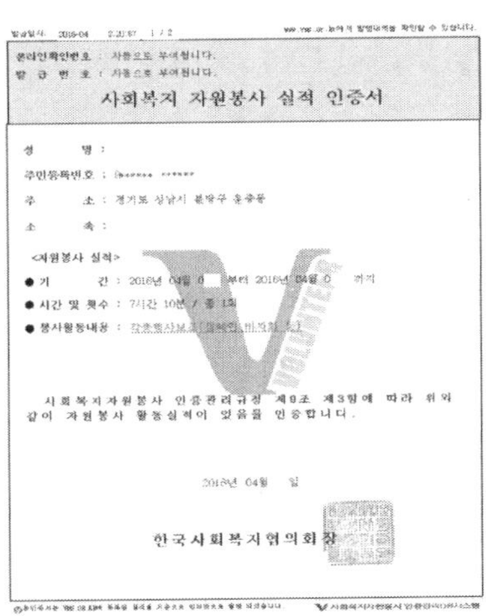

온라인확인번호 : 자동으로 부여됩니다.
발 급 번 호 : 자동으로 부여됩니다.

사회복지 자원봉사 실적 인증서

성 명 :
주민등록번호 : ******-******
주 소 : 경기도 성남시 분당구
소 속 :

<자원봉사 실적>
- 기 간 : 2016년 04월 0 부터 2016년 04월 0 까지
- 시간 및 횟수 : 7시간 10분 / 총 1회
- 봉사활동내용 : [illegible]

사회복지자원봉사 인증관리규정 제9조 제3항에 따라 위와 같이 자원봉사 활동실적이 있음을 인증합니다.

2016년 04월 일

한국사회복지협의회장

▪ 봉사활동의 치유효과

봉사활동의 치유효과에 대해서는 앞에서 이미 말했지만 한 번 더 간단히 요약합니다

"얻지 않으려는 활동"은 "얻으려고 하는 활동"으로 쌓인 부조화를 해소하여 몸과 마음을 치유 하는 효과가 높습니다.

✓ 생업활동으로부터의 스트레스
범죄로 드러나게 된 스트레스는 생업활동 가운데 알게 모르게 누적된 부조화가 원인인 바,

생업활동은 주로 뭔가를 얻기 위한 활동이고, 즉 뭔가를 얻기 위한 활동으로 축적된 스트레스고, 부조화라면 이것을 푸는 방법은

"뭔가를 얻지 않는" 활동으로 해소될 수 있을 것입니다.

"뭔가를 얻지 않는 활동"이라는 것은 활동하되 이익을 위한 것이 아닌 활동을 말하는 것으로

✓ 기본적으로는 사회단체에서 봉사활동 등을 하는 것이며, 그 다음으로 종교단체에서 기도하는 것 등이라 하겠습니다.

이러한 사실은 범법한 사람 20명중 19명이 종교가 없다는 사실에서도 드러나는 일인 바, 같은 잘못을 반복하지 않기 위한 방법으로 무언가 얻는 활동이 아닌

"무언가 얻지 않는 활동"으로서 생업으로 쌓여진 부조화는 자연스럽게 해소되며,

구체적으로는 마음의 숙변을 제거하게 되어 몸과 마음의 특별한 치유효과를 경험할 수 있습니다.
.

▪ 기부, 기증 등

선처 받고자 하는 노력 중에 기부나 기증은, 피해자 보상과 같은 맥락에서 **사회에 대한 보상의** 개념이라 할 수 있습니다.

▪ 봉사활동을 하고자 하나 여러 가지 이유로 어려운 경우에, 봉사활동에 대신하여 반성의 진정성을 증명하고자 하는 하나의 방법입니다.

- ✓ 기부품목: 물품, 재능, 현금
- ✓ 기 부 처: 관련사회단체

- ✓ 기 증: 모발, 헌혈증, 장기
- ✓ 기 증 처: 관련사회단체

- ✓ 헌혈은 4시간 봉사활동으로 인정됩니다.

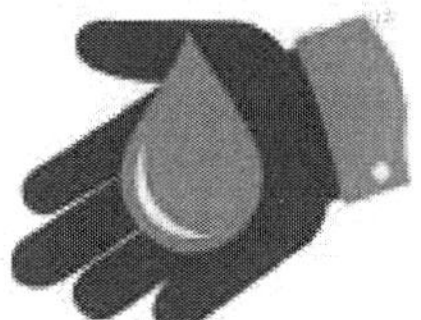

장기기증 희망 등록증

등록번호 79

등록일자 2005.

KONOS

헌혈 증서

08-10-327993

성 명: 홍길동

헌혈종류: 전혈 400㎖

생년월일: 1996. 1. 1

헌혈일자: 2013. 2. 1

대한적십자사 총재

부 록

부록 I	**참고자료**
	▪ 합의서 ▪ 사죄문 ▪ 최후진술서 ▪ 음주운전 근절 서약서 ▪ 가석방 탄원서
부록II	**반성문과 탄원서**
	▪ 사건별 반성문 모음
	▪ 사건별 탄원서 모음

합의서 형식(기본형)

❖ 아래 합의서 형식은 기본형입니다.
본 내용을 참조하여 작성하시고, 경찰서 혹은 법원 부근의 대서소(행정서사)에서 소정 대서료(10만원 전후)를 지불하면 작성 할 수 있으니 참고하세요

합 의 서

피 해 자.
성 명:
주민번호:
주 소:
연 락 처:

가 해 자.
성 명:
주민번호:
주 소:
연 락 처:

위 피해자와 가해자는 년 월 일, (사건장소) 에서 발생했던 (사건명) 에 대해 다음 내용으로 합의하며 피해자는 가해자에 대해 일체의 민, 형사상의 책임을 묻지 않을 것을 원만히 합의하며 본 합의서를 작성 하였습니다.

---------다 음--------

1.합의금액: 만원(₩)
2.지급방법: 본 합의서와 교환 또는 피해자 지정계좌로 온라인지급.

년 월 일

피 해 자: (인감 도장인) 가해자 : (인)

@첨부: 피해자 인감증명서(피해자가 직접 제출하면 필요없습니다)

사 죄 문 : 공무집행방해

성 명: ○ ○ ○

안녕하십니까?
저는 지난 20xx년 xx월xxx일 112신고를 받고 출동한 경관님에 대해 업무를 방해한 신고자 OOO의 남편 OOO입니다.
그날밤 일어난 저의 경관님에 대한 업무방해죄에 대해 사죄의 말씀을 드리고자 이렇게 글을 올립니다.

진작 찾아 뵙고 용서를 구해야 할 일인데도 불구하고 저의 옹졸함과 좁은 소견으로 인하여 이렇게 늦은 것을 진정으로 후회하며 반성합니다.
경관님의 입장을 헤아리지 못하고 오직 저의 이기적인 생각에만 머물러 있으면서 부부싸움을 신고한 아내에 대한 증오심으로 한동안 제정신이 아니었습니다.

다행하게도 경찰서에서 알선해준 가정폭력부부상담치료를 받으면서 저의 못난 생각들을 반성하게 되었고 저의 지난날까지도 회상하며 반성하는 시간을 갖게 되었고 늦게나마 반성과 사죄를 할 수 있어서 기쁩니다.

그날 밤의 일을 생각하며 내 자신이 얼마나 이기적인지 깨닫기까지 많은 시간이 지났군요.
장식장을 쓰러뜨려서 위험한 상황을 초래했던 일에 대해 외상이 없어서 별일 있겠느냐는 오판을 하기도 했던 제 자신이 부끄럽습니다.

제가 경관님의 입장에서 얼마나 위험천만한 일이였을까라는 상상을 해보니 미안하고 송구스러워 견딜수가 없을 지경입니다. 위상을 입지 않으신 경관님께서 저에게 크나큰 복을 주신게 아닌가도 생각했습니다.

결혼을 하셨다면 아내 분에게 소중한 남편이 되고 아이가 있다면 소중한 아버지이고 부모님에게는 소중한 보배일텐데 그 귀중한 사람들에게 크나큰 상처를 줄 뻔 했다는 생각을 하니 몸 둘 바를 모르겠습니다.

매일같이 지구대를 찾아가서 사죄를 해도 시원치 않을 판국에 이렇게 뒤늦은 사죄를 하면서 저의 진심이 담긴 사죄문과 더불어서 전하게 되어 제가 죄 값을 받더라도 이제는 제 자신 스스로에게 반성과 성찰의 시간이 되지 않을까 생각해 봅니다.

지난날 살아왔던 많은 날들 중에 얼마나 많은 이기심으로 얼마나 많은 분들이 저에게 상처를 받았을 지를 생각하니 정말 부끄럽습니다. 다행히 이번 사건에서 경관님의 순발력으로 외상을 면하게 된 점에 대하여는 한편으로 감사하면서 지난날 오만함에 대해서 성찰하게 해 주신거 같아서 감사를 드립니다.

앞으로는 반성과 성찰을 통하여 선량한 시민으로 다시 태어나 타의 모범이 되는 삶을 살아갈 것을 약속드리며 송구스럽지만 제가 지은 잘못을 조금이라도 사죄하는 의미에서 소정의 사죄금을 공탁하고자 하니 저의 사죄를 받아주시기 부탁드립니다.

저의 사죄를 받아주시고 저의 인생최악의 상황인 성찰 없는 삶에서 저를 구해 주셨듯이 한번 더 저를 구해주시기를 청한다면 너무 염치가 없는 것 같아서 미안한 마음으로 사죄의 글을 마칩니다.

20xx년 xx월xx일
위 사죄인 OOO 배상.

사 죄 문 : 공무집행방해

존경하는 경찰관님

우선 저는 제가 지은 죄에 대해 매우 죄송스럽게 생각하며 공무집행 과정에서 불의의 피해를 입으신 경찰관님에대해 사과 드리기 위해 이 글을 씁니다.

저는 3월 저녁 음주단속에 적발되면서 조사 중 상처를 입혔던 OOO입니다
조사받고 다음날도 찾아갔더니 안 계시고 또 찾아갔지만 타지로 급작스럽게 가면서 목포로 올 때 성함도 모르고 전화번호도 모르고 자리만 기억하고 있어서 못 만나 이렇게 글로나마 죄송하다는 말씀드릴려고 글 남깁니다.

사회에 봉사하시는 경찰관님과 저 또한 사회에 봉사하는 병원에 7년간 일하는 입장으로 광주의무경찰로 군 복무하면서 충분히 고생하시는지 알면서도 술도 먹었고 취업문제도 그렇고 그날도 7년정도 만난 여자친구집에 결혼문제로 갔다가,

직장 일도 안 풀려 속상한 마음에 여자친구의 집 앞 술집에서 술먹고나서 저의 불미스러운 행동으로 야간에 일하면서 고생하시는 경찰관님들과 저에게 마음과 몸에 상처를 입으신 경찰관님에게 큰 실수 저질렀습니다.

지금 이 편지를 쓰는 동안에도 부끄럽고 죄송스러운 맘이 아주 강하게 남아있는 것처럼 경찰관님도 저 때문에 심리적으로 굉장히 힘들거라고 생각이드니 너무나도 마음이 아프며 죄송스럽게 생각하며 어리석었던 저의 모습을 진심으로 반성하며 후회하고 있습니다.

술에 취했다는 것이 절대로 제 면죄부가 될 수 없다는 것은 당연히 알고 있으며 그렇게 변명할 자격도 없습니다.
한 가족의 가장이자 이제 한 여자의 남편이 될 사람으로 제 처신을 단정히 하지 못하여 이런 일을 저질렀습니다.

경찰관님도 한 가정에 가장이실 텐데 상처입은 모습 보면서 많이 안타까워했을 가족 분들에게도 정말 죄송스럽게 용서를 구합니다.

이번 일을 계기로 내가 몰랐던 다른 잘못도 발견하게 되어 사회봉사활동도 하면서 노력하며 봉사하며 살고 있습니다.

마지막으로 경찰관님에 대한 죄송한 마음의 표현과 함께 치료비및 소정의 사죄금을 공탁하고자 합니다.

혹시 오해가 없기를 바라며 향후는 시민으로서 성실하게 살 것을 약속드리며 사죄하는 마음에 갈음합니다.

20xx년 xx월 xx일

위 0 0 0 올림

사 죄 문 : 절 도

성명: O O O

저는 OO동에 위치한 OO 백화점에서 20여 차례 매장 관리자들 몰래 옷과 신발을 몰래 가방에 넣어가지고 나왔습니다

저는 위 사건에 대해 피해자에 대해 죄송한 마음과 향후 같은 잘못을 반복하지 않기 위해 송구스러운 마음으로 매장 관리자 분들께 사죄문을 제출합니다

지난 24일 형사 두 분이 집으로 찾아오시고 난생 처음 경찰서로가 조서를 쓰고 일주일이 지나는 동안 지난 3개월 동안 제가 저지른 일들이 파노라마처럼 떠오르면서 후회와 걱정과 두려움, 어머님과 사랑하는 저의 배우자, 고3인 저의 딸이 저의 범죄사실을 알게 되었을 때의 받을 방황과 충격, 또 저의 죄로 인하여 죄 없는 저의 가족들이 주위 사람들로부터 받을 손가락질을 생각하면서 온갖 걱정과 두려움에 빠져 생활조차 어려운 지경에 처하게 되었습니다

일주일이 지나 가족들 몰래 절도해온 옷들을 챙기면서 그 동안 제가 얼마나 많이 나쁜 짓을 겁도 없이 하였는지 특히나 OOO 매장의 피티 룸의 무심코 열어본 창고 안에서 가지고 나온 옷들을 챙기면서 제 자신에 대한 원망과 혐오, 가식적인 저의 모습에 거울조차 볼 수 없었습니다

넉넉하진 않지만 절도를 하여 생계를 유지해야 하는 절박함이 있었던 것도 아니고 절도를 좋아해서 취미로 하는 것도 아닌데 반복적으로 절도하게 된 원인적 잘못에 대해서 도무지 생각나지가 않았습니다

그러던 중 수행자 생활을 하는 분에게 저의 잘못을 고백하고 조언을 구하게 되었는데, 그 분의 말씀이 하나의 사건에는 다수의 원인이 있고 반성은 사건을 기점으로 그 원인을 밝히는 과정과 같다 며 크던 작던 여러 가지 원인이 복합되어 절도라는 사건이 생겼으니, 주부로서의 복합적인 스트레스에 대해 잘 살펴보는 것이 중요하다고 하였습니다.

그러한 조언에 따라 차근차근 생각해보니, 저에게 가장 큰 스트레스는 작년에 그 동안 다니던 직장을 그만두고 4개월을 쉬는 동안 고부간의 갈등으로 많이 힘들었습니다

어렵게 일 자리를 구했는데 생각보다 일도 많고 같이 일하는 직원들과 섞이지 못해 엄청 스트레스를 받았습니다

그렇다고 직장을 그만두자니 시어머니와 하루 종일 같이 있어야 하고 암에 걸린 적이 있는 남편한테조차 스트레스 받을까 봐 어머님과의 힘든 상황과 불만을 얘기할 수 없어 가슴이 답답하고 힘들었습니다

그러다 백화점에서 다른 분이 절도하는 것을 보고 같이 따라 하게 되었던 것 같습니다,

제가 얼마나 많은 분들에게 금전적으로 정식적으로 씻을 수 없는 상처와 피해를 끼쳤는지, 해서는 안될 짓을 한두 번도 아니고 여러 번 하게 됐는지, 어떻게 사죄를 해야 하는지 같은 잘못을 하지 않기 위해서는 무엇이 필요한지 알아내는 것이 중요하다는 생각과 함께,

만약에 이번에 걸리지 않았다면 제 양심은 더 무디어지고 가책도 느끼지 못하고 더 큰 죄를 지었을 수도 있었겠다 생각에 지금 이 반성의 시간들이 저 자신을 정화할 수 있는 소중한 시간으로 생각되었고 제가 평생 하지 못했던 반성이라는 것에 진지하게 할 수 있었고 스스로에게 벌을 주는 시간이라는 것을 깨닫게 되었습니다

죄송합니다
하루에도 수십 번씩 사죄문을 보내야 하나 말아야 하나 이 주일을 고민하다 편지를 쓰게 됩니다 저의 바르지 못한 행동으로 여러 매장직원들과 사장님의 마음을 아프게 하고 정신적. 금전적으로 상처와 피해를 끼쳐드린 것 사죄 드립니다 정말 잘못했습니다 저의 잘못된 행동으로 인해 손해 본 것은 최대한 변제하도록 하겠습니다

제가 저지른 죄에 깊이 반성하고 뉘우치는 마음으로 무릎 꿇고 용서를 빕니다

두 아이를 둔 엄마로서, 그리고 남편을 내조하는 아내이며 며느리로서 죄스럽기 짝이 없지만 한평생 자식만을 바라보며 살아오신 어머님을 생각하며 열심히 부양하고 힘들고 어려운 일을 함으로서,

스스로 속죄하고 채찍질을 하여 잘못된 생각이 들지 않도록 장애인 봉사활동도 꾸준히 하기를 다짐하고 주어진 것에 감사하며 정직하게 살아가도록 약속드리며 부족한 사죄문을 마칩니다

20xx년 xx월 xx일

위 0 0 0 올림

최후진술(예)

존경하는 판사님
최후진술 기회 주셔서 감사합니다

저의 죄를 밝혀 주신 검사님 에게도 감사드리며
죄인임에도 불구하고 변호해주시는 변호사님께도 감사드립니다

그리고 저의 범죄로 피해입게된 사회에 대해서는 깊은 사죄말씀 드립니다

저는xxx 법 위반이라는 무거운 죄로 이 자리에 서게되었습니다

무지와 어리석음으로부터 비롯된 저의 잘못으로부터 구속된지 60일째 ,
그동안 검사님이 지적한 잘못 외에 제가 40년간 살면서도 알지 못했을 많은 잘못을 알아차리게 되면서 더 나빠지기 전에 이정도에서 어리석음이 중단되게 된 것에 대해서는 한편 큰 다행으로 여기에 되었습니다

존경하는 판사님
수 년간 적지 않게 반복되었던 저의 범죄에 대해서는 입이 10개라도 드릴 말씀이 없으나 202X년 1월 이후 범죄의 원인중 가족생계 부분이 해결되고 있다는 점과 , 이 사건을 계기로 앞으로 같은 잘못을 반복하지 않고자 하는 저의 의지를 살펴 주시기 바라면서 염치없이 선처 구하며 부끄럽고 죄송한 마음으로 최후진술 마칩니다

감사합니다 존경하는 판사님

반성형 진술서(예)

진 술 서

성　　명:
주민번호:
주　　소:
연 락 처:

위 본인 000이 고소된 사건에 대해 조사에 도움되고자 다음과 같이 거짓 없이 진술합니다.

1. 돈을 빌린 이유
아들 둘과, 아내 그리고 부모님을 부양하여야 하는 입장에서, 생계비가 필요하던 차에 갚을 수 있을지에 대한 분명한 확신도 없이 급한 마음에 삼촌에게 돈을 빌렸고 아래 내역과 같이 200x 년 월 일 2,000만원을 빌리고 상환한 후 200X년 월 일 부터 200X년 월 일까지 총 4억 여원을 빌리게 되었습니다.

2. 돈을 갚지못한 이유 와 갚은 내역
2.1 갚지못한 이유
처음에 빌린 2,000만원은 잘 갚았으나, 이후 빌린 돈을 갚지 못하였는 데. 사업이 부진하여 급료도 제때 지급되지 않는 등 하여 갚지 못하였다가 최근 000 원을 갚게 되었습니다.

2.2 갚은 내역: (통장사본 첨부)
1)　년　월　일　　원 :　xx은행->xx은행
2)

3.2 합의 계획
...
처음에 빌렸을 때는 단순히 1회성으로 빌리게 되었으나, 그 후부터 계속 생활이 여의치 않아 다시 빌리는 과정에서 거짓말 하게 되었으며 삼촌이라는 사실 때문과 빨리 일 잘해서 갚으면 된다는 안일한 생각과 삼촌이니 봐줄 것이라는 생각을 하게 되었습니다.

이제 와서 후회하는 것은 늦었지만 일고의 변명의 여지도 없이 저의 죄에 대한 처벌을 달게 반을 것을 말씀드리며 피해자인 삼촌에 대해 깊은 사죄의 말씀드립니다.

위 와 같이 거짓 없이 진술하였습니다.

년　월　일

위 진 술 인 0 0 0 인.

아래 내용은 음주운전 근절서약서 형식입니다. 상황에 맞게 참고하시기 바랍니다.

음주운전 근절 서약서

사 건 명:

성　　명(전화번호:　　　　　　　)
주민번호 :

주　　소:

보 증 인:

성　　명(전화번호:　　　　　　)
주민번호 :

주　　소:

위 본인은　　년　　월　　일　　시 경에 있었던 [무면허] 음주운전에 대해 깊이 반성하며 아래와 같이 서약합니다.

- 아 래-

음주운전은 저와 타인의 생명과 재산을 해치게 되는 중대한 죄임을 인식하고, 본 서약서 작성일 이후 여하한 이유로도, 어떤 정도의 음주운전도 하지 않을 것이며,

이후 음주운전할 경우 음주 정도에 관계없이, 그 결과에 관계없이 스스로 음주운전을 통제할 수 없음을 인정하고 어떤 처벌이라도 감수함을 보증인의 보증과 함께 서약합니다

년　월　일

위 서약인　　　　　(인)

위 보증인　　　　　(인)

탄 원 서

수용번호: 15
성　　명: 박

202X년 1월 12일

OOO 교도소 소장님 □□

탄 원 서

수용번호: 1xxx 성 명: 박 xxx

탄원인명: 유 겸 인
관　　계: 겸사모(겸손을 닦는 사람들의 모임) 대표 봉사자

주민번호: 610120-xxxx
주　　소: 인천시 부평구 부개동 212-2 태산아파트 가동xxx
연 락 처: 010-8851-xxxx

존경하는 소장님
죄인의 반성을 독려하여 죄인을 다시 태어 날 수 있도록 보살피시는 소장님께, 국민의 한사람으로 존경과 감사를 표하며 외람된 탄원서 올립니다.

저는 "겸사모("겸손을 닦는 사람들의 모임"으로, 명상과 함께 장애인시설. 노인요양시설 및 구치소, 교도소에 있는 사람들에 대해 자원 봉사하는 것으로 겸손을 닦는 노력에 갈음하고 있습니다.)에서 봉사하고 있는 유겸인 이라는 대표 봉사자입니다

제가 위 수용자(저희는 '수행자'라 부릅니다)에 대해 탄원서 올리게 된 이유는 남다른 반성과 공부의 노력을 확인한 때문인데, 이를 소장님께 알려드리고자 하는 것은 소장님의 교화노력에 조금이라도 도움될 것으로 생각했기 때문입니다.

저희가 가끔이지만 수용자의 진정성 있는 노력을 발견하게되는 것은 {수형을 수행으로} 라는 기치아래 보내고 있는"매일 수행 편지"를 통해서입니다.(말미에 예를 첨부하였습니다)

저희가 주5회 보내는 편지는 매월 1회 제시되는 주제에 대한 공부와 매월1 회 이상 편지쓰기 하는 등 반성과 겸손의 수행을 독려하고 있습니다.

하지만 대개 사람들이 편지받는 것은 좋아하지만 정작 해야할 반성과 공부를 소홀히 하며 단순히 위안으로 받는 사람이 대부분입니다.

그러나 위 박OO씨와 같이 공부와 반성을 꾸준히 하는 경우가 드물게 있고 이 한 사람을 위해 인해 수 십명에게 편지를 보내는 수고를 아끼지 않고 있습니다.

(박XX씨의 진지한 태도를 파악하는 데 참고드리고자 박XX 씨로부터 받은 편지중 1통을 첨부하였습니다.)

존경하는 소장님
사실 파렴치하며, 혐오스럽기까지 한 그들의 죄를 생각하면 백 번 분개되고 마땅히 처벌받아야 하지만,

가끔이라도 "반성하는 죄인은 죄짓지 않은 의인보다 도덕적 가치가 높다"는 말씀을 실제로 확인하면서 그들의 죄를 탓하기 보다는, 같은 잘못을 반복하지 않게 도와주는 것이 더 낫지 않을까 생각 하게 되었습니다.

존경하는 소장님
저희는 봉사활동 하면서 범죄자, 이른바 전과자에 대한 과장된 인식에 의해 상황이 더 악화되는 것을 보는 가운데,

그들의 죄가 그들만의 죄가 아니라는 점에 있어서는 어떤 본질적인 대안의 필요성도 절실함을 통감하며, 저희의 작은 노력들이 그러한 필요성에 조금이라도 부합하기를 희망합니다.

그들이 지은 죄를 생각할 때, 그들에 대해 탄원 드리는 것이 턱없는 일이 될지 모르오나, "죄는 미워하되 사람은 미워하지 말라"는 말씀에 기대어 규정에 어긋나지 않는 범위 내에서 가석방에 대한 배려를 간청 드립니다.

수용자를 교화하시는 소장님의 성직적 업무 수행을 위해서라도 늘 건강하시기 바라면서 감사하고 송구한 마음으로 탄원서 마칩니다.

202x년 1월 12일

겸사모: 겸손을 닦는 사람들의 모임,
대표 봉사자 유 겸인 외 회원일동

첨부:
탄원인 연명부 탄원인 신분증 사본1
봉사활동 확인서 사본1
봉사활동 단체 확인서 사본1
수용자에게 보내는 매일 수행편지 사본1
박통천씨 자필 편지1통

탄 원 서

수용번호: 000
성　　명: 000

탄원인명
관　　계: 동생(제)
주민번호:
주　　소:
연 락 처:

존경하는 소장님

수용자의 반성과 교화를 독려하여 수용자들이 사회복귀 후에 더 나은 삶을 살 수 있도록 보살펴주시는 소장님께 존경과 감사를 표하며 탄원서를 올립니다.

저는 수용자 000의 동생 000입니다.

00는 여성으로써 감당하기 쉽지 않은 일을 겪고 있지만, 어려움을 잘 극복할 것을 믿고 있습니다.

누나랑 저는 7살차이가 납니다. 어렸을 때 단칸방에서 어머니, 아버지, 누나, 저 네 식구가 살았습니다.

어머니, 아버지께서 맞벌이를 하셨기 때문에 제가 5살때부터 누나는 저에게 부모였고, 하느님의 믿음과 같았습니다. 누나는 항상 저를 데리고 다녔습니다. 예를 들어 누나친구 생일잔치였는데, 저 맛있는 것 먹이고 싶다고 저를 데리고 다녔습니다.

그리고, 동물원이나 놀이공원, 바닷가 등 친구랑 같이 가는 날이 있으면 항상 꼭 저를 데리고 다녔습니다.
그만큼 저를 아껴주고, 사랑해주었습니다.
저희 가족은 아버지, 어머니께서 나이 차이가 많이 납니다. 33살 나이 차이가 납니다.

어머니가 한창 활동하셨을 때, 아버지께서는 60대후반에서 70대초반 정도 되었습니다. 아버지께서는 저 중학생 때 폐질환을 앓고 계셨고, 연로하셔서 경제적 활동을 하지 못하였습니다.

어머니의 경제활동으로 가족들은 어머니를 의존할 수 밖에 없었습니다. 어머니는 가족들을 위해 아버지병원 가는 날 때를 제외하고, 한 번도 쉬지 않고, 일하셨습니다.

하루 종일 일하는데도 어머니 혼자 감당하기는 어려웠기 때문에 집에 경제상황은 나아질기미가 전혀 안보였습니다.

누나도 어머니가 홀로 고생하는 것이 자책감이 들어 19살 때부터 여러 아르바이트를 하면서 공부하고, 집에 어려움이 생길 때 마다 해결해주었습니다
누나는 정말 성실하게 살았습니다. 바쁜 시간을 쪼개면서 독학사로 00학 학사학위를 1년만에 취득하였고, 학사학위를 발판으로 000대학원에 들어갔습니다.

누나는 대학원 안에서 같은 동기에게도 능력이 출중하고, 평소 부지런하며, 성실한 친구이라는 평가를 받았습니다.
대학원 졸업 후에는 00000학과 교수제의를 받았고, 여러 제자들 앞에 강의를 했습니다.

학생들과 끊임없이 소통하는 교수였습니다. 학생들의 의견에 최대한 귀를 기울이고, 학생을 배려하였습니다.

그리고, 학생의 수업참여를 독려하였습니다. 학생들이 학문에 관심을 갖고 능동적인 배움의 기쁨을 느끼도록 하였습니다.

존경하는 소장님
저는 누나를 보면서, 사람들에게 거짓말을 한다거나, 해를 끼칠만한 일을 한 것을 절대 보지 못했습니다.

비록, 사업적으로 진행했던 것들이 난관에 부딪히면서, 피해자에게 금전적으로 손해를 입혔기 때문에 마땅히 처벌을 받아야 하는 것이 사실이지만, 빨리 나와서 피해자에게 변제하고 싶은 마음이 절실합니다.

이렇게 탄원 드리는 것이 턱없는 일이 될지 모르오나, 반성하는 태도를 보시어, 가석방에 대한 배려를 간청드립니다.

수용자를 교화하는 소장님의 건강을 기도하며, 감사하고, 송구스러운 마음으로 탄원서를 마칩니다.

2021년 06월 30일
수용자 000 동생 000올림

첨부 : 탄원인 신분증 사본1
가족관계증명서 1
졸업증명서 사본 1
강의경력서 사본 1

부록II: 사건별 반성문, 탄원서 모음

☞ 이하에 부록된 반성문, 탄원서는 참고용으로 하는 것이 좋습니다.
여러 사람이 베껴쓰면 오히려 독이 될 수 있기 때문입니다

반성문 등은 본인의 게제 허락을 받았으며 개인적인 내용은 삭제하였습니다.

반 성 문

사건번호 : 2016고단 000 공무집행방해
피 고 인 : 이 0 0
주민번호 : 62***-1*******
연 락 처 : 010-**-*******

·존경하는 재판장님

저는 지난 2016년 xx월 xx일 과격한 부부싸움 도중 아내의 신고를 받고 출동한 경관님의 공정한 업무를 방해한 죄인입니다.

의견서를 작성하기 전에는 반성과 성찰 없이 저의 억울함을 어떻게 판사님께 전달할 수 있을까를 고심했었습니다.

그러던 중 oo경찰서에서 알선해서 받고 있는 가정폭력부부상담 치료도중 순전히 저의 입장에서만 사건을 관조하며 괴로워하다, 진정한 반성과 성찰이 부족함을 느끼게 되었고 어떤 것이 진정성을 견지하는 건지 느껴지는 순간 머리를 망치로 꽝하고 스쳐 가는 느낌이 들었습니다.

그 후 너무나도 많은 저의 독선을 알게 되었고 그때부터 저는 조금씩 저의 죄에 본질을 깨닫기 시작했습니다.

더불어 상대에 대한 배려와 겸손이 부족한 저를 발견하고는 저로 하여금 크나큰 상처를 입을 뻔한 경관님을 생각하니 저의 억울함은 정말로 눈 녹듯 사라져가고 깊은 후회와 회한만 가득하여 견딜 수가 없었습니다.

피해 경관님께서는 결혼을 하였다면 아내에게 소중한 남편이고, 아이에게는 세상에 하나밖에 없는 아버지이고, 부모님께는 소중한 보배일텐데, 그 소중한 분들에게 정말 크나큰 상처를 안길 뻔 했다는 생각을 하면 그저 너무나 죄송하고 미안하기만 합니다.

· 사건 발단이 된 저의 아내에게도 저의 독선과 폭력성 때문에 얼마나 힘들었을까를 생각하니 미안하고 입이 열 개라도 할 말이 없습니다.

이번 사건을 계기로 지난날을 돌아보니 저의 이기심과 잘못된 행동으로 인하여 괴로워했을 저의 아내와 자식들 그리고 과거 직장의 동료직원들 및 주변사람들에게도 뒤늦게나마 깊은 반성을 하며 이제야 드러난 이번 사건이야 말로 더 큰 사건이 닥치기 전에 깊은 반성과 성찰을 할 수 있도록 일어난 운명적인 사건이 아니였나 라는 상상도 해 봅니다.

이번 사건이 이전의 수많은 잘못이 누적된 것이고 실로 하나의 사건이 드러난 것이라는 "하인리히법칙"을 알고 나서는 지난날 너무나 많은 잘못들이 있었던 것을 생각하며 저 자신에게 너무나 관대했던 것들에 대해서도 깊은 반성을 하였습니다.

저는 이제 다음과 같이 노력하며 살아갈 것을 굳게 다짐합니다.

-저는 앞으로 사사로운 이익을 추구하며 살아왔던 지난날의 삶에서 벗어나 조금 손해를 보더라도 남들의 어려움을 먼저 생각하고 건강한 사회가 요구하는 성숙한 시민으로 살아 갈 것이며 매월1회 이상 또는 4시간이상을 저보다 어려운 환경에 처한 이웃이나 단체에 가서 봉사활동을 하며 이번 사건과 지난날의 수많은 잘못에 대해서 속죄하겠습니다.

-저는 어떤 상황에서도 폭력과 폭언 없는 토론의 부부싸움을 할 것이며 매주1회이상 저의 아내에게 한 잘못을 사과하고 되도록 부부싸움 없이 저의 가정과 이웃과 사회에 모범적인 가장이 되겠습니다.

-현재 저와 같은 잘못으로 oo경찰서에서와 oo교도소에서 조사.재판 받고 있는 혹은 교도소에 있는 사람에게 그들의 잘못을 알아차릴 수 있도록 봉사하여 나의 잘못에 대한 깨우침을 토대로 다른 사람이 깨우칠 수 있도록 노력하겠습니다.

매일 반성과 성찰의 시간을 갖고 다시는 이런 일이 일어나지 않도록 가정과 사회활동 중에서도 몸가짐을 겸손하고 단정히 하여 살 것이며 하늘을 우러러 한 점 부끄럼이 없는 삶을 살겠습니다.

존경하는 재판장님.

재판장님의 성직자적 노고에 죄인이기는 하나 국민의 한 사람으로서
감사 드리며 선처해달라는 말씀도 드리기가 부끄럽습니다.

이번 사건이 저의 가장 소중한 날로 기억되기를 희망하면서 재판장님께 감사와 존경의 마음을 올리며 부족한 반성문을 마칩니다.

감사합니다.

202X년 xx월 xx일

위 피고인 이 0 0 올림

반 성 문

사건번호:202X노00 사기

피고인 : 이 0 0

주민등록번호 : 62**-1******

주소 : 서울 서초구******

연락처 : 010-**-******

항상 복잡하고 수많은 사건들로 고뇌하고 애쓰시는 판사님께.

존경하옵는 재판장님.
저는 어느 무고한 분께 금전적, 정신적으로 큰 손해와 고통을 끼치게 되었고 그로 인하여, 부끄럽게도 사기라는 죄목으로 법의 심판을 받고 있는 이 0 0이라는 사람이옵니다.

저는 1심 재판에서 피해자 분께 염치없을 정도로, 몸 둘 바를 모를 만큼 은혜롭고 관대하신 무죄선고를 받았습니다.

하지만 그때 재판장님께서 내려주신 그토록 관대하신 판결이 저의 무죄를 의미하지 않는다는 것을 알고 있습니다.
저로 인하여 금전적으로 막대한 손해를 입고 고통을 겪는 피해자 분이 분명히 계시기에, 저는 무죄가 아닌 명백한 유죄라는 것을 알고 있습니다.

실수든, 고의든 간에 저로 인하여 막대한 손해를 입으신 피해자 분이 계시고 그 분께 고통을 겪게 해드린 결과 만으로도 충분히 죄가 되고도 남음을 알고 있습니다.

진심으로 저의 못난 행동과 지은 죄과에 대하여 고개 숙여 마음깊이 사죄 드립니다.

저는 강원도 동해에서 농사일을 하시는 부모님의 4남1녀 중 차남으로 태어났습니다. 고교 때 육군사관학교에 응시했다가 떨어져 군에 입대하여 30개월 군복무를 하고 나오니 철없는 동생들이 생활고를 짊어지면서 학업을 하고 있었습니다.

공부를 포기하고, 교사로 일찍 타지에 나간 형을 대신하여 태백의 경동탄광에 들어갔습니다. 혹독한 탄광 막장이었지만 월급과 성과급이 많았습니다. 제가 벌어서 부모님 고생 덜어드리고 동생들 공부를 시킬 수 있다는 것이 참 뿌듯하고 기뻤습니다.

동생들이 학교를 마치고 저도 결혼을 했습니다. 시부모님을 모시겠다는 저의 아내를 만나 결혼을 하여 아이를 낳고 살다가 가난을 벗으려면 사업을 해야겠다는 순진한 생각에 노부모님과 가정을 뒤로 한 채, 상경하여 사업이라는 것을 처음 시작하게 되었습니다.

전문분야나 기술도 없이 무작정 시작한 사업이라 6여년의 갖은 고생과 우여곡절 끝에 건설사(00건설과 00건설)의 재건축관련 홍보업무와 인연을 맺게 되었습니다.

어렵게 행운처럼 생긴 기회라 몇 날을 지새며 일해도 힘들지 않았고 하루하루가 바쁘고 신났습니다. 또 다른 건설사들도 거래가 되어 돈도 벌리고 직원도 늘어났고, 집도 얻어서 아내와 아이들, 다섯 식구가 6년 만에 한집에서 살게 되었습니다.

시골 고향에서는 누구에 둘째 아들 서울가서 성공했다고 소문이 자자했습니다. 명절이면 고향 노인정의 어르신들께 술상을 차려 인사도 드리고, 처갓집과 저희 시골집에 에어컨도 놓아 드리고 막네 동생네 조그만 전세도 얻어주고.. 참으로 뿌듯하고 행복했습니다.

그런데, 2008년도부터 건축경기의 불황으로 저의 사업도 급격한 내리막이 오는 것을 느꼈습니다. 다른 일이 준비되지 않은 상황에서 일감이 급격이 떨어지기 시작했지만 수년간을 동고동락했던 가족 같은 직원들을 내보낼 수가 없었습니다.

그 동안 모아진 돈으로 함께 고생했던 직원들과 함께 할 수 있는 일을 찾다가, 어느 분의 권유로 곤지암의 판유리 가공공장을 인수하였고, 수산물 도매와 운반일도 시작했습니다.

급한 마음으로 인한 성급한 판단이었음을 오래지 않아 느끼고 후회했지만 이미 때를 놓친 뒤 였습니다. 판유리는 나가지 않았고 수산물은 미수만 깔리고, 상황은 점점 힘들어만 갔습니다 어떻게든 버텨야 했기에 직원들을 하나 둘 내보내기 시작했습니다. 수년간을 함께 생활하던 그들을 내보낸다는 것이 참으로 힘들었습니다.

건축경기는 쉬이 회복되지 않았고 몇 남은 직원들과 다른 활로를 찾아보려 이리 저리로 분주하게 뛰었습니다.

낮에는 인건비 조금이라도 보태려고 현장에서 인부들과 같이 일하고, 퇴근해서 옷을 갈아입고는 일감을 찾기 위하여 여기저기 사람들 만나느라 밤늦게 까지 쫓아 다녔습니다.

그러기를 몇 년... 노력이 헛되지 않았던지 그 동안 추진해 오던 일중, 총 공사비가 22억 원이나 되는 '요양병원 내외장 공사'의 계약을 목전에 두기에 이르렀습니다.

저와 직원들은 다시 기대와 희망에 부풀었습니다. 이 공사만 잘 마무리 하면 다시 최소한의 기댈 언덕이 마련되리라는 생각에 의욕이 넘쳤습니다.

그러던 와중에 이번 사건의 원인이 되었던 k2 근무복납품건의 사건이 발생하게 되었습니다. 그 건(件)의 일이 본업은 아니지만, 성심껏 일해서 거래처를 하나라도 더 늘려 보려고 시작되었던 일이었습니다.

하지만 그 일은 저의 의도와 달리 충분히 사기범죄가 될 수 있는 이 사건의 원인이 되어버렸습니다.

존경하옵는 재판장님.
저는 생을 살아오면서 어릴 적부터 가난과 고생에 익숙하였고 고통도 어느 만큼은 겪었지만, 이토록 크게 절망과 후회와 자괴감으로 고통스러워 해본 적이 없습니다.

그것은 단지 모처럼 맞았던 기회나 적지 않은 돈을 잃어버려서가 아닙니다.

저희 부모님께서는 항상 "남에게 해 끼치지 마라, 부지런만 해도 먹고 산다"고 하셨습니다. 하지만 저는 지금 어떤 "남"에게 해악만을 끼친 것이 아니라 피고인의 신분으로 법의 심판대에 서있습니다.

저에게는 맏이인 형이 한 분 있습니다. 작년 하반기에 너무 아파서 병원에 가보니 골종양 말기랍니다. 엎친 데 덮치고 청천벽력이었습니다.

참담하기만 한 하루하루가 이어지던 작년 어느 날이었습니다. 서초동 검찰청에서 두렵기만 한 두 번째 조사를 마치고 나오는데 병원에서 연락이 왔습니다.

중요한 시술이 있으니 병원으로 오라는 것입니다.

해질녘 언덕길을 걸어 뒤편의 서울성모병원을 향하는데, 불과 5리에 불과할 좁은 거리에서 동생은 검찰에 불려가고 형은 병원에 중병으로 누워있는 이 기막힌 상황과, 부모님 얼굴을 생각하니 앞이 보이지 않을 만큼 눈물이 쏟아졌습니다.

전생에 무슨 죄를 지었기에, 시골에서 부모님 모시고 그냥 살았으면 이런 고통은 없었을 텐데 하는 후회와 탄식으로 울면서 언덕을 넘었습니다.
하지만 이미 엎질러진 물이었습니다.

존경하옵는 재판장님.
저는 제가 저지른 잘못과 죄를 알고 있습니다.
이 일이 생긴 후 저는 후회와 괴로움으로 하루하루를 보내면서, 저를 뒤돌아보게 되었습니다.

원인을 생각해 보고 반성을 해보게 되면서 상대방의 심정도 생각해 보았습니다. 저의 이 지옥 같은 현실과 고통은 전생의 죄나 운명이 아닌, 저의 잘못된 행동들이 하나 둘 쌓이고 습관이 되어 지금의 사건으로 발생 되었다는 것을 알겠습니다.

특히 금전이 오가는 사업상의 거래는 반드시 이행할 수 있는 범위 내에서 했어야 하는데, 예상과 낙관만 하며 철저하지 못한 습관이 결국엔 이 사건으로 터져 버리게 되었습니다.

아무 잘못 없이 크나큰 피해를 입으신 그 분이 곤란을 겪으며 저를 원망하고 계실 것을 생각하면 밀려오는 죄책감과 부끄러움에 견딜 수가 없습니다.

또한 제가 드렸어야 할 그 돈은 다른 어떤 분께 드릴 대금이기도 할 텐데 하는 생각을 하면 염치없고 한없이 죄스런 마음뿐입니다.

정말 죄송합니다. 잘못했습니다.

저 하나의 경솔한 판단과 잘못된 행동으로 인하여 피해자 분과 그 가족 그리고 제 주변 분들께도 큰 고통과 피해를 주게 되었고, 저의 사건을 담당하시는 판사님과 여러 관계자 분들께도 노고와 심려를 끼치고 있는 점 뼈저리게 후회하고 있습니다.

제가 지은 잘못에 대한 벌을 달게 받고, 피해자 분께 끼친 금전적 정신적 고통에 대해서는 죄값을 치르고 난 뒤라도 최선을 다해 변제하고 사죄 하겠습니다.

지금의 지옥 같은 이 상황이 한편 다행스럽고 감사한 생각도 듭니다. 제가 이번의 잘못으로 치명적인 오점을 남기고 다른 분께 무고한 고통을 안겨 드리게 되어서 너무도 창피하고 죄스럽지만, 저의 이러한 부족함과 잘못에 대하여 깨닫고 반성하며 성찰할 기회를 얻었다는 것이 다행스럽게 생각됩니다.

이제는 저의 죗값을 담담하게 받아 들이고 이 사건 전의 제 자신보다 더 열심히, 참되게 살 자신도 생겼습니다.

이 일로 인한 죄값과 갚지 못한 빚이 마무리 되는 그날을 염원하며, 다시는 이 지옥 같은 날들의 기억을 되풀이 하지 않겠습니다.

요즘, 저의 아내가 주야로 식당 일을 하며 벌어오는 돈과 제가 불규칙하게 벌어오는 돈으로 생활을 해보니 천 원짜리, 만 원짜리 한 장이 얼마나 쓰기 힘들고 아까운지를 절감하고 있습니다.

제가 진작에 지금처럼 아끼고 한푼 돈에도 떨었더라면 지금처럼 피해자도 생기지 않았을 테고, 저 또한 이지경이 되지는 않았을 테지요.

일을 하고 돌아와서 아이들이 잠든 밤마다, 참회의 마음으로 반성의 글을 조금씩 이렇게 적고 있지만, 저의 잘못이 명백함에도, 후회와 반성을 담은 글이라며 쓴다는 글이 업무만 가중시켜 드리지 않을까 조심스럽고 송구스런 마음과 늦은 밤에 아비라는 사람이 하고 있는 일이 수치스럽고 제가 원망스러워 온몸이 녹아 내리는 듯 합니다.

하지만 이 모든 것이 저의 죗값 중 한 부분이니 저의 가족들도 감수하고 잘 견뎌낼 것입니다.

존경하옵는 재판장님.

죄송합니다.
죄인으로서 염치 없사오나 저는 중풍과 치매로 요양원에 계신 어머니와 골종양 말기로 투병중인 형, 그리고 군에서 다쳐 하반신 불구가 되어 보훈병원에서 지내고 있는 동생이 있습니다. 죄를 지은 소인이지만 제가 보살피고 이끌어야 하고 진행 중에 있는 일들이 몇 있습니다.

제가 피해지 분께 채권양도를 해드렸던 '요양병원 내 외장공사'의 건은 아직 진행 중에 있습니다. 그러나 그 일이 아니더라도 제가 진 빚에 대해서는, 제 부모님이나 저희 아이들에게 부끄럽지 않도록 최선을 다해 갚을 것입니다.

잘못을 저지른 자의 입에서 차마 나올 소리가 아닌 줄 압니다. 어떠한 벌을 주셔도 달게 받겠사오니 다시는 잘못을 저지르지 않겠다는 저의 맹서와 피해자 분께 진 빚을 갚으려고 하는 저의 의지라도 한번만 더 살펴봐 주시길 간곡히 부탁드립니다.

만약 제게 최소한의 기회라도 주어 진다면 아니, 그렇지 않더라도 두 번 다시는 이런 불미한 일로 여러분들께 고통과 근심을 끼치지 않겠습니다.

참된 인간으로서 잘못을 저지르지 않고, 올곧게 살며 사회에 도움이 되는 사람이 되겠습니다. 무릎 꿇고 참회하는 자세로 다시 피해자분과 재판장님, 또한 여러분께 사죄 드립니다.

저의 글 읽어 주셔서 감사드립니다.

202X년 00월 00일

피고인 0 0 0 (인)

서울OO지방법원 제x 형사부(나) 귀중

반 성 문

사건번호: 202X 고단 XXXX(업무상횡령)
피 고 인: 이 xxx
주민번호: 600xxx-xxxx
주　　소: 충북 천안시 XXX

존경하는 재판장님
지난 월 일 구형공판과 최후진술후 한 번 더 저의 잘못과 향후의 삶에 대해 말씀드리고자 3 번째 반성문 제출합니다.

사실 사람들이 구형은 구형일 뿐 이라고 말들 하였지만, 실제로 제가 구형을 받으니 더 할 수 없이 큰 충격이 되었으며, 혹시나 하던 요행심이 여지 없지 무너지면서 그 전과는 다른 마음으로 반성문 쓰지 않을 수 없었습니다.

저는 깊은 한숨 가운데 제 문제의 근원은 어디일까 생각하면서 문득 최근에 지인으로부터 들었던 뼈저린 충고-나를 버리는 데 10년 걸린다는-가 떠올랐습니다.

일상생활에서도 그랬지만 이 사건이 난 후에도 제가 교수와. 재단 운영자라는 헛된 명예에 사로 잡혀 오히려 그런 만큼 겸허해야 함에도 불구하고 그렇지 못했던 것으로부터 제가 알았던 그리고 몰랐던 문제의 원인이될 수 있었음을 알아차리게 되어, 또 한번 저의 어리석음에 대해 그리고 그정도인 제가 사람들을 가르쳤다는 것에 대해 깊은 부끄러움을 금할 수 없었습니다.

존경하는 재판장님
저로서는 이 재판과정과 이 구속과정이 더 없이 고통스럽기는 하지만 늦게라도, 그리고 강제로라도 진지하게 반성할 수 있게 되었다는 생각에 이르러서는 재판장님과 사회에 감사의 마음이 들기도 하였으며,

이 과정이 끝날 때까지 할 수 있는 노력을 다하여 밝혀진 잘못외에 제가 몰랐던 잘못까지 반성할 수 있는 기회로 하고자 애쓰겠으며

저의 잘못으로부터 저를 망치고, 제 가족과 나아가서 사회에 끼친 잘못에 대해서 재판장님을 통해 사죄드리며 재판장님의 성직적 노력에 죄인이기에 앞서 국민의 한 사람으로서도 감사말씀 드리며 부족한 반성문 마칩니다.

202X 1월 12일
위 피고인 이 XX 올림

반 성 문

사건번호 : 202X 형제 xxxxx (통신매체이용음란)
피의자 : 0 0 0
주민등록번호 : 9xxxxxx-1xxxxxx
주소 : 서울시 동작구 ******************
연락처 : 010-xxxx-xxxx

존경하는 검사님께,

오늘도 국가와 국민을 위해서 죄를 다스리시고 이와 함께 사람을 보살펴주시는 검사님께 다시 존경과 깊은 감사를 드립니다. 저의 죄를 뼈저리게 반성하고 저의 자신을 다시 돌아보고자 반성문을 또 올립니다.

현재 저는 부모님 밑에서 자영업을 배우면서 가게를 함께 운영하고 있으며, 저의 잘못을 부모님께서 아시게 되어, 부모님의 감시하에 지내고 있고, 사회봉사활동을 하면서 저의 잘못에 대한 반성을 변함없이 깊이 하고있습니다.

최근에 저의 부모님께서 건강이 많이 악화하시게 되어, 제가 주방과 치킨조리를 하면서 홀서빙도 하고 있습니다. 그리고 가계에 대한 운영을 대부분 제가 맡아서 하게 되었습니다.

저는 오늘도 봉사활동을 다녀왔습니다. 제가 봉사하는 곳은 몸이 불편한 아동 청소년들을 돌봐주는 곳인데요, 제가 이곳에서 봉사를 하는 이유는 아이들에게 미안하고, 저의 잘못에 대해서 아이들에게 사죄하기 위해서 봉사를 해오고 있습니다.

매주 아이들을 봐왔지만 미안한 마음은 변하지 않는 것은 물론이고 오히려 미안함을 더 느끼게 되었습니다. 오늘도 아이들은 웃음을 잃지 않고 저를 반겨주었습니다.

아직은 거리감을 느끼는 아이들도 있었지만 저와 가까워진 아이들이 많아지게 되었습니다. 그래도 저를 이렇게 반겨주는 모습에 저는 너무 기뻤고, 아이들에게 너무 고마웠습니다.

오늘은 특히 oo이란 아이와 oo라는 아이가 기억에 남습니다. oo이라는 아이는 그 동안 봉사하면서 봐왔지만 이번에도 항상 긍정적이었고 잘 웃어주었고, 서로 얘기를 통해서 꿈이 많다는 것을 알게 되었습니다.

그리고 저의 얘기까지도 잘 들어주었고, 저의 심정을 이해해주었습니다. OO라는 아이는 저의 장난에 웃어주고 저의 손을 잡아주기까지 해주었습니다. 아이들에게 너무 미안했고, 너무 고마웠습니다.

오늘도 아이들이 식사를 잘 먹어주어서 보람을 느끼고, 몸이 불편한 아이들이지만, 그래도 변함없이 웃어주니 제 마음이 편안하게되고 기쁨을 느꼈습니다. 지난 10월 12일부터 시작하여 현재까지 사회봉사활동을 하면서 그 동안 쌓여온 제 마음속의 쓰레기들이 비워지게 되었습니다. 제가 봉사를 하러 왔지만, 오히려 아이들에게서 많은 도움과 힘이되었습니다.

저는 이 아이들에게 너무 미안한 감정이 앞섭니다. 피해자에게 잘못을 저지른만큼 피해자와 또래인 아이들에게도 큰 잘못을 저지른것이라고 여기고 있습니다. 이곳의 아이들뿐만 아니라 다른아이들을 보아하니 미안한 생각이 먼저 들었고, 저의 잘못을 되새기며, 저의 자신을 다시 돌아보게 되었습니다. 피해자와 피해자 부모님께 너무 죄송합니다.

요즘들어 저의 잘못에 대한 죄책감이 극에 달하고 있으며, 저의 자신에게 자괴감이 듭니다. 차라리 피해자와 대화를 했을 당시에 말렸어야했고 그리고 건전하게 가르쳤어야 했는데, 그러지못하고 잘못을 저지르게 된 저에게 많은 실망을 느낍니다.

그리고 저와 비슷한 상황일지라도 저와 같은 잘못을 저지르지 않는 사람을 보아하니, 저의 문제점들을 찾게되었고, 그 동안 더 노력을 하지 못한 저에게 원망스러울뿐입니다.

앞으로 어떠한 잘못을 저지르지 않도록 하기위해서 그리고 저의 잘못에 대한 반성으로 이 사건이 끝난 후에도 평생 봉사를 할것이고 취미생활을 가지고, 나아가 무교였던 저는 종교생활을 통해서 제 마음의 나쁜것들을 버리려고 합니다.

그 동안 부모님께 효도를 못했었는데, 이 잘못을 거울삼아 저의 문제점을 고칠 것이고, 부모님이 편하게 지내실 수 있도록 효도만 해드릴 계획이고, 많이 편찮으신 부모님의 노후를 위해 앞으로 가계를 직접 운영할 계획입니다.

그리고 피해자와 피해자의 부모님께 너무 죄송하고, 기회가 주어진다면 반드시 직접 피해보상과 깊은 사죄를 드리고 싶습니다. 피해자와 피해자의 부모님께 정말 죄송하고, 검사님께 다시 죄송합니다.

죄인의 글을 읽어주셔서 정말 감사합니다.

202X년 월 일

피고인 000 올림

반 성 문

사건번호 : 20 XX 고단 XXX : 카메라이용촬영
성 명 :
주민번호 :
주 소 :
전화번호 :

존경하는 재판장님.
저의 잘못된 행동으로 인해, 피해자들뿐 아니라, 사회적으로 피해를 입힌 것에 대해 다시 한번 죄송하다는 말을 시작으로 반성문을 씁니다.

또한, 이 사건으로 인해 과중한 업무에 있을 재판장님이 시간을 할애하고 반성문을 읽어주시는 것에 대해서도 죄송하고 감사하다는 말씀을 드립니다.

처음 사건이 발생한 6월 6일 이후에는 아무것도 할 수가 없었습니다.
현실회피, 자살충동, 약물의존 등 현실을 외면하려 했었고 아무런 일도 하지 못하고 폐인처럼 살았습니다.

하지만 많은 시간이 지난 지금 이 시점에서 저는 그 동안 많은 생각을 했습니다.

이 사건이 생긴 원인이 무엇일까.
정신과에서 관음증이라는 진단이 나왔었습니다.

저는 납득하기 어려웠던게, 불특정다수의 치마 속을 몰래 본다던가, 다른 사람의 성관계를 몰래 본다던가 한다는게 관음증인줄 알았었습니다.

하지만 저는 정상적인 범주라고 생각했었지만, 사실은 야동을 보는 것부터 이것이 시작이 되었습니다.

일본 av를 보며, 점점 더 고화질 영상을 찾게 되고, 조금이라도 더 현실적인 영상을 찾게 되고, 그것이 마치 현실인 것처럼 감정이입을 하려고 했던 것입니다.

이것이 시작이었습니다.

이 여성도 언젠가는 나를 떠나겠지 라는 자동사고에서 이 영상이 남아있으면 언제든지 나는 이 여성을 만날 수 있을 것이라는 잘못된 생각으로 발전하게 되었습니다.

여성과 성관계를 가질 때마다 모두 촬영을 한 것은 아니었지만, 첫 관계를 가질 때부터 시작으로 짧게는 1회~5회까지 촬영을 하였습니다.
그리고 헤어지고 난 후에도 다시 영상을 보면, 만나고 있다, 그때로 돌아간다는 생각을 했었습니다.

이 모든 것은 일단 이기적인 생각에서 시작이 된 것입니다.
처음에는 영상을 촬영하고 난 후 보면서 이런 생각을 했습니다.

"무섭다. 두렵다. 이 영상이 다른 누군가가 보면 정말로 큰일이다. 피해자가 이 사실을 알게 되면 얼마나 충격적일까"
하지만 시간이 지나면서 그런 생각은 조금씩 사라져갔고, 아무렇지 않게 습관적으로 변해갔습니다.

타인의 인권을 침해하는 "범죄"행위가 저의 단순한 취미 또는 재미로 사용되었습니다.

이 당시만해도 그저 '나만 알고 나만 보면 되겠지, 결혼할 때 부숴버리면 되겠지'라는 안일한 생각밖에 없었습니다.

그리고 치료를 받으며 생각해보았습니다.

나의 관음증은 어디서 시작이 된 것일까.

초등학교 때 또래 여자아이들이 무용 부에서 옷을 갈아입을 때 창문을 너머서 본적이 있습니다. 당시에는 사춘기도 아니었던 것 같은데, 그때 2~3초의 기억이 아직도 뇌리에 남아있습니다. 아무도 내가 보고 있다는 것을 몰랐었고 또래의 알몸을 보는건 처음이었기 때문입니다.

초등학교에서 중학교에 올라가는 시점 때, 새벽에 거실에서 사촌누나와 함께 영화를 보고 있었습니다. 작은집이어서 안방에서 부모님이 관계를 가지는 소리가 들렸습니다. 사촌누나도 그 사실을 알고 있었고 서로 모른척하며 영화를 봤던 기억이 있습니다.

고등학교 때 도서관에서 공부를 마치고 자전거를 타고 집으로 돌아가며, 파리공원 주변에 세워진 차 안에서 남녀가 관계를 가지는 것을 보고 놀라서 자전거에서 넘어진 적이 있었습니다.

섹스라는 것은 생명을 담보로 하고, 서로의 관계를 확인하는 결정체여야 하는데, 저에게는 그저 흥밋거리, 재밋거리 정도로 생각을 했었습니다.

남녀간의 관계에 있어서, 연애 자체의 목적이 섹스라는 생각을 했었습니다.
그렇게 함으로써 여자친구에게 잦은 성관계 요구로 헤어진 적도 많았고, 섹스 자체만을 목적으로 만난 이성도 있었습니다.

정신과 치료를 받으며 알게 된 것은, 이 성욕을 처음 제가 요구한대로 화학적 주사로 통제하는 것은 일시적인 효과일 뿐이며, 건전한 이성관으로 바꾸면 모든 것은 해결이 된다는 것입니다.

저는 이미 몇 년동안 결혼을 생각하며 이성을 만난 경험이 있고, 또 내적으로 그때처럼 한 사람에게 정착하고 싶다는 심리가 있습니다. 나 자신을 믿으면 내가 생각한대로 된다는 말처럼 저 또한 그렇게 할 것입니다.

솔직히 제가 더 이상 이성을 만날 자격이 있을지는 모르지만, 만약 허락이 되고 기회가 된다면 그렇게 하고 싶습니다.

존경하는 재판장님.
저는 이 일로 저는 전과자, 그것도 성범죄자라는 주홍글씨가 찍히겠지만 저는 저 자신은 이 사건을 계기로 더 나아가는 모습으로 나갈 것입니다.

단순히 반성의 의미로 시작한 봉사활동에서 베품과 나눠줌의 기쁨과 쾌감을 느꼈고, 대가없는 나눠줌, 관용이라는 것을 배우게 되었습니다.

심리상담을 통해서 제가 그 동안 만났던 이성들이 어떠한 마음이었는지, 여성이 성관계를 응할 때는 나를 얼마나 믿고 신뢰할 때, 그제서야 마음을 여는지 알게 되었습니다.

촬영을 당했다는 것을 알게 되었을때, 온몸이 벌레가 기어다니는 것 같다는 피해자들의 심리상태를 알게 되었고 제가 얼마나 끔찍한 중범죄를 했다는 것을 알게 되었습니다

앞으로 수년간은 업무에만 매진할 생각이지만, 이성과의 만남에 있어서도 제가 얼마나 가볍고 나태한 태도로 이성을 대해왔는지 알았고, 내가 가볍게 대했기 때문에 상대방도 그만큼 나를 대했다는 것을 알게 되었습니다.

그리고, 내가 진심으로 상대방을 대한다면, 상대방 또한 나에게 진심으로 대할 것이라는 확신을 이제는 가지게 되었습니다.

또한, 영상 속의, 화면속의 사람은 허구일 뿐이고 과거일지라도 현실이 절대 아니라는 것을 절대적으로 완전하게 깨달았습니다.

존경하는 재판장님.
부족한 저의 반성문을 끝까지 읽어주셔서 진심으로 감사드리며, 저의 반성이 아직 충분하다고 생각하지 않지만, 판사님께는 저는 범죄자이기에 앞서 국민으로써 다시 한번 감사의 말씀 드립니다.

뉘우치고 반성하고 감사한 마음으로 반성문을 마칩니다.

년 월 일

피 고 인 ㅇㅇㅇ 올림

반 성 문

사건번호: 202X 고단 XXXX
피 고 인: 이 xxx
주민번호: 870XXX-XXXXXXX
주　　소: 충북 천안시 XXX

존경하는 판사님
저는 잦은 음주운전으로 도로교통법을 위반한 피고인 000입니다.

제가 구속된 월 일 이래, 난생 처음 구속 생활 중에 반성의 태도가 중요하다는 생각에 어려운 반성문을 써보고자 펜을 들었습니다. 그러나 3일이 지나도록 도무지 반성문을 쓰지 못하고 있다가

문득 제가 왜 반성문을 쓰지 못하고 있는지에 대해 생각해보니 제 나이가 32세가 되도록 올바르게 반성해본 적이 없다는 생각에 이르러서 오늘 이러한 상황에 봉착하게된 원인도 또한 이해하게 되었습니다.

제 잘못을 곰곰이 생각해보니 처음에는 음주가 문제라고 생각했으나, 음주가 문제가 아니라 음주하고 운전한다는 것이 문제이고 더 나아가서는 몇 번의 음주운전으로 인한 처벌이 있었음에도 불구 하고 재차 음주운전 하게 되었는지에 대해서도 생각하게 되었습니다.

지난 년 월 일 음주운전으로 집행유예의 선처가 있은 후에도 다시 음주운전하게 되었다는 사실은 저 자신을 좌절시켰으며 결국 특별한 방법 없이는 앞으로도 저 자신의 의지로는 음주운전을 중단할 수 없을 것이라고 생각되면서

구속상황에서 강제로라도 반성하게된 점과 더 큰 사고가 나기 전에 제 스스로 구속을 자청한 것에 대해서는 일말의 안도감을 느끼기도 합니다.

사람과 죄를 헤아리시는 판사님의 성직적 노력에 죄인이기에 앞서, 국민의 한 사람으로서도 감사말씀 드리며 부족한 반성문 마칩니다.

20xx년 월 일

피고인 이 xx 올림

반 성 문

사건번호: 202X 고단 345XXX(마약류 관리법 위반)
피 고 인: 한 XX
주민번호: 601XXX-XXXXXXX
주 소: 경기도 수원시 XXX

존경하는 판사님
저는 마약류 관리법 위반으로 재판 받고 있는 한OO입니다.
지난 년 월 일 구속된 후 구속생활의 고통 중에 다시는 마약하지 않겠다고 스스로 다짐하고 있지만

벌써 5차례 같은 죄로 감옥생활 하고 있는 저로서는 지금은 구속의 고통 때문에 마약하지 않겠다고 하지만 출소하면 또 마약하게 될 걱정이 앞서기도 합니다.

그래서 어떻게 하면 출소후 마약하지 않을 수 있을까 생각하다가 마약하지 않은 방법으로서 우선은 어릴적 저의 종교였던 교회에 다시 열심히 다니기로 하였고 저의 마음을 다지기 위해 이 반성문과 주기도문을 반복하여 써보기로 하였습니다.

존경하는 판사님
저의 몸과 마음은 이미 마약에 찌들어 있지만 제고 고통을 느끼고 있는 것으로서 아직은 조금이라고 제 정신이 남아있는 것 같아 다행스럽게 여기기도 하였습니다.

계속된 마약 투약으로 저와 가족을 망친 것에 대해 판사님을 통해 사죄말씀드리며 나아가 사회에 해가 된 것에 대해서도 깊은 사죄말씀 드리며 감히 선처구한다는 말씀을 목구멍으로 넘기며 죄송한 마음으로 부족한 반성문 마칩니다.

죄송합니다. 존경하는 판사님

202X년 12월 11일

한 xx 올림

남편을 위한 아내의 반성문

반 성 문

사건번호: 202X 노 xxx 사기 등
피 고 인: 김 oo
주 소: 서울시 영등포구 *******************

제 출 자: 김 oo
관 계: 피고인의 처
주 소: 서울시 영등포구 ******************
연 락 처: 010-xxxx-xxxx

존경하는 재판장님.
반성하는 마음은 살아가면서 그 삶을 마무리하는 순간까지 계속되어야 한다는 것을 잘 알지만, 재판장님께 올려드리는 이 반성의 글이 이번이 마지막 일 거라는 생각에, 죄인이 법정에서 최후의 변론을 하는 것처럼 무척 떨리고 두려운 마음을 숨길 수가 없습니다.

그러나 또 한편으론 바쁘신 재판장님께 그 동안 저까지 너무 무거운 짐을 보태 어 드린 것 같아 짐을 어서 풀어 드리고픈 죄송한 마음 또한 큽니다.

저는, 사기죄 등으로 2심 재판의 선고를 기다리고 있는 피고인 김 oo의
아내입니다.

현재 제 남편은 20xx년 02월 06일 1심에서 실형 1년을 선고 받고 법정 구속되어 만 3개 월을 넘기며 oo구치소에 수감 중에 있습니다.

존경하는 재판장님.
저희의 잘못으로 인해, 지금까지도 고통 중에 있을 피해자분들께, 물질적 고통이야 앞으로 살아가며 갚을 수 있다 하여도, 그들이 겪었을 정신적 고통은 무엇으로도 갚을 수 없다는 것을 알기에 그 죄가 더 무겁다 생각합니다.

하지만 저희가 진심으로 반성하는 이 마음이 바닷물에 떨어트린 잉크 방울 크기만 하더라도 피해자 분들께 서서히 퍼져서 그 고통에서 조금이라도 벗어나실 수만 있다면 하는 간절한 마음입니다.

제게 있어 기도란 늘 저를 위한, 제 가족을 위한 어찌 보면 제 욕심을 위한 기도였습니다.

이렇게 누군가를 위해 절절히 기도를 해본 적이 있을까라는 생각에, 그 동안 제가 얼마나 이기적인 삶을 살았는지 그 또한 한없이 반성이 되었습니다.

존경하는 재판장님.

마음에 가시처럼 걸려있는 일이 있어, 재판장님께 고백하는 마음으로 말씀 드립니다.

저에게는 가슴 아픈 가족사를 가지고 있는 한 친한 친구가 있었습니다.

친정어머님도 힘든 삶을 사시다 돌아가셨고, 하나 밖에 없던 오빠도 서울 근교의 야산에서 목을 매 숨진 채 발견되었습니다.

그렇게 고통스러운 마음으로 살아가고 있는 친구에게 전 늘, 제 친정의 화목함과 여유 있음을 자랑했고, 그 친구는 싫어하는 내색 없이 자기 일처럼 기뻐하며 제 말을 들어주었습니다.

제가 도대체 그 친구에게 얼마나 잔인한 짓을 한 것인지, 제가 고통을 겪으면서야 상대방이 생각 없이 던진 말 한마디가 얼마나 내게 큰마음의 상처가 되는지를 알게 된 지금 전 그 친구를 생각했습니다. 나로 인해 얼마나 많은 상처를 받았을까.

가슴깊이 후회하고 반성합니다.

지금이라도 용서를 구하고 싶지만, 오히려 그것이 그 친구에게 더 상처가 될까 봐 망설이고만 있습니다.

존경하는 재판장님.

며칠 전, 봉사활동을 같이 하는 모임인 '겸손을 수행하는 사람들의 모임' 회원들과 경기도 광주시에 위치한 '한ooo 장애 재단'에서 봉사활동을 했습니다.

저는 최근 '빨간 신호는 정신을 깨우는 종소리다'라는 글을 읽었습니다.

저희는 빨간 신호를 무시하고 달리다가 남을 다치게 하는, 돌이킬 수 없는 사고를 야기했습니다. 조심하라는 노란 신호와 멈추라는 빨간 신호가 들어왔음에도, 주의하고 멈추지 못하고, 목적지만을 향해 달린 것입니다.

안전속도로 천천히, 앞의 신호를 주시하며 달렸다면 충분히 대비할 수도, 멈출 수도 있었음에도 불구하고, 가장 기본적인 것을 지키지 못한 것입니다.
그 결과 무고한 사람들을 다치게 하는 죄를 짓고 말았습니다.

더 큰 죄라면 사고가 난 후에, 그 자리를 지키고 사고를 수습하지를 못하고 두려움에 그냥 그 자리를 피하고 말았던 것입니다.
지나고 나서야, 빨간 신호는 멈춤의 표시가 아닌, 쉼표라는 것을 알았습니다.

존경하는 재판장님
'매사에 감사하라'는 지극히 평범한 말이 있지만, 그 말의 중함도 미처 알지 못했습니다.

변함없는 일상생활을 지루해했고, '남들처럼, 남들처럼..'이라는 말을 습관처럼 입에 담고 살았습니다.

하지만, 외국의 주유소와 모텔에서 일을 하며, 제 앞에 감당할 수 없으리만큼 엄청난 양 의 일이 한꺼번에 주어졌을 때, 그 동안 제가 얼마나 편하고 쉽게 살아왔는지, 또 '변함없는 일상'이 얼마나 소중하고 감사한 일이었는지 깨달았습니다.

하지만 사람은 망각의 동물이라는 말대로, 그 생활에서 벗어나 몸이 조금 편해지니 또 변함없는 일상의 귀함을 잊기 시작한 것입니다.

존경하는 재판장님.
남편의 접견을 기다리고 있던 중, 허리가 거의 기역자로 굽어 지팡이를 짚고 접견실로 들어가시는 할머니 한 분을 보았습니다. 추측건대 아들의 접견을 오셨으리라는 생각이 들어 너무도 가슴이 아팠습니다.

제발 경미한 사건이어서 그 아들이 하루빨리 어머님 곁으로 돌아갈 수 있게 되기를 간곡히 기도 드렸습니다.

봉사활동을 가기 전 홈페이지를 검색해보니, 장애우들의 뒤틀린 몸과, 일그러진 얼굴 등의 사진에 '예쁜 OO' '천사 같은 OO'라는 제목을 붙여 올려놓은 것을 보는 순간, 이 글을 쓴 선생님들의 행동이 가식적으로 보이고, 잔인해 보이기까지 했습니다.

하지만, 직접 그들을 만나보고 나서야 제 생각이 틀렸다는 것을 알게 되었습니다.

제가 맡은 반은 '나오미'반 친구들, 나이는 21세부터 31세까지의 장애우들 이었습니다. 그들의 맑은 눈이 예뻤고, 채 자라지 못한 작은 손이, 목욕을 시키며 본 봉긋한 가슴이 너무 예뻐 눈물이 났습니다.

자꾸 제 손을 잡고 싶어 하던 그들의 모습이 예쁘고도 슬펐습니다.
집에 돌아와, 이젠 성인이 된 아들들을 안으며 또 눈물이 났습니다.
건강하게 태어나주고, 몸과 마음이 건강하게 자라준 것이 너무도 감사했습니다.

늦은 감이 있지만, 봉사활동을 시작하면서부터 사회복지사에 관한 관심이 생겨 준비 중인데 과연 잘 해낼 수 있을까 걱정이 되기도 하지만, 그래도 끝까지 해보리라 다시 한번 다짐을 했습니다.

존경하는 재판장님.
제 남편이 죗값을 치르고 나온다 해도, 모든 것을 잃은 지금, 과연 다시 새롭게 시작을 할 수 있을까, 겨우 자리를 잡아가던 캐나다 생활에서 1년 넘게 공백이 있었던 우리를 기억해 주는 사람이 있을까라는 걱정에 두려움이 몰려오기도 합니다.

저희 부부는 이제까지의 마음 자세를 버리고, 나를 낮추며 겸손하게 대처를 한다면 저희의 진심이 언젠가는 꼭 통하리라는 믿음이 생기기도 합니다.

그런 믿음으로, 저희로 인해 고통받은 피해자분들께 평생 속죄하는 마음으로, 자식들에게는 더 이상 부끄럽지 않은 부모로, 어려운 이웃들에겐 따뜻한 마음으로, '평범한 일상'의 소중함을 잊지 않으며 살아갈 것을 재판장님 앞에 약속드립니다.

존경하는 재판장님
저희로서는 이 기회가 아니었다면 평생 하지 못했을, '나서 부터 지금까지의 삶'에 대한 반성의 시간은 평생 가져보지 못한 소중한 시간이었음을 고백하지 않을 수 없습니다.

반성의 기회를 주시고, 읽어주시고, 헤아려주시는 재판장님께 깊은 감사드리며 마지막 반성문 올립니다.

재판장님의 가정에 늘 평안함이 함께 하기를 소망합니다. 건강하십시요.
감사합니다.

20xx. xx. xx.
피고인 김 oo의 처 김 oo 올림

엄마를 위한 딸의 반성문

반 성 문

사건번호: 2014노149 : 사기
피 고 인: 0 0 0
주민번호: 4****-*****
주 소: 경기도 광주시 **********

존경하옵는 재판장님.
본인 0 0 0(7****-2******)은 피고인 0 0 0의 삼녀로, 제 어머니 사건과 관련하여 판사님 앞에 감히 네 번째 반성문을 올리게 되었습니다.

불철주야 많은 업무에 힘드시다는 것을 너무나 잘 알면서도, 이렇게 제 글까지 올리게 됨을 죄송하게 생각하며, 죄를 가려내셔야 하시는 재판장님의 노고에 대해서도 죄인으로서 뿐만 아니라, 국민의 한 사람으로도 깊은 감사의 말씀 올립니다.

또한 어머니 일로 인해 이번 사건에서 많은 피해를 보신 피해자와, 사회에 대해, 그리고 재판장님에 대해서도, 저희 가족 모두 진심으로 사죄를 올립니다.
저는 이번 기회를 통해 반성문을 쓰기 시작하면서 너무나 깊은 감사함과 깨달음을 얻게 되었습니다.

그리고 감히, 판사님들께서 왜 반성문을 쓰게 하시는지, 왜 반성문이 중요한지 또한 조금은 느낄 수 있었습니다.
처음부터 제가 써서 올렸던 세 편의 반성문들을 천천히 다시 읽어보았습니다.

제 나름대로는 밤새 크리넥스 한 통을 다 비워가며 진심을 담아 눈물로 쓴 글들임에도 불구하고 핑계와 변명들이 들어가 있다는 것이 제 눈에도 보였습니다.

하지만, 반성문을 쓰면 쓸수록 점점 진심으로 저의 근본적인 잘못과 죄에 대해 반성하고, 뉘우치고 있는 저 자신을 발견할 수가 있었습니다.

현재, 어머니께서 죄인의 모습을 하고 계시지만 어머니의 본질적인 죄 안에는 우리가족 모두의 잘못과 원인이 있음을 다시 한번 가슴 깊이 깨달았고, 그 깨달음으로 인해 저는 우리의 죄에 조금이라도 반성할 수 있는 기회를 갖고 싶어 사회봉사를 다니게 되었습니다.

제가 살고 있는 경기도 광주에서 그리 멀지 않은 곳에 한사랑 장애재단(한사랑 장애영아원과 한사랑마을)이 있습니다

저는 죄를 반성하기 위해 온 것이니만큼 봉사자들도 가장 꺼려 한다는 중증 장애아 반을 선택하였고 하루 종일 침대에만 누워서 음식물도 호스줄로 연결한 관에 넣어주고, 대소변도 못 가리는 친구들을 보면서 너무나 안타까웠습니다.

하지만, 이 친구들과 시간을 보내면서 더 저를 충격에 빠뜨린 건 시력도 거의 보이지 않고 청력만 살아있다는 사실에도 미안한데 손을 잡으려고 다가가기만 했을뿐인데도 침을 흘리며 좋아하고, 거기에 손을 꼬옥 잡고 이름을 불러 주면 눈까지 깜빡거리며 마치 이 세상의 천군만마를 다 얻은 것처럼 저 같은 죄인에게 그렇게 해맑게 웃어 주는 것이었습니다. 저는 지금까지 그런 사심 없는 천사같은 웃음은 본 적이 없었습니다.

어찌 보면 육체는 우리가 더 건강할지 모르나 정신과 마음은 이 친구들이 훨씬 더 건강하고 깨끗해 보인다는 생각이 들었습니다.

세속과 욕심에 나도 모르게 빠져들고 어느새 교만해진 내 모습을 느끼고 있음에도 불구하고 반성할 줄 모르고 살아온 내 지난날들이 한없이 부끄러워져 저도 모르게 입은 웃고 있지만 눈에선 눈물이 흘렀습니다.

시간이 많이 드는 일도 아니요, 결코 돈이 많이 드는 일도 아니요, 우리에게 넘치는 시간 중 약간의 시간을 쪼개어 이 친구들을 이렇게 많이 기쁘게, 행복하게 해 줄 수 있는데 왜 난 진작 생각하지 못했을까...

와보니, 이미 수년 전부터 해 오신 많은 봉사자들도 계시는데...

먹고 사는 것을 힘든 척 하면서, 시간이 없는 척 하면서, 온갖 변명과 핑계를 대면서 허울뿐인 행복한 모습의 탈을 쓰고, 죄인의 모습은 가면으로 가린 채 그렇게 살아온 저의 과거를 한없이 한없이 반성하였습니다.

행복은 나랑은 거리고 멀다고만 생각하고 살아 온 저의 잘못된 생각을 이 친구들을 보면서 깨달았습니다.

행복은 멀리 있는 것이 아니요,
행복은 스스로가 만들어 나가야 한다 라는 것을 말입니다.

존경하옵는 재판장님.
이제 어머니의 선고기일이 얼마 남지 않았습니다.
반성이란 사람이 살면서 평생해도, 아니 죽어서까지도 부족한 것 같습니다.

이 기회를 "드러난 죄와 아직 드러나지 않은 죄까지도 반성하는 기회"로 삼을 것을 권유하시는 제가 존경하는 지인분의 말씀처럼 이 죄인, 이 친구들을 통하여 가슴 깊은 깨달음을 얻게 되었고, 앞으로도 계속 얻어 나갈 것이고, 쉬지 않고 반성하는 기회로 삼으려고 합니다

그리고, 평생을 어머니 곁에서 지팡이 대신 이 못난 딸이 세 번째 다리가 되어 다시는 그런 과오가 없도록 바른 길로 인도하고 한사랑 장애영아원에도 함께 다니며 성실하고 바른 삶을 살아가도록 하겠습니다.

또한, 예전부터 저희 가족들이 장기기증의 뜻은 있었으나 쉽게 용기를 내지 못하고 있었습니다.

이번 기회에 이 친구들을 보면서 저희 가족의 반성의 마음을 좀 더 적극적으로 하기 위한 뜻으로 기증의사를 확고히 하게 되었고 가족들도 모두 함께 하게 되었습니다.

존경하옵는 재판장님.
어머니께서 202X년 00월 00일 법정구속 되시고 저희 가족들이 남아서 할 수 있는 일이라고는 남은 피해자님들께 찾아가 진심으로 속죄 드리며, 그 분들의 마음속 깊은 응어리와 노여움을 조금이라도 풀어드리고 용서를 구하는 일과 또 어머니께 접견 가는 일이었습니다.

단, 십분을 보기 위해 왕복 한 시간 반이 넘는 거리라도 어머니께서 밤새 안녕하셨는지 어머니 얼굴을 보고 나면 마음이 놓였습니다.

어머니께서는 한사코 괜찮으니 오지 말라고 하셔도 저희 가족들은 접견이 안 되는 법정공휴일 빼고는 거의 교대로 와서 어머니께 가족의 힘을 실어 드리고 갔습니다.

이렇게 할 거면 진작 십년 전 에 해결하지 그랬냐 생각하시겠지만 다 때가 있나 봅니다...

피해자님들께는 너무나 죄송한 마음 금할 길 없으나 그때는 용기가 없었습니다.

아니, 그건 용기가 아니라 제 마음속에 교만과 수치심, 창피함이라는 표현이 더 적절할 것 같습니다.

하지만, 지금은 이 모든 것을 가슴 깊이 반성하며, 오로지 편찮으신 어머니를 향한 애달픈 마음이 큽니다.

판사님께서도 사랑하는 어머님이 계시겠지만, 피는 물보다 진하다...라는 말을 뼈 속 깊이 느끼며 살고 있는 죄인입니다...

송구한 마음과 저의 반성을 살펴 주심에 대한 감사한 마음으로 재판장님께 글 올렸습니다. 감사합니다.

202X. 00. 00.

피고인 0 0 0 딸 0 0 0올림

반 성 문

사건번호 : 201x 고단 10xxxx

성명 : 강XX(680xxx-xxxxxxxx)

주소 : 경기도 인천시 부평구 XXX XXXX

존경하는 판사님,
위 피고 강xx는 죄송한 마음으로 2번째 반성문 올립니다.

지난 6월 16일 첫 번째 반성문 올린 후 8일이 지나는 동안 이런 저런 독서에 집중하면서 고통을 잊으려는 중에 8일 내에 마음에서 올라오는 뭔가와 씨름하다가

문득 그 올라오려 하는 것이 감추어져 있던 중요한 잘못을 발견하려 하는 것이라는 사실을 발견하고 이를 다시 반성문으로 말씀드리게 되었습니다.

알아차리게된 사실을 말씀올리자면, 저의 죄에 대해
처음에는 선의로 한 일이지만 돈을 받았기 때문에 불법이 된 것이라고 생각했으나 돈을 받은 것은 이일의 결과일 뿐이고 원인적으로는 선의라고 생각했던 것이 문제의 본질이라는 것을 알아차리게 되었습니다.

제가 했던 일이 실제로 선의였고 도움을 받은 사람이 있었다고 하더라도, 이것은 마치 "선무당이 사람잡는다"는 속담과 같이 알량한 저의 경험에 의존함으로서 도움이 필요한 사람에게 오히려 해를 끼칠 수 있는 점에, 아니 실제로 해를 끼쳤을지 모른다는 생각에 이러르서는 또한 번 미숙함과 어리석음이 깊은 탄식과 부끄러움을 금할 수 없었습니다.

비록, 사람들에게 도움되었다고 하더라도, 사사로운 도움보다 부족하다고 하더라도 객관화되고 있는 제도가 더 중요하며,

오히려 부족한 제도를 준수하므로서 제도를 완전하게 만들 수 있으며, 제도의 부족함으로 일어나는 문제는 판사님과 같은 충분히 준비된 분들이 부족함을 줄여나갈 수 있다는 점에서

비록 제가 피고인이기는 하지만, 제도의 수혜자로서 제도를 관장하시는 판사님께 다시 한번 감사의 마음이 들게 하였습니다.

존경하는 판사님
이 두 번째 반성문을 쓰게된 계기로서 제가 몰랐던 잘못과 제가 알고 있다고 생각했던 잘못까지 생각하면서,

"1가지 잘못은 29가지 작은 잘못의 결과"라는 사고의 법칙을 기억해내면 적어의 이 구속의 기간 동안 만이라도 제가 모르고 있는 잘못을 알아내고자 노력하겠습니다.

존경하는 판사님
이 반성문을 쓰고 있는 지금도 제 마음을 짓누르고 있는 무언가는 아마도 제가 알아 내야할 많은 잘못 들이고, 이를 판사님께 고백하고 싶지만 저의 장황한 글이 판사님의 시간을 낭비 할 수 있다는 걱정에 좀 더 정리한 후에 세 번째 반성문에서 말씀드리고자 합니다.

죄인의 반성을 헤아려 주시는 판사님의 성직적 노고에 비록 죄인이지만 국민의 한 사람으로서도 감사말씀 드리며 부족한 반성문 마칩니다.

감사합니다, 존경하는 판사님

202X년 6월 25일
위 피고인 강 xx 올림

반성의 완성

▪ 감사 반성문

앞에서 한 번 언급한 바 있지만, 재판 후에 제출하는 감사반성문은 매우 중요합니다.

최근에 충분치는 않다고 하더라도 신실한 반성의 노력을 인정받아 선처받은 경우가 자주 있습니다.

(무전유죄라는 비인간적 상황에서 진정성 있는 반성을 인정해주시고 선처해주신 조사관님. 검사님, 그리고 판사님께 재삼 감사드립니다.)

형사적 상황에 봉착하여 강제로라도 반성하게 되는 것은 다행한 일이며 강제적 반성을 통해 올바른 반성에 이르게 된다면 이것은 훌륭한 일입니다, 나도 모르게 수행을 한 것과 같은 것입니다.

...

이제 반성을 시작했으니 그 마무리가 필요합니다, 반성의 완성입니다.

조사관으로부터든 검사님이든 혹은 판사님이든 선처 받았다면(혹은 선처받지 못했다고 하더라도, 내 죄를 살펴준 것에 대한, 혹은 반성의 기회를 가질 수 있게 해준 것에 대한) 감사의 반성문을 작성할 수있어야 합니다.

이전의 반성문은 선처 받기 위해 시작한 반성문이었다면, 사후의 반성문은 반성이라는 수행을 완성시키는 반성이 될 것이며 여러모로 바람직한 것입니다.

@고통은 잊어라 그러나 그것이 준 교훈은 잊지 마라: 허버트개서

감사 반성문

사건번호: 202X 고단 1234 (사기)
성명 : 김 XX
주민번호:
주 소:

존경하는 판사님.

죄와 사람을 함께 살피시고 죄인들의 교화를 누구보다 바라시는 판사님께 존경의 마음을 담아 반성문을 올립니다.

사실 피고인인 저는 저의 잘못으로 인해 개인과 사회에 큰 물의를 일으켰고 참된 교화를 위해서 더 큰 벌을 받아야 함이 마땅 하오나, 판사님께서는 저의 미약한 반성의 태도를 진중하게 봐 주셨고 벌금형으로 형을 감해 주셨습니다.

반성의 시간을 보내며, 저의 기억과 생활습관 등 저의 모든 것에 대해 깊이 있게 성찰해내고자 하였고 문제점이 무엇인지에 대해서 알아내고 해결 방안을 고심했습니다.

그러나 제 자신이 보다 개선된 사람으로 나아가기에는 보다 큰 노력이 필요하다는 것을 저는 알고 있습니다. 과거의 저는 어리석었고 오만했고 경솔했습니다. 해야 될 것보다는 하고 싶은 것을 하는데 익숙해졌고 게으름과 타성에 젖어 있었습니다.

존경하는 판사님.
이러한 과거의 모습을 인정하되, 제게 주어진 앞으로의 시간에 있어서는 과거의 묵은 나를 버리고 새로운 나로 거듭나기를 간절히 소망합니다.

단지 이번 사건을 계기로 술을 끊는다는 피상적인 다짐보다는 내면에 숨어 있는 악습의 씨앗들을 하나씩 뿌리뽑고 보다 강한 정신력을 지닌 사람, 겸손한 사람이 되겠다는 다짐을 하고자 합니다.

판사님께서는 그렇게 실천할 기회를 제게 주셨습니다. 반성문을 통해 판사님께 드린 이 다짐을 헛되이 하지 않도록 주의를 기울이면서 살겠다는 약속을
드리면서 감사의 마음으로 반성문 마칩니다.

감사합니다, 존경하는 판사님

201X 년 월 일

위 피고인 김 XX

감사 반성문

사건번호: 202X 고단 1234
성명 : 유 XX
주민번호:
주 소:

존경하는 검사님
저는 지난 7월 X일 징역 1년6월에 추징금 4000만원의 구형에 이어 7월25일 징역 1년에 같은 추징금을 선고받은 유XX입니다.

나쁘게 본다면 더 많은 구형과 더 많은 선고가 있을 것이라는 의견도 있었고 조사과정에서 제가 은폐하고 싶었던 잘못들을 밝혀 주신 점과 결과적으로 참작하여 주신 구형에 감사드리고자 감사의 뜻으로 반성문 드리게 되었습니다.

이번의 조사.재판과정에서 저 스스로는 어려웠던 좀 더 깊은 반성에 이를 수 있었던 점과 다른 한편 사회질서의 근간이 되는 강력한 법 집행의 수혜자 로서도 감사드립니다.

존경하는 검사님
여기 구속되어 있는 날 동안 특히 검사님과 또 한분의 검사님에 대한 지독하고 악의적인 욕설들은 검사님의 정의 실현에 대한 일종의 찬사로 생각하면서 검사가 범인에 대한 가차 없는 처단은 본인의 일이라고 말하여 그들로부터 잘난 척한다는 핀잔을 듣기도 하였습니다.

그러나 한편 아주 나쁜 범죄자로 인해 덜 나쁜 범죄자가 같은 취급되지 않기를 바라는 마음과 함께 도둑질 하지 않은 도둑의 억울함도 살펴 주시면 좋겠다는 바램도 가져보았습니다

존경하는 검사님
저는 이번 조사.재판의 과정에서 좀 비싼 대가를 치렀다고 하더라도 , 이러한 과정이 아니면 알 수 없었을 여러 가지 측면을 이해하게 되었다는 점에서 검사님에게 분명하게 감사 말씀 올리며 남은 수형기간 동안은 좀 더 깊은 반성으로 검사님이 지적하신 잘못 외에 숨어 있는 잘못도 알아내도록 노력하겠습니다.

가당치 않은 바램일지 모르나 악연도 연이라는 말처럼, 이후 어느 땐가 범죄 자가 아닌 사회에 도움되는 선한 사람(법적으로도)으로서 검사님과의 연이 계속될 수 있기를 바라면서, 검사님의 사도적 노고에 국민의 한 사람으로서도 감사드리며 부족한 반성문 마칩니다.

감사합니다, 존경하는 검사님

202X년 월 일

위 피고인 배상(인)

탄 원 서

사건번호:202X노00 사기
피고인 : 이 0 0
주민등록번호 : 62****-1******
주소 : 서울 서초구********
연락처 : 010-****-****

탄원인명: 채 0 0
주민번호: 7*****-2******
주 소: 경기도 광주시 ********************
연 락 처: 010-****-****

존경하옵는 재판장님.

우선, 안녕하신지 인사 먼저 여쭙겠습니다.

항상 판사님의 노고에 국민의 한 사람으로 깊은 감사의 말씀을 드리며, 이 탄원서 한 장이 피고인 0 0 0 씨의 선처에 조금이나마 도움이 되길 바라는 간절한 마음으로 송구하오나 판사님께 저의 탄원서를 올립니다.

탄원인 0 0 0 위 피고인 이 00씨와 경기도 **의 장애 아동센터에서 봉사활동을 하는 회원으로 가족들과 함께 봉사활동을 하러 오신 000씨를 사회봉사를 하는 가운데에서 알게 되었습니다.

언제부터인가는 혼자도 오셔서 조용히 주어진 봉사활동과 그 외의 것들까지 궂은일을 소리 없이 성실하게 봉사하시고 가시곤 하셨습니다.

매주 거르지 않고 오셔서 봉사에 임하시는 0 0 0 씨의 성실한 태도에 적지 않은 감동을 받음은 물론이요, 혹여 개인적인 어떤 사유가 있지는 않으실까 그 이유 또한 점점 궁금해지기까지 하였습니다.

왜냐하면, 저 또한 개인적인 죄를 고백하고 반성하기 위해 봉사활동을 다니게 된 계기가 있었기 때문입니다.

그러던 어느 날, 000씨와 자연스럽게 대화를 할 기회가 생겨 개인적인 이야기를 들을 수 있게 되었고, 000씨 또한 형사적인 문제로 재판을 받았으나 1심에서 무죄를 선고받은 아주 기쁜 이야기도 듣게 되었습니다.

그러나 무죄를 선고 받음에 있어서 기쁨보다는 여러 가지로 죄송스러운 마음이 더 크기에 이렇게 사회봉사활동을 자진해서 다니고 있는 것임을 알게 되었습니다. 또한, 피해자님들과의 원만한 합의를 못 해 드리는 것 또한 너무나 죄스러워하고 계셨습니다

.

000씨의 진심이 느껴지는 한 말씀 한 말씀은 듣는 내내 저를 눈물짓게 하였고, 가슴 깊이 참회하고 있음을 저는 마음으로 알 수 있었습니다.

저 또한 어머니께서 죄인의 옷을 입고 수감 중에 계시기 때문에 누구보다 000씨의 마음의 고통과 죄책감을 공감할 수 있습니다.

존경하옵는 재판장님.

000씨의 진실 되고 진정성 있는 태도는 더 저를 부끄럽게 하였고 무죄를 선고 받으실 만한 충분한 가치가 있는 분이라는 생각 또한 감히 들었습니다.

저나 000씨나 모든 고통에는 목적이 있듯이 이 고통을 통해 우리가 지혜를 얻을 수만 있다면 이 과정과 이 기회에 겪는 일들이 기쁘고 참으로 감사했습니다.

000씨 또한 이러한 반성과 성찰의 기회를 주신 재판장님께 진심으로 감사드린다고 말씀하셨습니다.

저 또한, 이 진심이 어머니의 2심 재판장님께 전달이 되었는지 너무나 감사하게도 1심에서 실형 2년을 선고받은 어머님께서는 2심에서 6개월의 감형과 함께 1년 6월을 선고 받고 현재는 교도소이감을 준비 중이십니다.

존경하옵는 재판장님.

사실 저는 아주 구체적인 사건의 내용까지는 모르오나 함께 근 수개월 동안 000씨를 봉사단체를 통해 지켜봐 오면서 보통의 경우와는 다르게 무죄를 선고 받으실만한 충분한 가치가 있는 분이라고 감히 느껴질 만큼 가상한 노력에 깊은 감명을 받았기에 탄원서를 부탁받지 않았음에도 불구하고 자청하여 이렇게 써드리고 싶었습니다.

죄만 헤아리기보다 죄를 헤아리시고 사람까지 함께 헤아리셔야 하는 판사님의 노고에 대하여 늘 감사함과 함께 숙연해지기까지 합니다만,

부디 피고인 000씨의 됨됨이와 본질을 먼저 높이 살피시는 마음의 자비를 간곡히 베풀어 주시기를 바라옵고 또 바라옵나이다.

마지막으로 판사님의 건강과 가정에 행운과 축복이 늘 함께 하시기를 기원합니다.

감사합니다.

202X년 00월 00일

위 탄원인 0 0 0 (인)

탄 원 서

사건번호: 20XX고단0000: 절도
피고인명: 이 0 0
수용번호: 00구치소 5XXX

탄원인명: 유 불 인
관 계: (겸사모: 겸손을 수행하는 사람들의 모임) 회원
주민번호: 6****-1*******
주 소: 인천광역시 부평구 ***
연 락 처: 010-****-****

존경 하는 판사님,

죄와 사람을 살피시는 성직적 업무에 국민의 한 사람으로 존경과 감사를 올리며 이 탄원서가 판사님의 기왕의 격무에 더 하지 않기를 바라는 송구한 마음으로 탄원서 올립니다.

저는 위 피고인에 대해서는 지난 15년 9월14일 경에 탄원서 올린 바 있으나, 최근의 마약 관련한 재판에서 선처 받았다는 소식을 접하고 판사님의 선처에 대한 감사의 말씀과 함께 이 00의 열심한 노력을 전해드리고자 재차 탄원서 올리게 되었습니다.

이 00씨와는 이전에도 알던 사람이었으나 한동안 연락이 없다가 "겸사모"라는 봉사활동 단체에서 다시 만나게 되었고 그의 동분서주하는 생업활동을 도와주고자 하였으나, 제대로 도와주지못해 안타까워 하던 차에 다시 징역살이 한다는 소식을 듣고 그의 범법을 알게 되었습니다.

이 00씨의 징역살이에 대해 애통한 마음과 함께 일말이라도 책임을 통감하여 어떻게 하면 재범하지 않게 할 것인가를 생각하다가, 지금의 징역생활을 수행생활로 한다면 다시 같은 짓을 반복하지 않는데 도움될 것이라는 생각에 지난 12월말부터 매일공부편지를 보내왔습니다.

공부편지는 금강경, 도덕경, 중용 등을 읽기 쉽게 풀어 쓴 내용을 짧은 명언과 함께 (공휴일을 제외하고)매일 보내주고 있으며 가끔 시험도 보게하고 있습니다.

사실 쉽게 풀었다고 해도 어려운 내용일 수도 있는 공부편지가 30회차가 지나면서 이 00씨로부터 편지를 받게 되었는데 그 내용이 어쨌든 과연 진지하게 공부하고 있음을 확인하게 되었고 저로서는 이를 판사님에게 알려드리는 것도 의미있다고 생각하게 되었습니다

존경하는 판사님

이 00씨가 삼차 사차 재범하여 사회에 끼치는 해악이 이루 말할 수없이 깊으며 어찌 그 죄를 감당할 것인가를 생각하다가도,

결국은 그가 개과천선하기를 바라며 도와줄 수 밖에 없다는 생각에 이르러서는 염치없지만 이 00이 더 노력할 수 있도록 기회를 주십사하는 탄원을 올리지 않을 수 없다고 생각하게 되었습니다.

할 수만 있다면 보증을 서서라도 그가 재범하지 않을 것을 말씀드리고 싶은 마음과 그가 끼친 해악을 선행으로 받드시 갚게 할 것임에 대해 가당치 않은 약속드리며,

죄와 사람을 살펴주시는 판사님의 성직적 노고에 국민의 한사람으로서 감사와 존경과 송구한 마음으로 피고의 선처를 간구하며 탄원서 마칩니다.

202X 년 00월 00일
위 탄원인

첨부: 봉사활동 확인서 사본1
탄원인 연명부 및 봉사활동 신분증 사본 각

탄 원 서

사건번호: 202X 노 000 : 마약
성 명: 김 0 0
주민번호: 6*****-1******
주 소: 부산광역시 000

탄원인명: 유 불 인
관 계: (겸사모: 겸손을 수행하는 사람들의 모임) 회원
주민번호: 6****-1*******
주 소: 인천광역시 부평구 ***
연 락 처: 010-****-****

존경하는 판사님
죄와 사람을 살펴야 하는 성직적 업무에, 국민의 한 사람으로 존경과 감사를 표하며, 이 탄원서가 판사님의 노고를 더하지 않기 바라는 송구한 마음으로 탄원서 올립니다

저는 "겸사모(겸손을 수행하는 사람들의 모임)라는 모임에서 봉사하고 있는 유*** 이라는 사람입니다.
저희는 겸손을 수행하기 위한 방법으로 때때로 명상수행과 함께 장애인시설. 노인요양시설 및 구치소, 교도소에 있는 사람들에 대해 봉사활동 하면서 겸덕 쌓고자 노력하고 있습니다.

제가 위 피고인에 대해 탄원서 올리게 된 이유는 위 피고인의의 구치소 생활 중에 남다른 반성과 공부의 노력을 확인하여 이를 판사님께 알려드려, 피고가 재범하지 않을 의지를 확인하는 조금이라도 도움 되지 않을까 해서입니다.
(피고인의 딸인 김**의 지극한 아버지 보살핌으로부터도 감명받은 탓도 있습니다)

저희가 피고인의 진정성 있는 노력을 발견하게 되는 것은 저희가 구치소에 있는 사람의 반성과 공부를 독려하기 위해 보내고 있는 수형을 수행으로라는 주제로, 매일 수행편지를 통해서입니다.(말미에 예를 첨부하였습니다)

저희가 주5회 보내는 편지는 매월 1회 본인의 마음에 닿는 구절 혹은 월 1회 제시되는 주제에 대해 답신을 하게끔하여 반성과 함께 공부를 독려하고 있습니다.

하지만 대개 사람들이 편지 받는 것은 좋아하지만 정작 해야 할 반성과 공부를 소홀히 하며 단순히 위안으로 받는 사람이 대부분입니다.

그러나 위 피고인처럼 공부와 반성을 꾸준히 하는 경우가 드물게 있어, 이 한 사람으로 인해 수십 명 수백명에게 매일 편지를 보내고는 수고를 아끼지 않고 있습니다.

존경하는 판사님
사실, 마약사범이라는 혐오스럽기까지 한 그의 죄를 생각하면 그를 위해서라도 응분의 처벌 받아야 마땅하지만,

가끔이지만 "반성하는 죄인은 죄짓지 않은 의인보다 도덕적 가치가 높다"는 말씀을 김우열씨의 경우를 통해 실제로 확인하면서 그들의 죄를 탓하기 보다는, 같은 잘못을 반복하지 않게 도와주는 것이 더 낫다는 것을 재삼 확인하고 있습니다.

존경하는 판사님
저는 봉사활동 하면서 범죄자에 대한, 그리고 이른바 전과자에 대한 과장된 인식에 의해 상황이 더 악화되는 것을 보는 가운데,

그들의 죄가 그들만의 죄가 아니라는 점에 있어서는 어떤 본질적인 대안의 필요성도 절실함을 사뢰며, 저희의 작은 노력들이 그러한 필요성에 부합할 수 있기를 감히 희망함을 말씀 드립니다.

그들이 지은 죄를 생각할 때, 그들에 대해 탄원 드리는 것이 턱없는 일이 될지 모르오나, "죄는 미워하되 사람은 미워하지 말라"는 말씀에 기대어 위 피고의 진정성 있는 노력을 확인한 바, 피고에 대한 선처를 간구 드리며, 송구스럽지만 국민의 한 사람으로, 판사님의 성직적 업무 수행을 위해 늘 건강하시기 바라면서 감사한 마음으로 탄원서 마칩니다.

20xx년 00월 00일
위 탄원인 겸사모 대표 봉사자 유 0 0 배상.

첨부: 탄원인 신분증 사본 1/ 탄원인 봉사활동 확인서 1
봉사단체 관련자료 사본 1
피고에게 매일보내는 수행편지 사본 1

피고의 아내를 위한 탄원서

탄 원 서

사건번호:
피고인명:
주민번호:
주 소:

탄원인명: 0 0 0
주민번호: 6******_*******
주 소:
연 락 처: 010-8851-9069
관 계: 겸사모(겸손을 수행하는 사람들의 모임)회원

존경하는 재판장님

저는 외람되게도 위 피고인의 000씨에 대해 탄원 드리고자 하는 000이라는 일개 시민입니다. 저는 피고의 아내 000씨를 통해 이 내용을 알게 되었습니다.

000씨의 아내, 000씨가 저에게 탄원서를 요청하지 않았음에도 불구하고 이렇게 탄원서 올리게 된 것은, 000씨의 보기 드문 가상한 노력에 깊은 감명을 받았기 때문입니다. 저는 경기도 광주소재의 000 영아원이라는 복지시설에서 봉사활동 하는 가운데 000씨를 알게 되었고, 000씨의 봉사이유 또한 알게 되었으며, 보통의 경우와는 달리, 누가 시키지도 않았는데, 남편의 죄에 대해 조금이라도 같이 책임을 지고자 하는, 가상한 노력을 보게 되었습니다.

사실 구체적으로 피고인의 죄가 어느 정도 중한지에 대해서는 알 수 없으나, "너희 중 죄 없는 자는 이사람 에게 돌을 던져라"하는 말씀과 "그의 죄는 드러났고 우리의 죄는 다만 드러나지 않았다"는 말을 늘, 상기하면서 사는 저로서는, 000에 대해서 "돌을 던지는 것이 아니라, 탄원의 마음을 던져야 겠다는" 하는 생각이 들지 않을 수 없었던 것입니다.

존경하는 재판장님
저는 개인적으로 재판이라는 직무는 성직과 같다고 생각하는 사람으로 늘, 판사님의 노고에 대해서 시민의 한 사람으로서도 존경과 감사한 마음을 가지고 있습니다.

죄를 헤아리시고 사람까지 같이 헤아리셔야 하는 판사님의 노고에 대해서는 드러나지 않은 죄를 안고 있는 사람으로서 감사함과 함께 숙연한 마음 금할 수 없습니다.

피고의 죄를 탄원함에 있어, 피고의 지극정성으로 미루어 볼 때 그 남편의 됨됨이 또한 믿을 만한 사람이라 생각되기에, 그 사람이 다시 같은 짓을 하지 않을 것이라는 보증이라도 할 수 있을 심정으로 피고에 대한 선처를 탄원 드리오니 부디 외람되다 내치지 마시기 간구 드립니다.

죄를 헤아리심에 늘 지혜로우시고, 사람을 헤아림에 늘 자비로우시기를 바라는 우매한 백성이 존경과 감사의 마음을 담아 탄원서 올립니다.

202X년 00월00일

위 탄원인 0 0 0 올림(인)

목적있는 고통은 수행,

목적없는 고통은 수형

Part III 가막소 별곡

- ❖ 선처 받기-구치소생활 가이드
- ❖ 슬기로운-가막소생활 가이드
- ❖ 집에 가자-가석방생활 가이드
- ❖ 지혜로운 수발생활
- ❖ 교도관과 함께
- ❖ 가막소에서 온 편지

송인겸 작, 달마도

❖ 선처 받기-구치소생활 가이드

- 구치소 생활
- 구치소의 의미와 기능
- 구치소에서의 노력
- 구치소에서 해야 할 일
- 구치소에서 온 편지

모르고 넘어진 사람이 더 많이 다치 듯이,
모르고 죄를 진 죄가 더 크다: 미란타 왕문경

➢ 구치소 생활

교도소 생활이 본격적인 수행이라고 한다면, 구치소의 생활은

✓본격적인 강제수행을 할 것인가,
✓혹은 풀려나서 자유수행을 할 것 인가, 를 결정짓는 예비 수행이라 할 수 있습니다.

어느 쪽이든 수행이라는 점에서는 다르지 않으나, 대개의 경우는 강제수행보다 자유수행이 더 낫다고 할 것이므로
이 자료는 구치소생활을 잘 다루어내어 자유수행을 할 수 있도록 도우고자 하는 노력입니다

노자 23장에서 {그러므로, 거친 바람도 하루를 넘지 않고, 사나운 비도 하루아침을 넘지 않는다 }고 합니다.

이 자료가 강제 수행의 상황에 처하여 거친 바람을, 사나운 비를 다루어 내는 수행을 통해 이전보다 강인한 사람으로 나는데 작은 도움이라도 되기를 바랍니다.

이 자료를 작성하는 데 많은 힘이 되어 주신, 유환창 교도관님과 무엇보다 현재 강제 수행생활 중인 가운데도 취지를 이해하고 지원해준 효겸님, 인겸님에게 감사드립니다

➢ 구치소의 의미와 기능

어떤 판사님은,
"초범이지만 죄질이 나쁜데 비해 반성이 부족하여 징역1년에 처한다. 항소할 수 있으니 필요하면 항소하기 바랍니다" 라고 말하고

또 어떤 판사님은,
"피고에게 징역10년을 선고한다" " 사건이 나한테도 어렵습니다. 많이 억울한 것 같으니 항소하세요" 하며

또 어떤 판사님은. 피고에게 징역2년 6월을 선고한다. 피고 무슨 할말 있습니까?" 라고 합니다.

이건 무슨 의미일까요,
구치소는 법률적으로 미결수용을 위한 장소이기도 하지만 실제로 "문제의 본질을 진지하게 생각하라는" 무언의 요구를 즉 "진지한 반성"을 요구 받는 장소이기도 합니다.

구치소에서 재판을 받고 풀려나던지 교도소로 가던지 하게 되는데 어느 쪽이든 그 절반 이상의 이유는 처벌의 목적인 재범방지 즉 반성의 정도와 관련이 있으며,

가석방의 가장 큰 기준도 또한 "재범가능성 평가" 즉 반성의 정도에 있다는 것을 고려한다면 이 사실은 더욱 자명해 집니다.

구치소의 기간 동안 1심에서 하지 못했던 진지한 반성의 태도를 인정받는 다면, 감형받거나, 집행유예 등으로 풀려나는 일은 자주 일어나는 일입니다.

구치소에서는 수행차원의 보다 깊은 반성을 요구함을 이해해야 합니다.

➢ 구치소에서의 노력

법정구속으로 구치소에 간 경우는 말하자면 일종의 "강제수행의 예비" 과정에 들어가게 된 것과 같은 것입니다.

1심에서 합의다 뭐다 하여 분주하였지만, 실제로 형법적 처벌에서 가장 중요한"재범하지 않을 의지" 즉 입증 즉, 반성이 부족하였기 때문에, 이를 더하기 위해 구치소에 들게 된 것의 절반 이상의 이유 입니다

그러므로, 구치소의 생활 동안 충분한 수행심으로 반성의 깊이를 더한다면 반드시 감형될 것이며, 더하여 합의도 충분하다면 일정한 경우 "자유수행"의 기회가 주어질 가능성도 높을 것입니다.

▪ 이 자료는 1심에서 부족하였던 반성의 깊이를 더하여 적게는 감형되거나 혹은 석방 되거나, 혹은 교도소에 간다고 하더라도 교도소 생활을 잘 살아 낼 수 있는 기회로 하기 위해 작성되었습니다.

> 강제수행의 고통이나, 자발적 수행의 고통이나 고통은 같은 것이고 수행심에 의한 고통은 힘을 생산하는 발전기와 같은 것입니다.

이러한 차이를 안다면, 피하고자 하는 강제수행의 고통을 기꺼운 고통으로 전환 시킬 수 있을 것 이며 그렇게 된다면, 결과적으로 전화위복轉禍爲福 실제를 경험하게 되는 것입니다.

힘내세요, 고통은 힘을 생산하는 엔진과 같은 것이라고 합니다.

전화위복

> 고통은 사람을 강하게 만든다. 그러나 고통으로 강해지지 못한 사람은 죽고 만다. 행복한 때는 우리가 고난을 어떻게 견딜 수 있는지 알지 못한다. 고난 속에서 비로소 우리는 자기 자신을 알게 된다. : 힐티

➢ 구치소에서 해야 할 일

- 구속적부심 청구
- 보석신청
- 구치소에서의 반성
- 본인과 가족의 노력
- 기타 중요한 일들

▪ 구치소에 수감되면, 그 날로부터 접견 외에는 외부와 단절되므로 필요한 정보 취득이 매우 제한적이 됩니다.

변호사가 있다고 하더라도 사정은 크게 나아지지는 않습니다.
이때 주의할 것은 같은 구치소 내 에서의 유언비어적 정보입니다.

가끔은 쓸모 있는 것도 있으나 대개는 "카더라" 식의 부정확한 것들이 많습니다.

이러한 정보들은 단지 참고만 해야 하며 정확한 사실은 교도관에게 확인 하거나 편지, 접견자를 통한 확인 과정을 거치는 것이 좋습니다

@구치소 내에서의 부정확한 정보에 의존하여 낭패를 본 경우, 심지어는 사기까지 당하는 경우가 종종 있으니 유의하기 바랍니다.

▪ **구속적부심: 구속적부심 청구는 영장실질 심사의 항소적 성격**

구속적부심은 영장실질 심사에서 구속된 피고인의 항소적 성격인데, 영장실질 심사 때와 다른 고려사항 –예를 들면 합의-을 감안하여 결정하며 적부심의 기본사항은 도주우려, 증거인멸,주거부정 등과 같다

✓ 심사청구할 수 있는 사람:
본인, 그 변호인, 법정대리인, 배우자, 직계친족, 형제자매나 가족, 동거인 또는 고용주
✓ 구속적부심사 청구 기간: 검사의 기소 전까지
✓ 석방조건: 보통은 보증금 납입조건부.
@부적절한 구속적부심 청구는 **'반성 태도 부족'으로** 간주될 수 있으니 주의해야 합니다

구속적부심 처리현황 (2020년/단위 명) (자료: 사업연감)		
청구	**석방**	**기각**
1,938	130	1.740
구성비	6.71%	89.78%

형사소송법 제214조의2(체포와 구속의 적부심사)
① 체포 또는 구속된 피의자 또는 그 변호인, 법정대리인, 배우자, 직계친족, 형제자매나 가족, 동거인 또는고용주는 관할법원에 체포 또는 구속의 적부심사를 청구할 수 있다

중략

④제1항의 청구를 받은 법원은 청구서가 접수된 때부터 48시간 이내에 체포 또는 구속된 피의자를 심문하고 수사관계서류와 증거물을 조사하여 그 청구가 이유 없다고 인정한 때에는 결정으로 이를 기각하고, 이유있다고 인정한 때에는 결정으로 체포 또는 구속된 피의자의 석방을 명하여야 한다.

⑤법원은 구속된 피의자(심사청구후 공소제기된 자를 포함한다)에 대하여 피의자의 출석을 보증할 만한 보증금의 납입을 조건으로 하여 결정으로 제4항의 석방을 명할 수 있다.

- **보석(保釋)신청**

글자 그대로 해석하면 "보호를 푼다" 즉 "구속된 상태를 를 푼다"다는 것입니다 즉, 보석이 되면 불구속 상태에서 재판을 받게 됩니다.

영장실질 심사에서 구속되었거나, 1심 재판에서 법정구속 되었거나 할 경우 보석을 신청하여 불구속으로 재판을 진행할 수 있는데 이 경우도 영장실질심사 때나 구속적부심 때와 같이 기본적으로 증거인멸 등에 죄질 등(형소법 제99조)의 사유가 고려됩니다.

- **보석의 종류**
  - ✓ 금 보석: 보증금 납부 등 조건의 일반보석, 정식 명칭이 아님
  - ✓ 병 보석: 질병을 사유로 하는 보석

- **보석허가 사유**: 다음의 경우 외에는 보석을 허가하는 것이 원칙(형사소송법 제95조)이지만, 통계를 보면 판사님의 판단으로 임의적 보석(형소법 제96조)하는 경우가 더 많으니 합의, 진정성 있는 반성문 등이 보석에 큰 작용을 하고 있습니다.

  ✓ **형사소송법 제95조(필요적 보석)**
  -사형, 무기 또는 장기 10년이 넘는 징역이나 금고에 해당하는 죄일 경우 -
  -누범, 혹은 상습범
  -증거인멸 등의 우려가 있을 경우
  -도주 우려 등의 우려가 있을 경우
  -주거가 분명하지 않은 경우
  -피해자에 대해 위해를 가할 우려가 있을 경우

- **보석의 조건 등**
  - ✓ 보증금납부/서약서/약정서/보석보증서/담보의 제공 등
  - ✓ 신청자격: 피고인, 변호인, 배우자(동거인), 법정대리인,가족,고용주 등
  - ✓ 보석신청시기: 공소제기 후 판결이 확정되기 전까지
  - ✓ 보석결정 : 법률적으로는 보석 청구를 받은 날로 7일 이내에 결정해야 해야 하나, 사정에 따라 기간은 달라지기도 합니다.
  - ✓ 기타 사항: 보석은 임시석방이며 경우에 따라서 또는 재판결과에 따라서는 다
  - ✓ 시 구속될 수 있음을 참고하시기 바랍니다.

▪ 구치소에서의 반성

구치소에 수감되는 두 가지 이상의 경우가 있지만 여기서는 두 가지의 경우를 예로 합니다.

✓ 첫 번째는 법정구속인 경우이고
✓ 두 번째는 현행범 체포의 경우입니다.

▪ 어느 경우거나, 처벌의 목적이 결국 **"반성에 의한 재범방지"**에 있다는 점을 이해한다면 구속된 상태라 할지라도 반성의 노력을 인정받는다면, 반드시 선처 받을 수 있습니다.

반대로, 구치소에 수감되어 있음에도 불구 하고 반성의 태도를 보이지 않는다면 더 나빠질 수 있으니 유의해야 합니다.

한편, 오히려, 구속상태는 집중적인 반성의 노력을 할 수 있는 환경이라 할 수 있으므로, 수발 드는 사람은, 선처 받을 노력에 집중할 수 있도록 **여러 가지로 도와주어야 할 것입니다.**

▪ 구치소가 있는 이유

재판 받는 과정에서 매 번의 공판 사이에는 2주나 혹은 그 이상의 기간이 있는데 그 기간의 의미는(기소내용을 인정하는 경우) 다음 두 가지 의미가 포함되어 있습니다.

✓ 합의의 기회를 가지는 의미와 함께
✓ 올바르게 반성해보라는 의미 라고 말할 수 있습니다

그러나 합의하지 못하거나, 올바른 반성의 태도를 인정받지 못한 경우 구치소에 법정구속 되어 구치소에 수감되는데 이 경우도 위와 같은 이유라고 할 수 있는데

구치소에서도 올바른 반성의 태도가 부족하다면 결국 부족한 만큼 교도소에서 강제 반성의 기간을 갖게 되므로 구치소에서 올바른 노력은 강제 반성의 길이를 결정하는 갈림길이라 할 수 있는 것을 이해 할 수 있습니다.

(가석방 등 출소의 조건도 역시 재범하지 않을 가능성이 큰 기준임을 이해한다면 올바른 반성의 중요성을 알 수 있습니다)

- **본인과 가족의 노력**

- **본인이 해야 할 반성의 노력(예):**
  - 방 내의 어려운(예컨데 화장실 청소)일을 도맡아 한다.
  - 성경이나 불경 중 택1하여 필사하고, 필사본은 반성문 제출할 때 같이 제출한다.
  - 이 외에 매일 108배를 하거나, 새벽기도를 한다.
  - 구치소 출역을 신청하는 등 반성의 태도를 증명한다.

- **가족(특히 아내 또는 남편)이 애써야 할일**
  - 피해자와 합의, 증거, 증인등 필요한 노력을 한다.
  - 탄원서와는 별개**로 반성문을 제출한다**
  - 봉사활동에 참가하여 탄원서를 받는다
  - 헌혈, 장기기증 등으로 반성의 진정성을 위해 노력한다.
  - 주기적으로 담당 **교도관/구치소장에게 감사편지 한다.**
  - 매일 (전자우편으로) 편지한다(분류심사 및 가석방 평점에 도움됩니다)
  - 가능한 자주 접견한다(분류심사 및 가석방 평점에 도움됩니다)

▪ 기타 중요한 일들

✓ 배우기(필사 하기, 외우기 등)

구치소에서는 운동시간 30분외에는 종일 방에 있어야 하니, 뭔가 배우기에 절호의 기회이며, 이후 수형 생활을 수행 생활로 만들 준비를 할 수 있는 기회이기도 합니다

반성문 쓰기가 가장 중요할 것이며,
이외 좋은 방법은 성경 혹은 불경 혹은 선택한 철학서적 필사하기 인데, 어학공부(영어. 일어, 중어 등)단어를 외우기, 아니면 시詩 외우기도 좋습니다

'목적있는 고통은 수행이되지만, 목적없는 고통은 수형일 뿐 '이라는 말을 명심해야 합니다

➢ 구치소에서 온 편지

- 전연아의 징역수행
- 이지연의 징역편지

이하의 글은 현재 서울구치소에서 수행 생활 중인 겸사모 회원의 편지입니다.

우리카페에 남자의 수감생활에 대해서는 여러 글이 있으나, 여자의 수감생활에는 글이 없어 도움을 요청하였고, 아래와 같이 장문의 편지를 보내왔습니다.

아래 글은 여성으로서 조사.재판 받는 사람들에게 구치소생활에 대해 알려주는 소중한 글입니다.

내용은 여자의 구치소/교도소 생활에서 구체적으로 구치소 생활에 대한 전반적인 조언과

1)징역에서 해야 할 일
2)징역에서 하지 말아야 할 일
3)징역은어
4)징역에서 필요한 것
6)징역생활을 해야하는 사람에게
당부의 말씀이 포함되어 있습니다.

▪ 입소에서 분류까지

안녕하세요, 전연아 입니다.
일단 저 위주로 말씀 드리고자 합니다.

지난 2월X일 법정 구속되어 xx구치소로 와있는 상황입니다.항소하지 않아 3월 x일 기결로 확정되었고 10일 후 분류심사를 마치고 4월 초에 분류처우등급 확정후 4월말이나 5월초에 교도소로 이송될 예정입니다.

구치소 입소 첫날:
법원에서 법정 구속되어 수갑 채운 후 이곳 서울구치소로와 간단히 몸무게, 키 등을 재고 사진을 찍은 (책, 가방,지갑 ,옷,신발, 속옷,귀금속 등 몸뚱이 외에 가지고, 걸치고 온 모든 영치물품)을 반납하고 싸인후 구치소에서 준 속옷, 런닝, 양말 수용복을 지급하고 교도관 앞에서 갈아입음 (생리시 말하면 생리대도 한 두개 줌)

그 다음 치료실로 가서 채혈, 면담후, 소변검사,(임신테스트, X-ray등의 간단한 건강검진후 담당 교도관과 신입방으로 배치 되어 들어감

신입방:
보통 5~6명이 3평정도의 방에서 생활을 함, 기본적으로 신입운동화, 이불, 치솔,치약등 겨울에는 내복과 패딩조끼, 타올 한 장, 초록색 수저세트(수저는 구치소에 있는 동안 방 옮길 때까지 계속 가지고 다녀야 함)

▪ 해야 할 일과 하지 말아야 할 일

✓ 징역에서 해야할 일

긍정적인 마음을 스스로 마음수양하기, 밤마다 다양한 죄목과 형기와 성격의 사람들이 있으니 최대한 내 성격 드러내지 말고 사건이니 형기에 대해 떠벌리지 말고 센스 있게 눈치껏 빠릿빠릿하게 행동 해서 일주일 안에 어느정도 친해지면 그때 부터는 다음방으로 옮기기 전 까지는 생활이 수월해짐

방 사람들끼리 싸우거나 교도관들에게 지적 받는 일 없도록 조심하게 행동하고 지저분하지 않게 자주 씻고 속옷도 자주 갈아입고 나대지 말고 이쁨을 받아야 방 사람들이 한 개라도 좋은 정보를 줌

✓ 징역에서 하지 말아야 할일

-교도관측에서 말하는 규율: 통방(방사람 끼리는 종교집회, 목욕탕, 운동장,접견대기실 같은 곳에서 정보교환 하는 일)금지

-서로 주소, 연락처 주고받는 것 금지
-방 안에 화장실에서 머리감고 목욕하는 것 금지
-정해진 목욕일 목욕탕에서 가서 함-매주 화, 금요일 목욕
-방에서 관복 탈의하고 앉아 있는 것 금지
-마사지 금지(요플레, 레모나, 건양밀, 녹차티백 등)

✓ 징역에서 필요한 것

-영치금(이불, 속옷, 운동화, 간식거리,생수, 우표, 화장지,스킨로션, 샴푸린스,편지지, 편지봉투,볼펜외 모든 물건은 다 돈주고 사야함(영치금, 구입해서 써야함)

-수감중 옥바라지-영치금, 접견, 서신,정보- 해줄 수 있는 든든하고 믿을 수 있는 사람

✓ 징역 은어

법구(법정구속),
통방(다른 사람들과 정보교환),
집유(집행유예),
보피(보이스피싱)
루팡(절도, 도둑들)
쓰리쿠션(밖에 있는 제3자 접견자를 통해 옆방 사람과 서신으로 주고 받는 일)
비둘기(소식통),
까마귀(CRPT-순찰기동대, 남사의 경우 싸움 벌어지면 바로 끌고감),
뽕쟁이 (마약으로 들어온 사람)
구박이(목욕통바구니-구치소 바가지의 뜻)
교박이(교도소 바가지)

✓ 징역에서 잘 사는 요령10가지: 위 참고

▪ 징역생활을 해야하는 사람에게 당부의 말씀

제가 이제 이런 글을 이렇게 담담하게 써내려 갈 수 있다는 게 참으로 신기하고 놀라울 따름입니다.

한 달이 조금 넘는 이곳에서의 시간이 1년 처럼 느껴질 정도로 길고 참담하고 지루한 날들 입니다.

일단 이 곳에 들어오기전 마음의 준비 단단히 하시고 집유나 무죄가 나올까 하고 예상되어도 판사 선고공판일 까지는 뚜껑을 열어보아야 하므로 그 어떤 결과도 장담할 수 없으니 영치금 보내주고 수감 생활 중 옥바라지를 해 줄수 있는 든든하고 믿을 만한 사람을 꼭 확보해두고 주변 신변정리 확실히 해두시면 좋을 것 같습니다.

수감되자 마자 필요한 물품 구입해야 하니 반드시 현금을 준비해서 법원에 오시기 바랍니다. 법정구속때 소지하고 있는 현금은 자동으로 영치금으로 전환이 됩니다.

수감생활 중에는 움직임이 거의 없으므로 먹는 양이 많지 않아도 쉽게 살이 찌게 됩니다. 빵, 과자, 라면 등 군것질은 최대한 삼가고 삼시세끼 배식되는 식사만 조금씩 꼬박꼬박 먹고 방안 에서도 스트레칭이고 간단한 근력운동이고 열심히 몸을 움직이고 하루한번 있는 운동(월~토 30분씩)도 빼먹지 말고 열심히 하셔야 합니다.

건강이 최고 입니다.
책 많이 읽으시고 잘 먹고 잘 자고 교도소에 이송되면 직업 훈련이나 작업 꼭 하셔야 수감생활(시간)도 더 수월하게 흘러가고 가석방에도 도움이 된다고 합니다.

흔들리지 말고, 약해지지 말고 마음 단단히 먹고 수감생활 열심히 해서 출소하기 바랍니다.

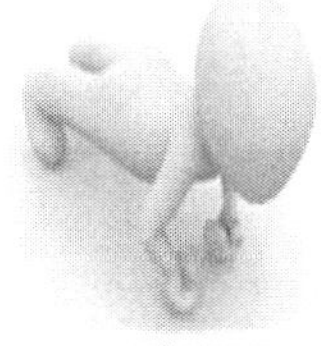

▪ 이지연의 구치소생활

A.M 06:15 기상
06:30 기상점검(일어남) (안녕하세요~)인사 : 창문에 대고
06:40 식수 받기(뜨거운 식수 물통으로 하루 세번)
06:50 아침식사(식사 후 커피 물)
07:30 재활용, 쓰레기 분리수거, 보고전 제출 (보고전: 각종 요청사항을 기록한 메모지)
08:30 개방점검
09:00 TV시청시작
10:30 식수받기(뜨거운 물)
11:20 점심식사(식사 후 커피 물)

※월~토: 매일 30분 운동(기상상황에 따라 다름)

P.M 02:00 라면 물 지급
03:00 식수 받기(뜨거운 물, 식수지급 끝)
04:30 폐방점검(수고하셨습니다~)마지막 인사
04:50 저녁식사
08:00 취침준비
09:00 취침(TV시청 종료)

※구치소 생활 중 중요한 것 몇가지
1심이라면-> 반성문, 호소문, 심경문 등 쓰기,
사건얘기는 변호사와 하고 본인 사건얘기는 가능한 한 알리지 말 것, (1심이 아니라도...)

먼저 다가오는 사람은 의심부터 해 볼 것, 친해졌다고 연락처 교환금지

이곳도 사람사는 곳임은 분명합니다. 하지만 너무도 한가할 때가 많아 없는 얘기 있는 얘기 등...말이 너무 많아 싸움이 자주 일어나니, 가능한 한 선을 그을 필요가 있습니다.

그것들만 조심한다면, 나머지는 먼저 들어와 계셨던 분들이 전부 알려 주니 그대로만 하시면 별 문제 없습니다.

진정한 여행

가장 훌륭한 시는 아직 쓰여지지 않았다.

가장 아름다운 노래는 아직 불려지지 않았다.

최고의 날들은 아직 살지 않은 날들.

가장 넓은 바다는 아직 항해되지 않았고

가장 먼 여행은 아직 끝나지 않았다.

불멸의 춤은 아직 추어지지 않았으며

가장 빛나는 별은 아직 발견되지 않은 별

무엇을 해야할 지 더 이상 알 수 없을 때,

그 때 비로소 진정한 무엇인가를 할 수 있다.

어느 길로 가야 할지 더 이상 알 수 없을 때

그 때가 비로소 진정한 여행의 시작이다.

'진정한 여행'은 나짐 히크메트가 감옥에 있을 때 쓴 시입니다.
그는 터키의 가장 위대한 시인 중 한사람으로 낭만주의적 혁명가로 알려져 있습니다.

> 가장 훌륭한 삶은 아직 시작되지 않았다
> 어떻게 살아야 할지 모를 때 그때가 비로소 진정한 삶의 시작이다.

❖ 슬기로운 – 가막소생활 가이드

- 들어가기-수행은 같은 것
- 징역 생활 가이드
- 징역에서 배우기
- 수형을 수행으로- 징역수행가이드
- 수행의 실제

이 내용들은 단행본 "수형을 수행으로 – 징역수행가이드"의 요약입니다

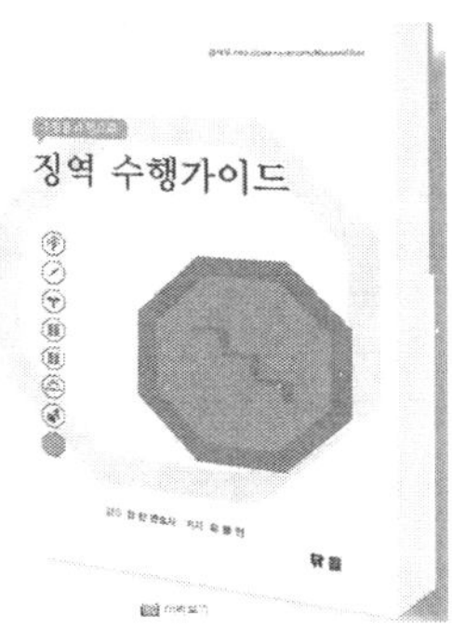

➢ 들어가기: 수행은 같은 것

불가피하게 징역살이 하게 되었다면, 말하자면 강제수행을 요구 받은 것입니다. 강제수행을 요구 받지 않은 사람들은 자발적으로 수행하지 않으면 그들도 역시 다양한 방법으로 강제수행을 요구 받게 됩니다.

- 매월 1번씩 자원봉사를 하거나
- 매주 1번씩 종교시설에 가거나
- 주기적으로 가족과 건전한 즐거움을 갖거나 하는 것은 전부 일상에서의 수행 즉, 생활수행에 해당 하는 일들 입니다.

이러한 일들은 평균적인 삶에서 자연스럽게 일어나는, 자연스럽게 쌓인 부조화를 해소하는 일들 인데, 어떤 이유로 우리는 그렇게 하지 못해 부조화가 축적되었던 것이고 이것들이 부조화를 가중 시켜 고통을 자아내게 하는 원인들이 된 것입니다.

이렇게 보통스러운 삶에서 부조화(쓰레기)를 비워낸 사람들은 강제수행의 경우가 흔치 않으나, 그렇게 하지 못한 경우는 강제로 쓰레기를 비워내야 하는 -그렇게 하지 않으면 사망의 위험에 처하게 되므로- 강제수행의 과정에 들어가게 됩니다.

강제수행이거나, 자유수행이거나 수행은 같은 것이고, 그 효과 또한 같은 것이며, 유일한 차이점은 강제수행에서 요청되는 것을 수행하지 못할 경우 더 이상의 기회가 없어진다는 것이며 제대로 수행할 경우는 자유수행 이상의 효과를 갖게 된다는 것입니다.

或 生而知之(혹 생이지지)	: 어떤 이는 나면서부터 그것을 얻어서 알며,
或 學而知之(혹 학이지지)	: 어떤 이는 배워서 그것을 알며,
或 困而知之(혹 곤이지지)	: 어떤 이는 고심해서 그것을 알게 되나,
及 其知之(급기지지)	: 그들이 그것을 앎에 도달하여서는
一也(일야)	: 한 가지이다.

중용20, 애공문정 中

▪ 수형을 수행으로

- 밤 세워 책을 탐독하는 그 때,
- 밤새 편지 쓰는 그 때,
- 열심히 고객을 설득하는 그 때…

이 모든 "때" 들은 말하자면 알아차림(집중) 순간이고 수행으로 유지하고자 하는 순간들이라 할 수 있습니다.

사람들은 이루고자 하는 것을 위해서 필요할 때 그 집중의 힘을 일으킬 수 있기를 소망했고, 그 힘은 수행을 통해 얻을 수 있다는 것을 알게 됩니다.

그 수행은 내 욕망을 버리고자 하는 것이 아니라 내 욕망을 다스릴 수 있는 힘을 얻기 위한 수행이 됩니다.

수행은 내가 하고자 하는 바를 이룰 수 있는 힘을 얻을 수 있는. 가장 직접적인 방법입니다.

징역이라는 강제수행은 원하지는 않았지만 결국 내가 원하는 힘을 가질 수 있는, 수행의 기회라고 할 수 있습니다.
{수행은 징역을 금으로 만드는 연금술과 같습니다}

징역을 수행의 기회로 만들 수 있는 가장 좋은 방법은 징역에 가기 전에 수행법을 배워두는 것입니다.

징역에 가서는 수행하기 어렵기 때문에, 조사, 재판 받는 기간 동안, 시간을 내서 수행법을 배워야만 합니다.

징역생활을 수행생활로 만들어 내면 당신이 무엇을 원하던 이룰 수 있는 힘을 갖게 됨을 보장할 수 있습니다.

수행은 어려운가? 수행할 마음을 내는 순간 수행의 시작입니다.

목적 있는 고통은 수행이 되고, 목적 없는 고통은 수형이 될 뿐 입니다

▪ 처벌의 역사

▪ 고대 사회에서의 처벌은 사제, 신을 대리하는 말하자면 무당에 의한 신벌적 처벌이 있었고 당시의 처벌은 가장 단순하고 확실한 처벌, "사형"이 주류를 이룹니다(죄가 무엇이든 신의 명령을 어긴 것이므로)

그러나 절도한 자도 사형하고, 강간한 자도 사형하며, 살인한 자도 사형을 하는데 따르는 불균형이 있고 무엇보다 인적으로도 손실이 있게 되어 처벌에 차등을 두게 되는 데,

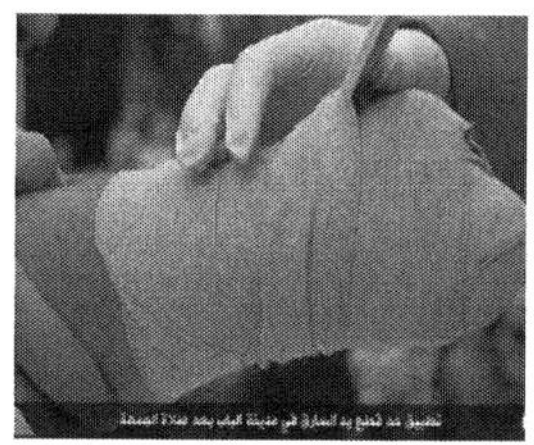

절도한 자는 손목을 자르고 살인 한자는 사형하는 등 함무라비 법전에 보듯이 눈에는 눈 이에는 이 하는 식의 언뜻 공정해 보이는 처벌이 있게 되었습니다.

(단순형에서 이렇게 발전하는 데는 모세로부터 친다면 대략 3,000년 이상이 걸렸으며 아직도 이슬람 일부 지역에서는 이슬람법 샤리아(Sharia)에 따라 절도한 사람은 손목을 자른다고 합니다).

▪ 그런데, 예컨데 절도한 자를 손목을 자르다 보니, 절도는 줄어들어도 노동을 못하며 그 사람을 먹이기 위해 수명의 경제력의 손실이 있는 것을 발견하게 됩니다.

▪ 그래서 결국 효과적인 처벌, 생산적인 처벌을 위해 "죄는 어디에 있는 것인가?"하는 질문을 하게 되면서. 손목에 있는 것도 아니고, 뇌에 있는 것도 아니라는 점을 이해하면서 마침내 죄는 "마음에 있는 것"이라 생각하게 되고(그것을 결정하는 자가 수행자이므로)

마음에 있는 것이라면 스스로의 죄에 대해 생각하게 하고 교정하게 하는 행위 즉 수행자들이 하는 '반성' 이라는 행위가 필요하다고 생각하게 되었는데, 이렇게 생각하고 실행하는데 까지 상당한 기간이 소요되었습니다.

사실 우리나라도 징벌위주의 정책에서 교화위주로 바뀐 것은 최근 10수년 내의 일이라고 합니다..

▪ 그러나 문제는 줄었지만 여전히 남는 문제는, 교화정책에 다른 강제반성을 유도 하다 보니 많은 시간이 소요되고 따라서 많은 비용이 된다는) 그렇다고 하더라도 재범방지에 소요되는 간접비용보다는 적게 드는 상황이므로 현재까지 유지되고 있으나 향후는 이 비용 또한 개선시키는 정책이 즉 {재범방지} 정책이 개발될 것으로 보입니다.

▪ 처벌의 역설

▪ "반성하는 죄인은 죄짓지 않은 의인보다 더 가치가 높다"는 말은 역설 중 대표적인 것입니다.

우리가 보는 모든 소설, 영화 등에서 악역이 없으면 영화는 성립되지 않으므로 악역은 반드시 필요한 것입니다.

그러나 악역을 하는 것을 누구도 원치 않기 때문에 악역을 하는 사람에게는 더 많은 보상이 있을 것입니다.

우리 사회에서 악역은 이른바 범죄자인데, 사실 범죄가 없다면 법치라는 자체가 성립할 수 없는 일인데, 어떤 사회학자는 이렇게 말합니다.

"사회는 일정한 수의 살인, 절도, 강간범을 내어야 한다, 다만 그것을 강제하지 않을 뿐이다"

즉 법치사회가 유지되기 위해서는 범죄자가 필요하나 강제하지는 않기 때문에 자연스럽게 범죄자를 내는 상황이 야기됩니다.

그리하여 욕구를 자극하는 문화적 작용(온갖 광고 등)이 있게 되고, 이 욕구를 다스리지 못한 사람은 자기도 모르게 범죄자가 되어 악역을 하게 되는 것입니다.

이 때 '본의 아니게 악역'을 하게 된 것에 대한 사회적인 보상으로서, 처벌의 결과로 주어지는 '인격적 개선'이 그 보상이 되며-그렇게 되지 않는 사람과는 별개로-그에 따르는 비용 즉 처벌 비용을 사회가 부담함으로써 악역에 대한 보상이 되는 것입니다.

자본사회에서 빚이 있는 사람이 더 활동적이고, 활동적이어야 사회에 도움되므로 사람들에게 빚을 지우는 환경이 조성된다는 맥락과도 일치합니다

1년 동안의 징역생활에 드는 비용은 년간 2,500만원이며 이 비용은 인격적 개선을 위해 사회가 부담하는 비용입니다.

이외에 출소 후 재범방지를 위해 다양한 지원 프로그램이 있습니다.

이를 피해자에게는 지원이 없다는 것과 비교할 때, 가해자가 많은 보상을 받는다고 할 수 있습니다.

이것은 부당한 것이 아니라,

본의 아니게 악역을 하게한 것에 대한 역설적 보상이라 할 수 있는 것이며

나아가서는 수행의 효과도 있게 된다면 사회적 투자의 효과도 가지게 되는 것입니다.

▪ 징역 4대 천왕

징역에서의 강제수행에서는 수행자의 수행을 강력하게 도우는 4대 천왕이 있습니다.

▪ 소장:
1대 천왕은 수용처의 장으로 교도소.구치소장 입니다

수용시설은 교화를 위한 시설이라 다른 기관장 보다 강력한 권한을 가지게 되는 것 같습니다.

▪ 교도관:
2대 천왕은 담당 교도관으로서 작업장과 사동(생활)담당 교도관입니다.

교도관은 교도소의 중추이며 작업장에서, 혹은 작업이 끝난 후의 생활에서 수행자의 수행을 독려하고 감독 하는 입장이며 수행점수를 직접 채점하기 때문에 2대 천왕이라 할 수 있습니다.

▪ 반장: 3대 천왕은 작업반장입니다.
반장은 작업장(훈련장)에서의 작업 혹은 훈련 숙련자로서 수행자의 작업 및 일반 생활 관리에 대해 교도관을 보조하고 수행자를 보살피는 임무를 맡고 있습니다.

▪ 방장: 4대 천왕은 방장입니다.
방장은 하루 중 작업 이외의 12시간 정도의 방내 생활을 관리하는 사람으로 방내 생활의 실질적 감독권을 가지고 있으며 보통 봉사원이라고 하며, 교도소에서는 보통 폭력 수행을 하는 이가 맡고 있습니다.

▪ 좋은 교도소 가는 법

▪ 좋은 교도소라는 것의 일반적인 기준은 통제를 덜 받는 생활을 하면서 직업 훈련 등의 교육을 받는 교도소를 말할 것이며 주관적으로는 본인이 희망하는 교육, 신앙 생활, 혹은 편한 생활을 할 수 있는 교도소 일 것입니다.

물론 교도소는 범죄의 경중, 주거지 등의 정한 규칙에 따라 가게 되지만, 그럼에도 불구하고 희망하는 교도소 가는 방법은, 우선 모범적인 생활을 해야 하는 기초 조건(징역 점수 참고) 외에 , 본인과 가족의 "해당교도소 가야 하는 이유"에 대한 편지 등을 통한 꾸준한 노력이 가장 효과적인 방법이라 할 수 있습니다.(이러한 노력은 교도소의 "재범방지"라는 큰 목적에 부합할 수 있기 때문입니다)

- **일반 기준**
  - ✓ **모범수교도소 (S1)**
    화성직업 훈련 교도소
    경북직업 훈련 교도소
  - ✓ **개방 교도소 (S1, S2)**
    천안 교도소
    영월 교도소
  - ✓ **초범 교도소(S2.S3)**
    의정부 교도소
    서울 남부교도소
    여주 교도소

- **희망직훈, 종교 기준**
  - 안양교도소(S2,S3): 도자기 훈련
  - 소망교도소(S1,S2): 기독교 중심 교도소

@세상에서 가장 장엄한 광경은 역경과 싸우고 있는 인간의 모습이다. : 미상

➢ 징역생활 가이드

- 징역에서 할 수 있는 것
- 징역에서 할 수 없는 것
- 징역에서 해야 할 일 10가지
- 징역에서 하지 말아야 할 일 10가지
- 건강관리
- 일일 생활표(남자)
- 일일 생활(여자)
- 주간, 월간 주요 생활표(개략)
- 일일 생활표-여자
- 징역 언어/은어

코로나 시대 이후는
과밀현상을 해소하기 위해 조기석방, 가택구금 등의 활성화가 고려되고 있으며 원격화상재판, 원격화상접견, 원격화상진료 등의 제도도 활성화가 제안되고 있습니다.

<참고자료: 김종구. (2021). 코로나(Covid-19) 시대의 행형정책의 변화. 비교형사법연구, 22(4), 127-144.>

가이드의 내용은
구치소/교도소 마다, 계절마다 혹은 코로나 관련조치로 조금씩 다를 수 있습니다.

- 징역에서 할 수 있는 것

- 형의 집행 및 수용자의 처우에 관한 법률, 약칭: 형집행법
  - 접견 : 제41조(접견)
  - 편지 : 제43조(서신수수)
  - 전화통화 : 제44조(전화통화)
  - 종교활동 : 제45조(종교행사의 참석 등)
  - 독서 : 제46조(도서비치 및 이용)
  - 신문구독 : 제47조(신문등의 구독)
  - 라디오TV: 제48조(라디오 청취와 텔레비전 시청)
  - 집필 : 제49조(집필)
  - 기타

  - 교육 : 제63조(교육)
  - 직업 훈련: 제69조(직업능력개발훈련)
  - 유급 작업: 제65조(작업의 부과)
  - 위로금등 : 제74조(위로금・조위금)
  - 임시휴가 : 제77조(귀휴)
  - 포상 : 제106조(포상)
  - 기타

> 형의 집행 및 수용자의 처우에 관한 법률
> **제106조(포상)** .
> 1. 사람의 생명을 구조하거나 도주를 방지한 때
> 2. 제102조제1항에 따른 응급 용무에 공로가 있는 때
> 3. 시설의 안전과 질서유지에 뚜렷한 공이 인정되는 때
> 4. 수용생활에 모범을 보이거나 건설적이고 창의적인 제안을 하는 등 특히 포상할 필요가 있다고 인정되는 때

▪ 징역에서 할 수 없는 것

▪ **할 수 없는 것**

✓ **법정금지 (형집행법: 107조)**

- 자해행위
- 작업,교육 등 거부행위
- 금지물품반입 등
- 허위신고 등
- 기타

✓ **기타금지**

- 통방금지: 다른 방 사람과 소통금지
- 독보금지: 혼자 걷는 것 금지
- 단식금지: 이유 없는 단식금지
- 기타

형의 집행 및 수용자의 처우에 관한 법률
제108조(징벌의 종류) 징벌의 종류는 다음 각 호와 같다.
1. 경고
2. 50시간 이내의 근로봉사
3. 3개월 이내의 작업장려금 삭감
4. 30일 이내의 공동행사 참가 정지
5. 30일 이내의 신문열람 제한
6. 30일 이내의 텔레비전 시청 제한
7. 30일 이내의 자비구매물품(의사가 치료를 위하여 처방한 의약품을 제외한다) 사용 제한
8. 30일 이내의 작업 정지
9. 30일 이내의 전화통화 제한
10. 30일 이내의 집필 제한
11. 30일 이내의 서신수수 제한
12. 30일 이내의 접견 제한
13. 30일 이내의 실외운동 정지
14. 30일 이내의 금치(禁置)

금치 禁置: 징역에서의 징역

@시련 : 커다란 시련을 겪기 전에는 누구나 어린 아이에 지나지 않는다: 레오파르디

▪ 징역에서 해야 할 일 10가지

이하의 내용은 현재 구치소/교도소에서 강제수행 중인 몇 수행자로부터 받은 자료를 편집한 것입니다.

① 매일 운동하기 (스트레칭이라도)

② 매일 일기 쓰기

③ 매일 3가지 공부하기: (매일 한가지씩 조금씩이라도 하기)
   1. 수행공부(명상),
   2. 생계공부(창업/취업)
   3. 취미공부(그림 등)

④ 가족(또는 지인에게)에게 매주1회 편지쓰기(가석방 점수 관련)

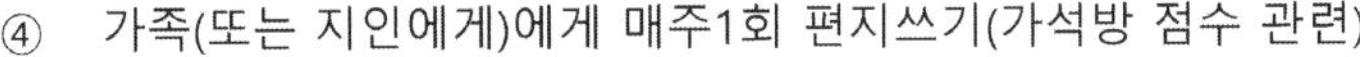

⑤ 남의 이야기 잘 들어 주기

⑥ 음식 같이 나누어 먹기

⑦ 커피는 모여서 마시기

⑧ 종교 가지기

⑨ 건전한 놀이에 참여하기(윷놀이, 장기, 바둑 등)

⑩ 화장실 사용 할 때 다른 사람에게 물어보고 쓰기

목적 있는 고통은 수행을 만들고, 목적 없는 고통은 수형을 만들 뿐이다

▪ 징역에서 하지 말아야 할 10가지

① 남의 징역내용 물어보지 말기(친해지면 스스로 말함)

② 남의 집 주소 알려고 하지 말기

③ 화장실 10분 이상 사용하지 말기

④ 10시 넘어서 신문 읽지 말기(소리나서 다른 사람 잠 못들게함)

⑤ 반찬 뒤집어 먹지 말고, 젓가락 두 번 담그지 말기

⑥ 남의 책 다른 사람에게 빌려주지 말기

⑦ 이간질 하지 말기

⑧ 음식 욕심 내지 말기

⑨ 자주 안씻기

⑩ 안해야할 생활 5적{ 생활에서 사고 나는 주된 이유}

1. 잘난 척
2. 아는 척
3. 있는 척
4. 없는 척
5. 모르는 척

▪ 건강관리 : 수용자 의료 관리 (법무부예규 제 971호)

▪ 수행생활을 제대로 해 내려면 무엇보다 건강관리가 중요하며 기본적으로는 음식관리가 있고, 두 번째로는 운동관리 세 번째는 의료에 의한 건강관리가 있을 것입니다.

징역생활은 음식물에서 일상 생활전반에 걸쳐 수용자들의 건강에 상당한 신경을 쓰고 있는데 (왜냐하면 수용자의 건강 문제는 법으로 규정 되어 있기 때문에 건강에 문제가 생기면 관리자에게도 책임이 따릅니다) 징역생활로 신체 건강이 나빠지는 경우는 별로 없습니다.

▪ **식생활 관리:** 영양사의 관리로 식사가 제공되는 건강식 (군대수준)이기 때문에 사회에 있을 때보다 건강이 좋아지는 것이 대부분이며 환자를 위한 죽도 따라 공급됩니다.

▪ **운동관리:** 구치소는 일일 30분 정도의 운동시간이 있고 교도소는 (사실상) 1시간 전후의 운동시간이 있는데 달리 매일 1시간여의 운동시간이 있는데 족구, 달리기 등의 운동을 할 수 있습니다.

▪ **질병관리**: 가장 흔한 고혈압이나 당뇨가 있는 경우는 혈압약이나 당뇨약을 필요한 만큼 필요한 때에 공급하며 특별히 필요한 약이 있다면 의사의 처방을 통해 약을 공급받을 수 있습니다.

✓ **일반검진**: 수용자 신입 시 건강진단, 정기 건강검진 등을 실시하며 연 1회 **외부 전문기관에 의한 일반 직장인 1차 검진수준의 건강검진(간염검사 등 30개 항목)을 실시**

✓ **외부검진:** 수용자가 원할 경우 화상진료 시스템을 이용한 외부의사 검진을 받을 수 있습니다.

<법무부 코로나 관련 대책>
① 교정시설을 이용하는 대상별 동선 분리 등 교차오염을 방지하기 위해 3단계(개방〈중간〈보안)의 영역별 Zoning 체계 확립
② 교정기관의 인력여건과 업무프로세스를 고려한 효율적인 공간 배치
③ 청주여자교도소 이후 최초로 건립되는 여자교정시설의 특수성을 고려하여 양육유아시설, 모자(母子)접견시설과 같은 여성 친화적인 공간 조성
④ 수용자와 같이 24시간 담 안에서 생활하는 교도관의 복지환경 개선
⑤ 교정시설의 3밀환경(밀접, 밀집, 밀폐) 개선 및 감염병 발생 시 코호트 계획 등 팬데믹에 대응 가능한 건축계획

<2021. 5. 6.(목) 법무부보도자료 참고>

▪ 일일 생활표(남자)

일일 생활표		
시 간	일 과 내 용	비고
06:00~	기상, 침구정돈, 청소	하절기 6:40, 춘추절기-6:20
06:30~07:00	기상점호, 세면	
07:00~08:30	조식	
08:30~09:00	출정, 접견 등	
09:00~10:00	아침점호	
10:00~12:00	오전운동(A조),휴식	일일 30분/교도소1시간
12:00~14:30	중식	
14:30~15:00	오후운동(B조),휴식	
17:00~17:30	오후점호	
17:30~18:00	석식	
18:00~21:00	휴식(TV, 독서 등)	
21:00~	취침	

@폭풍은 참나무의 뿌리를 더욱 깊이 들어가도록 한다.: 미상

▪ 일일 생활(여자)

아래 내용은 구치소에서 임시원(가명)님이 보내온 내용입니다

A.M 06:15 기상
06:30 기상점검(일어남) (안녕하세요~)인사 : 창문에 대고
06:40 식수받기(뜨거운 식수 물통으로 하루 세번)
06:50 아침식사(식사 후 커피 물)
07:30 재활용, 쓰레기 분리수거, 보고전 제출(보고전:각종 요청사항을 기록한 메모지)
08:30 개방점점
09:00 TV시청시작
10:30 식수받기(뜨거운 물)
11:20 점심식사(식사 후 커피 물)

※월~토: 매일 30분 운동(기상상황에 따라 다름)

P.M 02:00 라면 물 지급
03:00 식수받기(뜨거운 물, 식수지급 끝)
04:30 폐방점검(수고하셨습니다~)마지막 인사
04:50 저녁식사
08:00 취침준비
09:00 취침(TV시청 종료)

※구치소 생활 중 중요한 것 몇가지

1심이라면-> 반성문, 호소문, 심경문 등 쓰기,

사건얘기는 변호사와 하고 본인 사건얘기 는 가능한 한 알리지 말 것, (1심이 아니라도...)

먼저 다가오는 사람은 의심부터 해 볼 것, 친해졌다고 연락처 교환금지

이곳도 사람사는 곳임은 분명합니다. 하지만 너무도 한가할 때가 많아 없는 얘기 있는 얘기 등...

말이 너무 많아 싸움이 자주 일어나니, 가능한 한 선을 그을 필요가 있습니다.

그것들만 조심한다면, 나머지는 먼저 들어와 계셨든 분들이 전부 알려 주니 그대로만 하시면 별 문제 없습니다.

@스스로 알을 깨면 병아리가 되지만 남이 깨주면 프라이가 된다: J.허슬러

- **주간, 월간 주요 생활 일정표(개략)**

<table>
<tr><th colspan="3">주간</th><th colspan="2">월간</th><th>비고</th></tr>
<tr><td>내용</td><td>요일</td><td>비고</td><td>내용</td><td>비고</td><td rowspan="5">각 시행 날짜와 내용은 구치소 마다 다를 수 있으며,
기타 일상적인 생활 내용은 생략.</td></tr>
<tr><td>진료 및 투약</td><td>월, 수, 금</td><td>해당자만</td><td>이발</td><td>월간1회</td></tr>
<tr><td>목욕</td><td>목요일</td><td>7분 전후</td><td>모포털기</td><td>월간1회</td></tr>
<tr><td>종교활동</td><td>화, 또는 주중1회</td><td>개신교, 천주교, 불교</td><td rowspan="2">검방</td><td rowspan="2">불시 방 검사</td></tr>
<tr><td>영화보기</td><td>토요일</td><td>TV영화</td></tr>
</table>

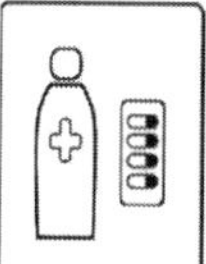

@나쁜 일 속에는 좋은 일이 들어 있다.: 불경

▪ 징역 언어/은어

사장님: 구치소, 교도소에서는 누구든지 서로 평등하게 "사장님"이라 부르는 데 호칭에 따른 분쟁을 막기 위해서이다.

- 별셋 : 세번 징역 간사람
- 세바퀴 돌았다: 3년째 징역 산다
- 뺑기통 : 화장실
- 짬수통 : 식사 후 잔반 담는 통
- 비둘기 : 소내에서 편지 주고 받는 것(불법)
- 버팔로 : 운동시간 내내 뛰는 사람
- 땅족구 : 네트없이 족구 하는 것
- 땅탁구 : 땅바닥에서 네트없이 탁구 하는 것
- 코걸이 : 상대를 불법 행위 하게하여 해하는 것
- 사소(소지) : 수용자를 돕는 도우미 수용자
- 스머프옷: 소에서 지급하는 런닝(연푸른색)
- 은혜받은떡: 종교 집회 중 기독교 집회에서 주는
- 부처님떡: 종교 집회 중 불교집회에서 주는 떡
- 빽시찰: 평범한 재소자 시찰번호
- 파란나라: 마약범 방
- 까마귀: 소내 보안관(CRPT)
- 까마귀대장: 보안과장
- 대포알: 화장실 구멍막는 고무주머니
- 빤짝이: 거울(플라스틱)
- 띵채 : 망보는 거울(방안에서 방밖을 살피는 거울,
- 징역과자: 땅콩
- 징역담배: 은단
- 똥걸래: 냄새나는 수건
- 거적데기: 냄새나는 이불
- 토끼운동: 팔굽혀펴기
- 까발이: 양은 식기
- 빵잽이: 실형 2범이상 자
- 넥타이: 사형수
- 묵기: 무기수 0

- 접시: 사기범
- 간또: 교도관
- 먹방: 징벌 방 중 캄캄한 방(꽁꽁 묶어 놓는 징벌방)
- 법자: 법무부에서 주는 영치금을 받는 사람
- 범털: 경제적이건 뭐건 징역내에서 대우받는 사람
- 개털 : 범털이 아닌 보통 수용자
- 방장: 방내 관리자 (보통 폭력수행자 들이 한다)
- 반장: 작업반장 (작업장의 교도관 보조)
- 통방: 다른 방의 사람과 소통하는 것
- 범치기: 소 내의 규칙을 위반하는 일체의 행동(범칙)
- 미징역: 교도소에 이감 후 본 방 배정 대기 상태

@죄는 취소될 수 없다. 용서될 뿐이다:스트라빈스키

➢ 징역에서 배우기

- 직업훈련
- 직업훈련의 종류와 과정
- 직업훈련 신청 방법
- 징역에서 버는 돈
- 징역 월급
- 관용부 출역

@인간은 교만을 통해 자기 자신을 하락시킨다.
겸손만이 진정으로 위대한 것이다. 카를 아이히호로

▪ 직업훈련

교도소에서는 실제 생업에 활용하던, 취미로 활용하든 혹은 교양 쌓기를 하든 사회에서 생업에 바빠서 하지 못하던 여러가지 일을 배울 수 있습니다

꽃 가꾸기에서 도자기 빚기에 이르기까지
미용기술에서 자동차 수리에 이르기까지 50여종이 넘는 일들이 " 직업훈련 "의 형태로 실시되고 있는데

대개의 교도소 직업훈련 시설이 있으며 직업훈련 전문 화성교도소가 가장 첨단적이고 경북 제1 교도소가 최초의 직업훈련교도소 입니다.

❖수행자가 만든 것...
수행자의 커피는 더(실제로)향기로우며, 수행자의 꽃은 더 (실제로) 아름다우며, 수행자의 용접은 더(실제로)튼튼하며, 수행자가 만든 음식은(실제로) 더 맛이 좋습니다.

수행심을 가지고 직업훈련을 하게 되면, 그 훈련이 무엇이든 수행이 되며 수행을 한 사람의 생산물은, 그렇지 않은 사람보다 경제적 가치 높은 것은 당연합니다.

겸수회는 수행자의 수행을 경제적 가치로 실현시킬 계획을 가지고 있습니다.

▪ 직업훈련의 종류와 과정

▪ 50여종 이상의 직업훈련이 있습니다.

패션디자인, 바리스타,
컴퓨터 수리 응용, 외국어 교육,
정보처리 및 네트워크 관리,
한지공예, 귀금속 공예, 화훼 및 원예, 자동차 정비, 용접, 도배, 한식조리, 보일러 시공, 미용, 제과제빵, 목공, 양복, 타일, 도자기...

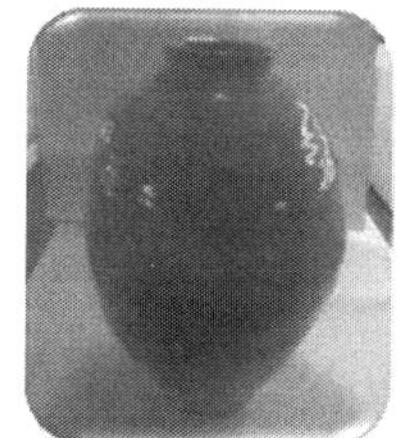
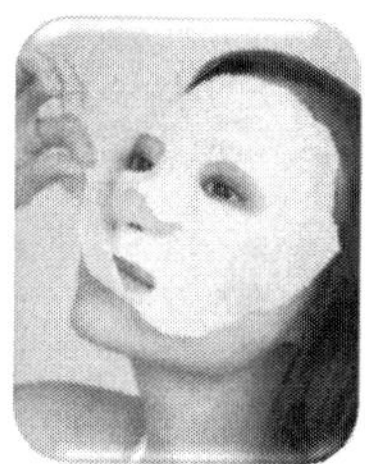

❖ 직업훈련은 어떻게 진행되는가요?

직업훈련은 집체훈련 과정(1년 기능사 과정), 공공/양성 과정(1년 기능사 과정),공공/향상 과정(2년 산업기사 과정), 일반/고급 과정(6년 기능장 과정)으로 이루어져 체계적인 직업훈련을 실시하게 되고, 이후 각 과정을 마치고 나면 이론과 실습에 대한 평가를 걸쳐 국가기술 자격시험에 응시하게 됩니다.

법무부 블로그: http://blog.daum.net/mojjustice/8706120

죄인이 형벌을 마친 후에서 지속적인 모욕과 불신을 감수해야 하는 데 그 이 유는 그의 실제적 죄에 형벌양이 부족하여 속죄 량이 부족할 뿐 아니라, 그가 끼친 개인적, 사회적 피해를 회복시키지 못할 것이라는 것 때문이다.

따라서 온전한 속죄는 형벌을 마친 후에, 일정기간 동안 수행적 생업활동을 통해 일정한 만큼의 사회적 손실을 회복시키므로서 온전한 속죄로 인정받을 수 있을 것이며, 따라서 강제수행의 보상의 범위에 자신을 포함 시킬 수 있다. 돈의 철학 509 + b

▪ 직업훈련 신청 방법

▪ **직업훈련 신청의 기본조건**
직업훈련의 훈련기간이 보통 6개월 이상이므로, 형기가 1년 이하의 경우는 재판 등의 문제로 직업훈련 받기 어려울 수 있으므로, 관용부 출역을 신청하거나 하여야 합니다.

▪ **직업훈련 신청**
직업훈련이든 작업이든 징역에서는 거의 차출이거나 신청에 의한 상대적 선택입니다.

교도소의 생활 중 TV등을 통해 각종 직업훈련 신청자를 모집하는데 신청해서 되는 경우는 신청자의 입장에서는 완전히 복불복으로 보입니다.(복불복에서 이기는 방법은 반복하여 신청하는 것입니다)

사실 그렇지는 않으나 설령 그렇더라도 꾸준히 신청하면 뜻밖에 되는 경우도 많이 있으니, 희망하는 직업훈련이 있다면 적극적으로 두 번 세 번 혹은 민원신청을 해서라도 신청하기 바랍니다.

담당 교도관에게 직업훈련에 대한 상담을 요청하는 것도 좋은 방법입니다.

화성직업훈련교도소의 재소자들은 어떻게 선발될까요?

실제로 각 교도소에서 직업훈련을 희망하는 수감자가 많아 훈련생의 대부분이 모범수라고 합니다.

대부분의 재소자들은 치열한 경쟁률을 뚫고 자신이 희망한 교육받는 것이기 때문에 매우 열심히 교육에 임하고 있습니다.

이곳에서 교육을 받는 재소자의 연령대도 다양하지만 30대~40대의 재소자가 대부분입니다.

@고발 당한 죄는 용서 받을 수 있지만. 고발 당하지 않은 죄는 용서 받기 어렵다. b

▪ 징역에서 버는 돈

▪ **교도작업**

교도작업은 수용자의 근로의식을 함양하고 수용자의 안정적인 사회복귀와 기술 습득에 도움을 줄 수 있는 것으로 그 종류를 정하고 있는데 교도작업의 종류는 다음과 같습니다.

✓ **관용부 출역**

출역내용: 구치소/교도소의 운영에 필요한 업무를 보조
신청방법: 담당 교도관에게 요청
장 려 금: 일 800원 에서 일 1.100원까지 : 평균 월2만원 전후

✓ **일반 출역**

출역내용: 봉투접기에서 비누, 면도기 만들기에 이르기까지 다양
신청방법: 담당 교도관에게 신청
장 려 금: 일3,000원 에서 15,000원 까지 : 평균 월 20만원 전후

§ 교도작업특별회계 운영지침
제4장 수용자 작업장려금
제62조(작업장려금 지급) 소장은 「형이 집행 및 수용자의 처우에 관한 법률」제73조 제2항의 규정에 따라 취업중인 수용자의 근로의욕 고취와 사회복귀를 위하여 작업장려금을 지급할 수 있다.

열심히 얻으려다 쌓인 죄는 얻지 않으려고 열심히 하면 풀 수 있다.: B

▪ 징역 월급

징역 월급의 정확한 명칭은 '작업장려금'인데 국가가 수형자의 작업을 장려하기 위해 정책적으로 주는 것.

월급은 숙련도에 따라 상, 중, 하의 3등급으로 구분되며 처음에는 '하'에서 시작하여 숙련기간 및 숙련도를 토대로 '중', '상' 으로 올라갈 수 있습니다.

- 작업은 일반작업과 외부 통근작업으로 구분

  ✓ 월급(작업장려금)으로 계산하면
  일반작업: 월2만원 전후(일 500원 전후)
  외부통근: 월 20만원 전후이다.(일 15,000원 전후)

  ✓ 언제주나? : 대개는 출소하는 날 정산하여 지급(교도작업특별회계 운영지침 제93조, 110조)

자세한 내용: 법무부 블로그:http://blog.daum.net/mojjustice/8705216

잘못한 죄 보다, 용서받지 못한 죄가 더 크다: B

▪ 관용부 출역

관용작업 - 교도소 운영에 필요한 **업무를 보조**를 하는 작업 해당작업을 희망할 경우, 담당 교도관에게 요청하거나 해당분야의 사람들을 만났을 때 요청하면 작업반장에게 전달되며, 관용부 출역은 일반 출역보다 점수가 높아 신청자가 많은 편입니다

- 취사: 관용부 출역 중 제일 힘든 일, 점수가 높다
- 청소: 사동 청소 등 하우스키퍼 역할, 소지라고 한다
- 운반: 구매물품 등 운반
- 영선: 사동 유지, 보수
- 원예: 교도소 조경관리 : 범털이 주로 한다
- 악대: 교도소 행사 시 악단
- 간병: 교도소 의료보조: 주로 병역거부자 들이 담당
- 이발: 사회에서 이발경력자
- 도서: 수용자 도서 등 관리

@가장 큰 고난을 당한 사람이 가장 많은 영화(榮華)를 누릴 것이며, 가장 위험한 곳을 지나온 사람이 큰 승리와 성공을 볼 것이다.: 밀턴

➢ 수형을 수행으로

- 왜 수행해야 하나
- 무엇을 수행하나
- 어떻게 수행하나
- 씨앗 만들기

'수행' 이라는 표현은 불교에서 주로 사용하며 유교의 '수양'과 도교의 '수도'와 같은 의미로 말할 수 있습니다

여기서는 일상에서의 '욕구를 다스리기 위한 노력'을 의미하며 종교적 표현은 아님을 참고하시기 바랍니다

보통 사람이 수행의 기회를 갖는 것은 삼생의 복이라고 하니,
강제수행 상황이지만 삼생의 복을 받을 수 있는 기회이기도 합니다
{삼생의 복: 세번 태어나야 얻게되는 복)

▪ 왜 수행해야 하나

▪ **왜 수행해야 하는가에 대해 많은 답을 할 수 있지만 무엇보다,**

다시 일어서는 데는 수행차원의 노력이 필요하기 때문입니다

우리의 수행은 오직 삶을 잘 살아내기 위한 수행이며,
잘 살아낸 다는 것은 나와 가족을 부양하고, 부모와 형제를 돌보며, 친구와 동지를 도울 수 있고 그래서 결과적으로 공동체와 조화와 균형을 이루며 살고자 하는 것입니다.

이렇게 살기 위해서는 삶이 나를 사는 것이 아니라 내가 삶을 살 수 있어야 합니다.

- 시인이 하나를 얻게 되면 온전한 시인으로 살고
- 화가가 하나를 얻게 되면 온전한 화가로 산다고 하며
- 이무기가 하나를 얻으면 용이 된다고 합니다

우리는 **그 하나를 얻기 위해 수행하고자 하는 것입니다.**

우리가 무엇을 하던 이'하나'를 더하게 되면, 도덕적 가치에 더하여 경제적 가치까지 반드시 확대되므로 우리는 이전 보다 더 나은 모습으로 일어설 수 있게 되는 것은 자명합니다.

우리의 수행은 그 하나를 얻고자 하는 과정에 다름 아닙니다.

모든 것이 갖추어 져도 하나가 없으면 실패하고,
아무 것도 없어도 하나가 있으면 성공하게 됩니다.

수행은 그 하나를 만들기 위한 노력입니다.

□□□□ □[천득일이청] : 하늘은 하나를 얻어 맑고
□□□□ □[지득일이녕] : 땅은 하나를 얻어 평안 하고
□□□□ □[신득일이령] : 귀신은 하나를 얻어 신령하다. 노자 39장

▪ 무엇을 수행하나

▪ 앞에서 말한 그 하나의 토대를 구축하기 위해서는, 우선 자신을 정화하기(비우기) 위한 과정으로 반성수행이 있으며 이후에 {명상수행}이 있고 이러한 토대를 바탕으로 실천적 삶을 위한 수행으로서, 우리민족 5천년 진화의 기간 동안 우리의 피 살과 뼈를 형성하고 있고 우리의 DNA에 내장되어 있는 공부를 하게 되는데 이모두는 다음과 같이 구성할 수 있습니다

① 토대 닦기
  - ✓ 비우기 : 반성일기
  - ✓ 영 닦기 : 명상
  - ✓ 정신 닦기 : 금강경

② 마음닦기 : 도덕경
③ 몸 닦기 : 중용
④ 돈 닦기 : 탈무드 돈의 철학
⑤ 생업 닦기 : 프랜차이즈 등

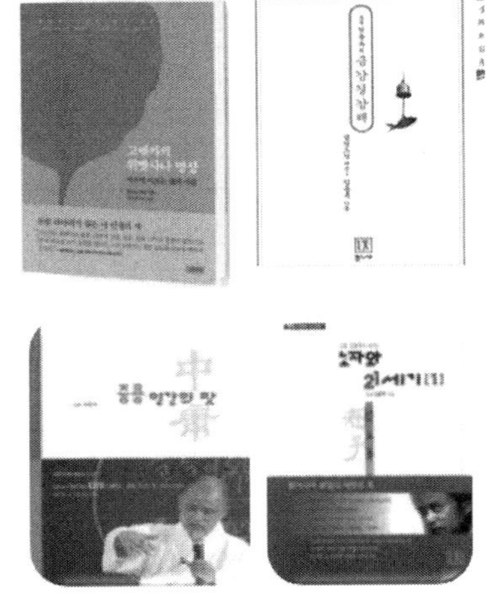

▪ 명상법 외에 세가지 공부는 지루할 수 있는 고전 공부를 드라마틱 하게 구성하여 문외한도 쉽게 고전에 접근하게 해주신 김용옥 선생의 강해를 선택했습니다.

이러한 기본을 바탕으로 이제 {삶을 다룰 수 있는 가장 강력한 도구}를 다루기 위한 구체적인 공부가 추가 되는데, {돈 닦기} 라고 명명된 돈에 대한 수행차원에서의 공부입니다.

▪ 위의 기초 공부로 토대를 구축한 다음 , {돈 닦기}를 수행한다면 무슨 일을 해도 결코 실패 하지 않으며 수행 만큼 가치(경제적 가치를 포함하여)를 이룰 수 있음을 나는 분명하게 장담 할 수 있습니다.

@고통은 인간의 위대한 교사이다. 고통의 숨결 속에서 영혼은 발육된다.: 에센 바하

▪ 어떻게 수행하나

우리의 목적을 위해서 다음 같은 방법으로 수행합니다.

① 탁한 마음의 내면을 정화하고
② 영을 닦고
③ 정신을 닦고
④ 마음을 닦고
⑤ 몸을 닦은 후
⑥ 돈을 닦는것 으로 진행이 됩니다.

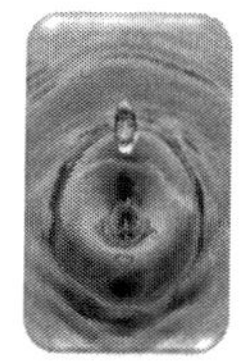

이 공부들은 할 수 있다면 전부 해도 되고 부분적으로 해도 됩니다.
(그러나 반성행은 수행이 끝나는 날 까지 매일 하는 것이 좋습니다)

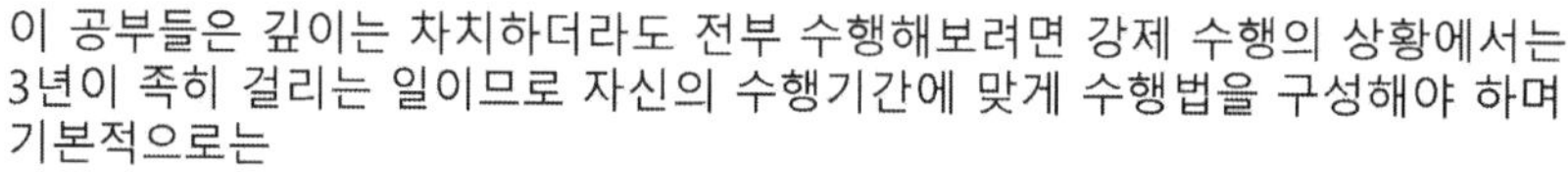

이 공부들은 깊이는 차치하더라도 전부 수행해보려면 강제 수행의 상황에서는 3년이 족히 걸리는 일이므로 자신의 수행기간에 맞게 수행법을 구성해야 하며 기본적으로는

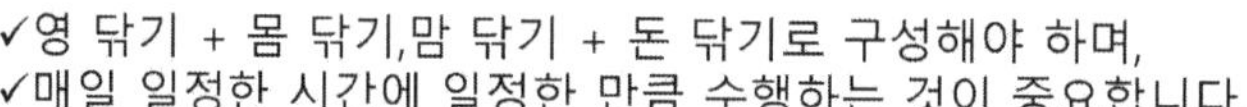

✓영 닦기 + 몸 닦기,맘 닦기 + 돈 닦기로 구성해야 하며,
✓매일 일정한 시간에 일정한 만큼 수행하는 것이 중요합니다.

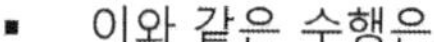

▪ 이와 같은 수행은,

우리의 일상적인 사회생활에서는 엄두도 못 낼 수행이지만, 이제 강제수행이라는 상황에서는, 이 상황을 잘 이겨내기 위해서라도 이와 같은 어려운 수행이 필요한 것이며, 오히려 이러한 상황에서 더 잘 해낼 수 있음은 다행한 일인 것입니다.

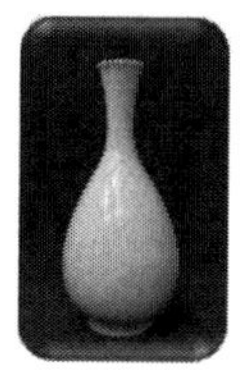

역사에 알려졌건 그렇지 않건 많은 위인은 그러한 강제수행의 상황에서 자신을 재구성하여 이른바 위인으로서 자신과 사회의 이로움이 되었다는 것은 잘 알려진 사실입니다.

이러한 수행은 내가 이미 해온 바이고 향후 평생을 수행할 것이므로 충분히 도움드릴 수 있을 것입니다.

@고통이 없으면 진정한 즐거움은 없다: 헬렌 켈러

▪ 씨앗 만들기

수행의 목표는 "하나"를 얻는 것이고, 수행의 과정은 그 "하나"를 위한 씨앗을 만들고 키우는 과정입니다.

이 과정은 매우 단순하며 일상적 상황에서는 매우 어려울 수 있으나, 우리의 강제수행 상황에서는 비교적 쉽게 도달할 수 있을 것이며 다음과 같이 요약할 수 있습니다.

- ✓ 씨앗 재료
  - 반성일기
  - 명상
  - 도덕경, 중용, 탈무드

- ✓ 씨앗 만들기: 매일/정한 시간에/정한 양으로,
  - 앉고(명상)
  - 세번 읽고
  - 세번 쓰고
  - **한번 요약하며, 그 요약된 것이 씨앗이 되며 매일 쓰는 반성일기는 씨앗을 키우는 영양이 됩니다.**

씨앗의 양육은 매일/정한 시간에/정한 양으로 쓰거나 암송 하므로서 양육될 됩니다.

씨앗을 만들었다면, 여자가 임신한 것과 같고 수행자가 화두를 얻은 것과 같습니다.

이제 그 씨앗을 키워 온전한 "하나"로 만들어 내기 위해 매일의 명상 가운데, 운동 가운데,그리고 틈틈히 내는 시간의 암송으로 씨앗은 성장 하게 되고, 힘으로 우리는 나아가게 될 것입니다.

@고통이 크면 클수록 그 고통을 이겨내는 명예는 더욱 크다.: 몰리에르

➢ 수행의 실제

- 영 닦기-명상(冥想)
- 정신 닦기-금강경(金剛經)
- 마음 닦기-노자(老子)
- 몸 닦기-중용(中庸)
- 돈 닦기- 탈무드
- 생업 닦기-치유농업과 프랜차이즈

@교만한 사람의 마음속에는 항상 시기와 질투가 가득할 뿐이다.
그러나 참되고 영원한 평화는 겸손한 사람의 마음 속에 함께 있다.: 토마스 아겜피스

▪ 영 닦기-명상(冥想)

▪ **기초는 언제나 중요합니다.**
어떤 계획을 세우고 실행하려고 하면 우선, 그 계획의 기초와 그 계획의 전제와 그 계획의 상대적 성격을 제대로 파악해야 그 계획은 제대로 실행될 수 있으며,

이 중에 기초는 가장 중요하며, 기초가 굳건하다면
이 기초위에서 무슨 계획을 세우든
계획의 성공을 그리 어렵지 않게 됩니다.

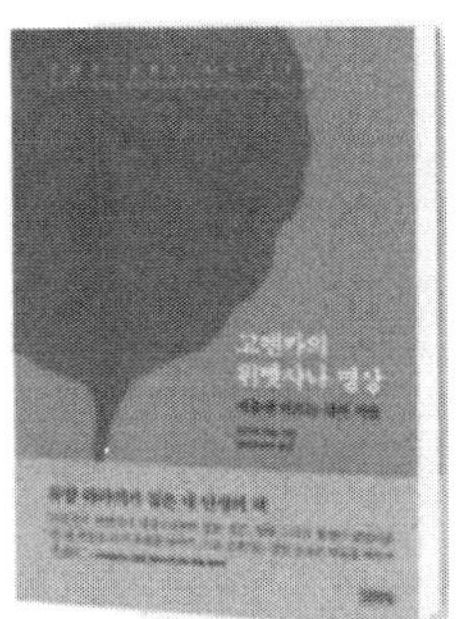

우리가 하고자 하는 수행의 전제는
"삶을 제대로 다루기 위한 것"이고 삶을 제대로 다룬다는
것은 그동안의 삶에서 처럼 "욕망이 나를 다루는 것"이
아니라 "내가 욕망을 다룬다"는 것입니다

이러한 전제와, 이러한 관점에 따라 우리는
전의식의 기초를 굳건히 하기 위한 방법으로서
-모든 수행의 공통된 기초- 호흡명상을 하게됩니다

"위빠사나: 있는 그대로 본다"라는 명상법은 호흡 명상의 기초가 확립되었을 때 수행하게 되는 명상이며, 호흡 명상과 함께 이를 도울 수 있는 참고서로서 {고엔카의 위빠사나 명상: 김영사}이라는 책이 선택되었습니다.

만약 수행자가 다른 수행법을 알고 있다고 하더라도 처음부터 시작한다는 생각으로 호흡수행을 하는 것이 좋습니다.

왜냐하면 지금이든 나중이든 안이든 밖이든 우리가 같이 수행 할 때 같은 수행법으로 수행하는 것이 더 나을 것이기 때문이며,

기초 중의 기초를 수행하는 것은 토대를 새로 구축해야 하는 우리로서는 명상은 더할 나위 없이 적합한 수행 법이 될 것입니다.

S.N. 고엔카 (지은이), 윌리엄 하트 (엮은이), 담마코리아 (옮긴이) | 김영사 | 2017년 7월
12,600원

과제: 호흡명상의 기본 과제는 "끊임없이 1분간 호흡에 집중"하기 입니다

▪ 정신 닦기-금강경(金剛經)

▪ **영 닦기를** 명상으로 한다면, 이제 정신 닦기는 금강경으로 할 수 있을 것입니다.

영 닦기가 직접적이고 주관적인 수행이라면, 정신 닦기는 철학적이고 객관적인 수행이라 할 수 있습니다.

금강경은 불가에서 가장 많이 독송되고 있는 경으로 우리는 종교적 의미가 아니라 철학적 의미에서 접근하게 됩니다.

명상이 부처님의 깨달음에 이르는 과정에서 계발된 행법이라면 금강경은 깨달음 이후의 설법이라는 점이 다릅니다.

정신 닦기는 김용욕 선생의 금강경 강해를 주된 자료로 하게 됩니다.

물론 쉽지 않은 일이지만 부처님이 말씀하시기를 "너희가 사구게 하나만 이라도 외우고 다른 사람에게 말할 수 있다면 그 복 이 칠보로 보시한 복을 이긴다"라고 말씀하고 있습니다

사구게 하나만이라도 온전히 외울 수 있다면 큰일을 하는 것이라는 것은 부처님의 말씀입니다.

금강경의 내용은 어렵지만 처음부터 이해할 필요는 없습니다 그저 외우고 쓰다 보면 절도 이해하게 되는 때가 옵니다

> 一切有爲法(일체유위법)
> 如夢幻泡影(여몽환포영)
> 如露亦如電(여로역여전)
> 應作如是觀(응작여시관)
>
> 세상의 모든 것은
> 꿈.환상 물거품.그림자며
> 또한 이슬. 번개 같은 것
> 마땅히 이와 같이 봐야 한다.
>
> 응화비진분 / 금강경31

도올 김용옥의 금강경 강해 김용옥 (지은이) 통나무 2019-09-05, 16,200원

> ....
> 持於此經(지어차경) : 이 경의
> 乃至四句偈等(내지사구게등) 사구게만이라도
> 受持讀誦(수지녹송) : 받아 지니고 읽고 외우고
> 爲人演說(위인연설) : 또 남을 위해 설하는 이가 있다면
> 其福勝彼云何(기복승피운하) : 그 복이 칠보로 보시한 복을 이긴다.
> ...
> 금강경 32분/응화비진분

과제: 금강경의 사구게 전부 외우기 @사구게: 사행으로된 짧은 문장

▪ 마음 닦기-노자(老子)

▪ 마음 닦기의 방법으로서 노자-도덕경이 선택되었습니다.

무엇보다 우리의 삶은 유교적 문화가 바탕이 되어 산봉우리를 중요시 여기는 문화로 지향되어 온 것 또한 사실입니다.

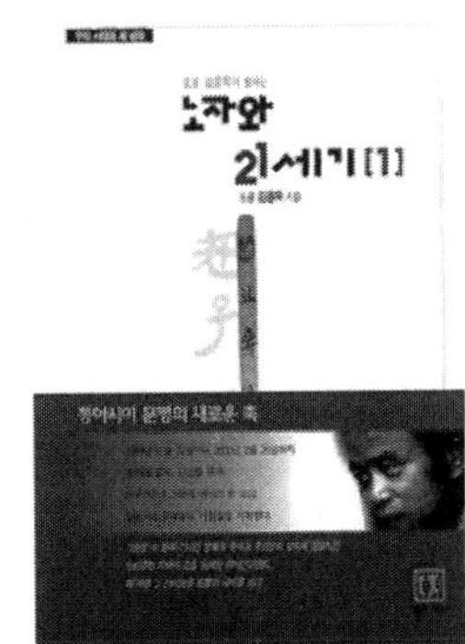

유교적 사상이 봉우리를 중시한다면, 도가적 사상은 (계)곡을 중심으로 합니다.

봉우리는 (계)곡의 존재로서 완성이 되는데 유교사상의 왜곡으로 혹은 위정자의 왜곡으로 곡을 무시하게 되므로서 우리의 삶은 균형을 잃게 되었던 것입니다.

아무리 부귀영화를 손에 쥐어도 마음이 불편하면 소용없는 것은, 마음의 공간 즉, 곡이 부족한 탓 입니다.

곡을 수행하는 이유는 봉우리를 버리는 것이 아니라, 봉우리들 더 잘 이해하고 다루기 위한 것으로서, 도덕경은 마음 닦기에 적절한 공부입니다.

우리는 유교사상의 핵심인 중용과 도교사상의 핵심인 도덕경으로 균형을 잡게 되고, 그 위에 돈 닦기를 수행 하므로서 이른 바 행복한 부자, 현명한 부자가 되게 됩니다.

노자와 21세기 - 1 도올 김용옥 (지은이) | 통나무 | 1999년 11월, 5,850원

표풍부종조: 飄風不終朝
취우부종일: 驟雨不終日

사나운 바람도 아침 나절을 넘지 않고. 거친 비도 하루를 넘지 않는다: 노자23.

@과제: 도덕경 81장의 제목을 외우고 쓰기, 81장중 마음에 드는 3장 외우고 쓰기

▪ 몸 닦기- 중용(中庸)

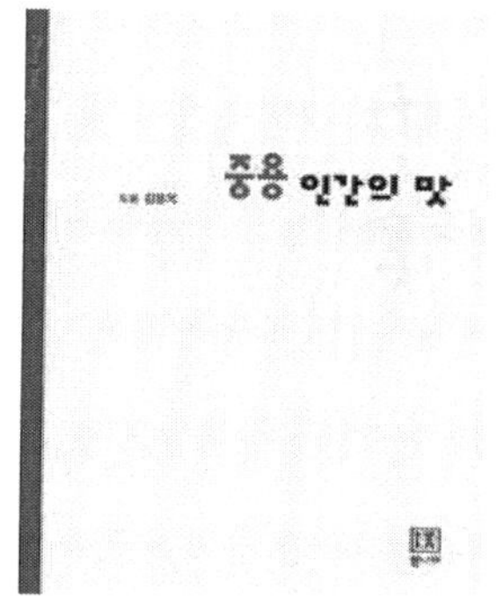

▪ 중용中庸을 글자 그대로 해석하면 '중' 을 '쓴다'는 말이며 중은 일반적으로 양 끝의 가운데, 상하의 가운데 등 모든 것의 가운데를 말하는 바 말하자면 '중심점', 혹은 '균형점'을 말하는 것이며, 모든 것이 시작되는 시작점을 말하기도 합니다.

중용을 몸 닦기의 자료로 하는 것은 우리의 목적이 삶을 다루는 것이고 삶을 다루기 위해서는 삶의 균형점 즉 중을 포착하고 다루어야 하는 것이기 때문입니다.

노자로서 마음을 닦는 것이 마음의 중을 잡고자 하는 것이라면, 중용으로는 몸의 중, 즉 현실의 중을 잡고자 하는 것에 다음 아닙니다.

우리 문화가 유교적 문화의 토대 위에 있다는 점에서 중용을 통한 몸 닦기는 앞으로 우리가 나아가야 할 삶에서의 균형을 확보하는 데 도움될 것입니다.

지성여신, 至誠如神

지극한 정성은 신과 같다.

중용 14

중용 인간의 맛 도올 김용옥 (지은이) | 통나무 | 2011년 9월 11,700원

@과제: 중용 33장의 제목을 외우고 쓰기
중용 33장 중 마음에 드는 장 3장 외우고 쓰기

▪ 돈 닦기- 탈무드

▪ 탈무드는 유태인의 지혜서라고 하며 경제, 철학, 예술 등 전 부분 걸친 유태인의 업적으로 인해 전세계에서 읽히고 있습니다.

우리가 아는 유명한 이들 중 특히 유태인이 많습니다.

빌 게이츠가, 스티븐 스필버거가, 아인시타인도, 프로이드도 유태인입니다.

그리고, 워렌버핏도 유태인이며, 돈의 철학을 쓴 G,짐멜도 유태인이며, 특히 금융, 경제계에서 탁월한 능력을 발휘하고 있는 사람들 유태인이 많습니다.

현대 자본주의가 미국식 자본주의라 한다면, 이것은 유태 자본주의라는 말과 같은 말입니다.

유태인은 현재 세계적으로 1500만 정도라고 하는 데, 이 작은 인구가, 세계를 특히 자본으로 세계를 지배하고 있는 데 그 결정적이 이유가 유태인인 돈을 다루는 탁월한 능력 때문이라 하며, 그 능력은 그들의 경전적 지혜서인 "탈무드"에서 비롯되었다고 합니다.

> @돈을 사랑하는 마음만으로는 부자가 될 수 없다.
>
> 돈이 당신을 사랑하지 않으면 안된다. 탈무드

▪ 자녀 교육에서, 돈을 벌고 쓰는 방법에 이르기까지 망라된 탈무드는 우리 입장에서 반드시 해야 할 공부임에 틀림 없습니다

더욱이 중국을 다루며, 다음 자본사회에서 우리의 역할을 제대로 해내기 위해서는 유태인의 지혜를 배워야 할 필요가 있습니다

돈의 철학이 철학적이라면, 탈무드는 실천적 입니다.

우리는 돈을 돌처럼 여기고, 유태인은 돈을 생명처럼 여긴다 합니다.
표현은 다르지만 같은 맥락이 있습니다.

돈에 대해 쉽고 비교적 빠르게 이해하기 위해 솔로몬 탈무드가 우리의 공부 자료로 선택되었습니다.

솔로몬 탈무드 이희영 (지은이) | 동서문화동판(동서문화사) | 2004년 8월 22,500원

➢과제: 탈무드의 내용 중 돈에 대한 부분 요약하여 암송하기

▪ 생업 닦기-치유농업과 프랜차이즈

▪ 생업 닦기

맥도날드는 버거 하나로 세계를 제패하고, 코카콜라는 설탕물 하나로 세계를 제패 했습니다. 탁월한 아이디어가 아니라 탁월한 의지에 의해 완성됩니다

....

우리가 충분한 수행을 했다면 이제 세상에 나아가야 하며 우리의 수행의 결과를 입증해야 합니다.

우리는 {반성하는 죄인은 죄짓지 않은 의인보다 도덕적 + 경제적 가치가 높다}는 사실을 신봉하며 이것은 무엇보다 **<u>건실한 생업을 통해서</u>** 증명해야 할 것입니다

우리의 생업은 우리 수행자가 할 수 있는 평균적인 업종이 선택되며, 우리 이후에도 뒤를 따를 많은 수행자들을 위해서는 '프랜차이즈화' 가 용이한 업종이 우선 선택될 것입니다

혹자는 프랜차이즈의 생존율이 5%이내라고 하지만, 우리는 수행자라면 장담컨데 90%이상 의 생존율을 장담할 수 있으며, 나아가서는 최고의 브랜드를 만들 수도 있을 것입니다.

생업 닦기는 다양한 종류의 프랜차이즈를 운영할 운영자의 공부와, 프랜차이즈 가맹점주 공부로 구분될 것인데, 겸사모에서 개발하는 #치유농장에서 공급되는 농작물을 바탕이 되기도 합니다.

농업 또는 전직 생업에서 어떤 식으로든 경험이 있다면, 적절성 평가 후 그 수행자가 우선적인 사업자로 선정될 수 있습니다

#치유농업은 회복에 도움이 필요한 사람들에게 농업적 방법으로 돕고자 하는 것인데 정부차원의 지원도 있을 뿐 아니라 6차 산업으로서 상업적 전망도 매우 높습니다

우리 수행자가 {치유대상}이 될 수도 있고, 치유주체가 될 수도 있으므로 치유대상 되었다가 치유주체가 되는 것이 이상적입니다.
우리 수행자를 위한 치유농업에 대해서는 이 책의 '다시 떠오르기' 편에서 설명됩니다.

치유농업에 내해 좀 너 알고 싶나면, 아래로 편시해서 사료 요성하면 노움됩니나.

[54875 전라북도 전주시 덕진구 농생명로 300 대표전화 063-238-1000]

▪ 과제:
- 프랜차이즈 시스템과 프랜차이즈 가맹점 공부하기
- 개별 희망 창업 업종 생각하기

❖ 집에 가자- 가석방생활 가이드

- 가석방이란 ?
- 가석방의 이유
- 가석방 평가기준 및 제외자
- 가석방의 기본조건-행형점수
- 가석방 시기와 출소일

반성이 부족한 만큼 강제 반성하게 되었다면
반성이 충분할 때 강제 반성이 중단되며,
중단된 만큼 가석방 됩니다.

참고 버티라. 그 고통은 차츰차츰 너에게 좋은 것으로 변할 것이다. 오비디우스

➢ 가석방이란?

가석방이란 교도소에 수용 중인 사람이 모범적인 수용생활로 형벌의 집행이 불필요하다고 인정되는 경우,

✓ 즉 모범적인 생활로
- **재범할 가능성이** 없다고 인정되는 경우
- 일정한 조건하에서
- 임시로 석방 하는 제도로서

✓ 형기의 2/3 이상이 경과된 수용자 중에서 적어도 S2급이 된 자를 기본적 대상으로

✓ 다음의 경우 가석방 우선대상자로 하고 있으며
- 직업훈련생으로 취업이 보장된 자
- 기능자격취득자,
- 기능경기대회 입상자,
- 각종 입학자격 및 졸업자격시험 등 합격자

✓ 그 외의 경우도 정도가 다르지만 대상이 될 수 있다.

형의 집행 및 수용자의 처우에 관한 법률
제72조 (가석방의 요건)
①징역 또는 금고의 집행 중에 있는 자가 그 행상이 양호하여 개전의 정이 현저한 때에는 무기에 있어서는 **10년, 유기에 있어서는 형기의 3분의 1을** 경과한 후 행정처분으로 가석방을 할 수 있다.

②전항의 경우에 벌금 또는 과료의 병과가 있는 때에는 그 금액을 완납하여야 한다.

➢ 가석방의 이유

아래 자료는 교정본부 사이트에 게재된 논문 "우리나라 가석방 제도의 효율적"운영방안(김일수)"을 참고 하였습니다. 가석방의 이유와 기능을 이해하면 가석방 받을 노력에 도움될 것입니다. 교정본부 : http://www.corrections.go.kr

- **건전한 수용생활 유도**

가석방 제도는 구금의 족쇄를 수용자에 맡겨 건전한 수용생활의 자발성을 유도할 수 있다.

- **재범방지 훈련효과**

모범적인 수용생활은 사회에서의 건전한 생활의 기초가 될 수 있으므로, 가석방 제도를 통해 수용자의 건전한 생활을 촉진하게 되어 결과적으로 출소자의 재범방지에 기여 하게 된다.

- **교정시설 질서유지**

가석방에 대한 기대는 자칫 무질서 해질 수 있는 자신을 통제할 수 있는 이유가 되고 따라서, 교정시설 내의 질서 유지에 기여하게 된다.

- **교정시설 경비절약**

징역의 이유는 수용자의 교화를 위한 것이므로, 수용자가 가석방 대상이 된다는 사실은 교화되었다는 사실이며 따라 조기에 출소시키는 것은 교화시설 및 제반 비용 절약효과가 매우 크다:

(수용자 1인당 2380만원의 비용을 절약 할 수 있음: 2013년 법무부 통계)

- **교정시설의 수용인원 조절**

가석방으로 수용자 초과 현상을 조절할 수 있어, 과밀로 인한 사고 위험 등을 줄일 수 있다.

> 아주 사소한 것이 우리를 위안한다.
> 마찬가지로 그것들이 우리를괴롭히기도 한다. : 미상

➢ 가석방 평가기준 및 제외자

- **가석방 평가 기준 (가석방 심사 등에 관한 규칙 제6조)**
  ① 동거할 친족·보호자 및 고용할 자의 성명·직장명·연령·직업·주 소·성격·자산·생활 상태 및 수형자와의 관계
  ② 가정환경
  ③ 접견 및 서신의 내용과 수발의 상황
  ④ 가정과 본인과의 감정관계
  ⑤ 피해자 및 그 가정과 본인 및 그 가정과의 감정관계
  ⑥ 석방 후에 돌아갈 곳
  ⑦ 석방 후에 있어서의 생계관계
  ⑧ 기타 참고사항

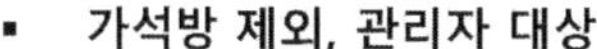

- **가석방 제외, 관리자 대상**
  - ✓ **제외자**
    - 살인죄, 강도죄
    - 성폭처법 대상자 및 강간죄
    - 청부폭력사범
    - 20억 이상 미변제, 미합의 경제사범
    - 가석방 후 3년 이내 재범자(과실범제외)
    - 가석방 기준일로부터 1년 이내 규율 위반하여 징벌 받은 자

  @ 벌금이나 과료, 추징금을 미납한 경우에도 제외됨

  - 관**리대상(형 집행 95% 이상: S1급+ 소장의 의견서 필요).**
    - 조직폭력범 및 범죄단체조직사범
    - 마약류사범(제14조 단서 해당자 제외)
    - 13세 미만 아동 및 친족 성폭력범
    - 가정파괴범
    - 미성년자 약취 유인 또는 매매 등 일체의 유괴. 매매사범
    - 사형에서 무기징역 및 유기형으로 감형된 자

오르막길만 넘으면, 내리막 길이 있을 것이다.: 미상

➢ 가석방의 기본조건-행형점수

▪ 가석방은 수용자의 출소 후 "재범하지 않을 가능성"에 근거를 두는데,
이 것은 기본적으로 수용생활 중에 행형 점수 즉 "규칙 어기지 않는 생활 등"이 기초적인 판단의 기준이 되며 다음 구분의 점수로 평가됩니다.

✓ 소행점수: 품행, 책임감 및 협동심 : 6점

✓ 작업점수: 근면성 및 작업성적 : 6점

✓ 상훈점수: 공로의 정도에 따라 : 3점

▪ 각 점수는
각 담당교도관이 평가하게 되나, 모든 수용자에게 똑같은 점수를 줄 수는 없고 수용자간에 분쟁의 소지가 있을 수 있으므로, 우선적인 가석방 대상이나 승급대상(S3->S2)이 되는 사람을 배려하여 작업 반장이 공정하여 조절하여 교도관에게 보고됩니다.

점수는 공정하게 부여되므로 규칙 어기는 일 없이 자기 생활을 잘 하면 점수에 신경쓸 필요는 없습니다

➢ 가석방 시기와 출소일

- 가석방이 결정되면 매월 30일에 출소
  - ✓ 2월에는 2월 마지막 날, (3.1절 가석방)
  - ✓ 석탄일 이 포함된 월에는 석탄일 전일,
  - ✓ 8월에는 광복절 전일,
  - ✓ 10월에는 교정의 날(10월28일),
  - ✓ 12월에는 성탄일 전일

  (해당일이 휴무일·공휴일인 경우 전일)

인간의 가치는 그 사람이 소유하고 있는 진리에 의해 측정되는 것이 아니라,
그 사람이 겪은 고통에 의해서 측정된다: 레싱

❖ 지혜로운 수발생활

- 들어가기
- 선처 받기 위한 노력
- 무엇을 어떻게 해야 하는지?
- 누구에게 도움 받을 것인가를 선택합니다
- 수발 필수 이용 사이트
- 국선변호사와 사선변호사
- 선처 받기 4단계
- 수발10계명

➢ 들어가기

이 가이드는 가족 혹은 친지, 지인이 구속되었을 때 어떻게 도움 줄 수 있는가 하는 수발자의 질문에 도움 드리기 위한 노력입니다.

현행범으로 구속되던, 조사.재판 과정에 구속되던 ,구속은 유치장 혹은 구치소 그리고 교도소 구속이 있습니다.

✓ 체포되었을 때 유치장에 구속되지 않기 위한 노력이 ,
✓ 유치장에 있을 때는 구치소에 가지 않기 위한 노력이,
✓ 구치소에 있을 때는 교도소에 가지 않기 위한 노력이,
✓ 그리고 교도소에 있을 때는 가능한 한 빨리 출소하기 위한 노력이 필요할 것입니다.

그러나 구속된 본인도 무엇을 어떻게 해야 할지 정확히 모르고, 구속된 사람을 수발해야 하는 사람은 당황스러운 상황에 처하게 되며 변호사가 없다면 더욱 당황하게 됩니다.

어떤 위급한 상황이 발작적으로 일어날 때 , 혹은 사람이 위급한 상황에 처해 지게 될 때 소위 {골든 타임}이라는 것이 있습니다

준비된 상태가 아닌 상황에서 구속되었을 때 역시 골든 타임이 있으며, 이 가이드는 구속된 위급한 상황에서 적절한 때의 적절한 노력은 적어도 더 나빠지지 않게 하는 데 큰 도움이 될 것입니다.

이와 같은 도움을 드리기 위한 이 가이드의 목적은 {오직 선처 받는 데 도움주기 위한 것이며}, 이를 위해 위 4단계에서 어떻게 노력해야 하는지 안내하여 드립니다.

이 가이드는, 우선 수발하는 사람의 어려움을 덜기 위한 것이고 나아가서 수발 받는 사람이 더 나빠지지 않고, 더 나아지는 데 도움되고자 합니다.

이 가이드는 현재 어려움 가운데 수발하고 있는 겸사모 회원, 그리고 수발 받고 있는 수행자들로부터의 다양한의견 그리고 변호사, 교도관의 감수에 의해 작성되었습니다.

엎어진 것은 일어서기 위한 것이며,
의인이 반성하지 않으면 죄인이 되는 것과 같이 죄인은 반성으로 이전보다 더 나은 의인이 된다고 합니다.

이 가이드가 수발하시는 분의
어려움에 조금이라도 도움되기 바랍니다.

➢ 선처 받기 위한 노력

변호사가 있든지 없든지, 준비되지 않은 상황에서 구속이라는 상황에 처하게 되면 본인 뿐 아니라, 수발하는 사람도 공황상태에 빠지기 일쑤이고 결과적으로 적절한 때에 적절한 조치를 하지 못해 작은 문제도 크게 만들게 됩니다.

이러한 문제는 형사적 상황을 겪어보지 못한 경우에 더욱 심하게 일어나는 바 문제를 더 나쁘게 하지 않기 위해서는 필수적인 몇 가지에 대한 이해가 필요하게 되는 데 **특히 선처 받을 목적이라면** 이러한 이해는 더욱 중요하며 수발하는 데 기본적 기준이 될 수 있습니다.

▪ **어떻게 선처는 이루어지는가.**

형법의 궁극적 목적은 범죄예방에 있는 것이고, 처벌의 궁극적 목적은 (합의를 제외한다면) 재범방지에 있게 되고, 따라서 처벌량(형량)은 재범가능성에 따라 좌우되게 되는데 재범가능성은 다음 두 가지 기준으로 판단 될 수 있습니다

첫 번째는 사건 발생일 이전의 피의자의 **과거 삶의 행적이며**, 재범가능성 평가의 토대가 될 것이고, 두 번째는 사건 발생일 이후의 피의자의 **미래 삶에 대한 의지가** 될 것인 데 첫 번째를 토대로 하여 두 번째의 평가로서 재범가능성이 평가될 것입니다.
(피해자와 합의는 순수히 금전 문제이므로 합의할 수 있는 경우에도 나머지 처벌에 대한 노력이 필요하며, 합의할 수 없는 경우는 더 많은 노력이 필요할 것입니다)

과거의 삶이 아무런 문제가 없었다고 하더라도 한 번 사건이 일어난 이상 향후에 재범하지 않을 것이라는 보장은 없으며, 반대로 전과 등 과거 삶에 문제가 있다고 하더라도, 향후에 반드시 재범할 것이고 간주할 근거도 없는 것이므로

결과적으로 과거가 어떻든 향후의 재범하지 않을 의지를 인정받는 것이 관건이 될 것이며 대개의 경우 이 의지는

- ✓ 진정성 있는 반성문 (변명없이, 동정 구함 없이)
- ✓ 증언적 탄원서 (고통과 반성에 대한 제3자의 증언이 있는 탄원서-가족 제외)
- ✓ 징벌적 봉사활동(반성적 차원에서 가장 힘든 봉사활동) 기록 등으로서 노력 될 수 있으며,

이러한 노력을 인정받는 만큼 선처도 주어지게 되는 것은 형법의 목적상 자명한 사실이 될 것입니다.

한편 처벌은 반성을 강제하는 과정인 바 결국 형량은 강제 반성의 양을 정하는 것이므로 강제 반성의 양이 정해지기 전에 인정된 자발적 반성은, 처벌에서의 강제 반성보다 나은 것인 한편 처벌에 소요되는 비용도 절약하게(년 2,500만원이/2015년 기준) 되므로 반드시 선처 받게 되는 것임을 이해할 수 있는 것입니다.

당사자가 유치장에 있던지, 구치소에 있던지 혹은 교도소에 있던지 관계없이 수발하는 사람이 이와 같은 처벌의 목적과 선처과정을 이해한다면 고통과 혼란을 줄일 수 있을 것이며, 나아가서는 필요한 도움도 (무상으로) 받을 수 있을 것입니다.

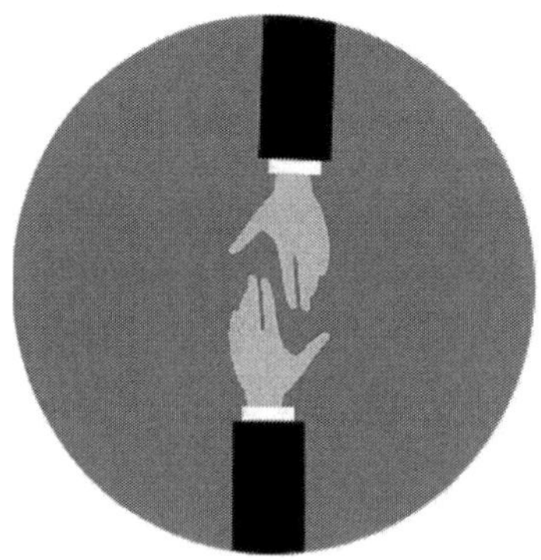

➢ 무엇을 어떻게 해야 하는지?

▪ **방향을 선택합니다. (선택할 수 없다면 도움 받을 사람을 먼저 선택합니다.)**

만약 가족, 지인이 구속되었다면 가장 먼저해야 할 것은 혼란 피하기 위해 사정이 된다면 변호사와 상담해야 할 것이며, 사정이 어려울 경우는 네이버 지식인 등의 사이트에서 도움을 청하는 것도 도움될 것입니다.

그러나 전혀 지식이 없는 상태에서 얻는 도움은 올바른 도움인지도 알 수 없어, 혼란만 가중되며 더욱이 , 피의자, 범죄자라는 입장에서는 올바른 도움을 얻기도 어렵다는 사실도 인정 해야 합니다.

그러므로 도움을 청할 때 최선은 아닐지 몰라도 최악을 피할 수 있는 방법으로서 다음 2가지 중 1을 선택해야 합니다.(변호사가 있다면 보험 차원에서 둘 다 선택할 수도 있을 것입니다)

① 혐의를 인정하고 노력하여 선처 받을 것인가
② 혐의를 일부라도 부인하여 형을 줄일 것인가

①의 경우라고 올바른 인정이라면 이 가이드로부터, 그리고 겸사모로부터 많은 도움을 얻을 수 있으며 ②의 일부 부인의 경우 부인이 증명되지 못할 경우 허위진술이 될 수 있고 따라서 재범가능성이 높다는 이유로 오히려 가중처벌 될 수 있으므로 매우 유의해야 하며

한편, 일부 무죄라 하더라도 선처 받을 목적이라면 전부 유죄의 태도로 선처 구하는 것이 일부유죄의 태도로 선처 구하는 경우보다 선처 받을 수 있는 더 현명한 선택임은 조금만 생각해보면 알 수 있는 일입니다. (일부 무죄가 되는 부분이 있을 경우 내가 주장하지 않아도 사실로서 인정될 경우 참작될 것입니다.)

➢ 누구에게 도움 받을 것인가를 선택합니다

만약 상황이 발생했다면 우선 누군가로부터 도움을 받아야 하는 데, 피해자를 위해서는 기본적으로 경찰, 검찰이 있고 법률구조공단 등도 있지만 피의자를 위해서는 변호사 밖에 없는 현실이고 지불할 비용이 있다면 변호사로부터 도움을 받을 수 있으나 경제적으로 어려운 피의자는 아무에게도 도움 받을 수 없게 됩니다.

더 나은 도움처를 발견하기 전에는 우선 노란리본 카페의 봉사활동 단체인 '겸사모' 로부터 도움받은 것이 좋습니다 (* 모든 도움은 무료입니다)

{ 겸사모: 겸손을 수행하는 사람들의 모임}

http://cafe.naver.com/NoranRibbon

➢ 수발 필수 이용 사이트

✓ **형사사법포털 사이트: http://www.kics,co.kr**
법무부에서 운영하는 조사.재판과정의 진행상활을 파악할 수 있는 사이트 입니다, 본인의 공인 인증서가 필요합니다.

✓ **법무부 교정본부 사이트:**
http://www.corrections.go.kr
본인이 구치소, 교도소 접견 등에 대한 제반 필요한 서비스와 자료 를 제공하고 있으니 구치소, 교도소에 구속된 경우라만 가장 많이 도움 받아야 합니다.

➢ 국선 변호사와 사선 변호사

▪ **사선변호사**

변호사에 대해서는 이 책의 {변호사 이야기}에서 상세히 설명했으므로, 여기서는 간략하게 말씀드립니다.

언제나 주의해야할 것은 변호사가 있다고 하더라도 결과에 대해 책임지는 것은 아니므로 본인 해야 할 일은 반드시 해야 한다는 것이며, **특히 선처 구하는 방향을 선택한 경우라면** 본인의 노력이 더욱 중요해지며 본인의 이러한 노력으로 변호사의 노력은 더욱 온전한 결과를 낳습니다.

그러므로 선처 받는 방향을 선택한 **경우는 선처노력을 중요시 여기는 변호사를 선택하는 것도** 도움될 것입니다.

변호사를 선임하는 경우에 특히 주의할 것은, 앞에서도 말한 바와 같이 피의자로서 사건 의뢰는 일정한 경우 혐오증이 동반될 수 있으므로 공손하고 겸손한 태도로 의뢰하는 것이 변호사의 최선의 노력을 이끌어 낼 수 있는 방법이라 할 수 있습니다.

▪ **국선변호사**

국선변호사는 일정한 경우 법원에서 지정하게 되는 데 간단하고 완전히 인정하는 사건에서는 신청해도 받아들여지지 않으나 일부라도 부인할 경우 혹은 복잡한 사건인 경우 법원에서 지정하게 됩니다.

국선변호사도 역시 사선변호사와 같은 변호사이며 국선변호사에게 성실하게 최선을 다하게 되면 사선변호사보다 나은 서비스를 받을 수 있으며 때로는 저급한 사선변호사 보다 나은 경우도 있으니 참고하시기 바랍니다.

- **합의와 양형자료: 반성문, 탄원서, 봉사활동 등**

✓ **합의와 합의금**

합의는 처벌 전체의 50% 전후를 좌우하는 중대한 요소이고, 합의금은 실제피해금액과 정신적 피해액을 합산한 금액을 말하는 데, 정신적 피해금액은 일률적으로 산정하기 어려운 일이지만 일반적으로 교통사고에서 치료비를 제외하고 진단 1주당 70만원 전후의 합의금 관행이 있다는 점을 참고할 수 있습니다.(평균적인 폭행사건의 경우)

✓ **반성문 등**

재범가능성을 평가하는 한편 선처의 양을 정하기 위한 자료로서 반성문 등은 합의 외에 처벌 전체의 나머지 50%를 좌우는, 때로는 전부를 좌우하는 합의 이상으로 중대한 요소로서 다음3가지로 구성됩니다.

- 반성문(반성형 진술서, 자백형 반성문, 고백형 반성문)
- 탄원서 (반성하고 있다는 제3자의 증언적 내용이 있는 탄원서)
- 봉사활동, 기부. 기증 등의 증명서로 구성됩니다.

@돈으로 해결해야 하는 합의금을 제외한다면, 진정성있는 반성은 함의 이상으로 중대한 선처요건이 됩니다.

➢ 선처 받기 4단계

선처 받는 과정에 대해 앞에서 자세히 설명했으나, 수발자를 위해 다시 간단히 설명 드립니다 선처 받을 노력은 기본적으로 4단계로 이루어지게 되며 첫 단계가 잘 이루어지게 되면 형량을 정하는 마지막 단계까지 순조롭게 진행될 수 있습니다.

1단계: 피해자로부터의 선처(사죄문)

피해자로부터의 선처는 합의금이 전제가 되는 것이기는 하나 합의금 지불 능력이 부족 하다고 하더라도, 합의하려고 애쓰는 태도는 중요하며, 합의서는 받지 못한다고 하더라도 처벌 불원서 혹은 탄원서를 받는 것은 크게 도움될 수 있으므로 피해자에 대한 사죄문 등의 제출은 필요합니다.

2단계: 경찰로부터의 선처(반성형 진술서)

경찰단계에서는 조사관으로부터 선처 받을 노력이 필요합니다, 조사관단계에서는 피의자의 인적사항에서, 사건의 경위, 피의자의 태도, 합의 등에 대한 기초적이고 종합적인 조사가 이루어지고 조사 후 조사관의 의견은, 사건이 검찰로 송치될 때 반영되고 대개의 경우 조사관의 의견은 받아들여지게 되고 형량을 결정할 때 기초자료가 되므로 **조사관에게 선처 받는 것은 매우 중요한 일입니다**.

3단계:검찰로부터의 선처(자백형 반성문 + 탄원서 등)

사건을 경찰로부터 송치 받은 검찰은 검사의 판단에 따라 보강 혹은 추가 조사를 하게 되는 데, 이 단계에서 본격적으로 노력되어야 하며,**기소 결정하기 전까지 반성문과 탄원서 등이 제출되는 것이 좋습니다.**

4단계: 법원으로부터의 선처(고백형 반성문 + 탄원서 등)

기소가 되었다면 1개월 전후하여 1심 공판이 시작되고 특별한 사건이 아니고 부인하는 사건이 아닌 경우 보통 2회 공판으로 종료되므로 기소된 후 3개월 전후하여 종료됩니다

(물론 이경우도 더 걸리거나 덜 걸리기도 하지만 대개 1심은 6개월 기간으로 마무리됩니다)

이 단계에서 제출하는 자료는 고백형 반성문+ 탄원서가 좋으며 재판날 7일 전까지 제출 하는 것이 좋습니다.

➢ 수발 10계명

①골든 타임을 놓치지 말아야 합니다.

모든 경우에 최적이 효과를 얻을 수 있는 골든 타임이 있습니다, 유치장에 있을 때, 구치소에 있을 때, 그리고 교도소에 있을 때 각각의 경우에 선처 받는 데 적절한 시기가 있기 마련인데 이를 놓치면 선처 받기 어려우니 놓치지 않도록 해야 합니다.

②슈퍼맨(우먼)이 되어야 합니다.

조사.재판의 과정에서 대개 구속되는 상황 자체를 상상하기도 싫어하여 적절한 준비도 하지 않던 중 막상 구속되면 본인은 물론이고 수발자는 당황하게 됩니다.

이 때 구속된 사람은 전적으로 수발자에게 의존할 수 밖에 없으므로 배우자, 특히 아내의 굳건한 태도는 남편이 수감생활 잘 살아내는데 큰 힘이 되는 한편, 피해자 합의, 선처 받을 노력 등의 도움에 크게 의존하게 되므로 아내는 벅차더라도 슈퍼우먼이 될 의지를 다져야 합니다..

③현혹되지 말아야 합니다.

배우자가 구속되면 법률적 무지로 주변사람들에게 도움을 청하게 되지만, 올바른 도움을 얻기는 어렵고 한편 구속된 사람이 같이 수감된 사람들로부터 얻는 조언은 엉터리가 많으므로 이에 현혹되지 말고 변호사 교도관, 혹은 겸사모에 문의 하시면 최선의 도움을 얻을 수 있습니다.(겸사모의 도움은 무료입니다)

④지푸라기를 동아줄로 만들어야 합니다.
흔히 치푸라기라도 잡는 심정으로 도움을 청한다고 합니다.
그러나 지푸라기가 모이면 동아줄이 되므로 적극적으로, 진정성 있는 마음으로 도움을 청하면 지푸라기가 동아줄이 됩니다.

⑤지성여신: 至誠如神.
정성이 지극하면 신과 같아진다고 합니다, "지성이면 감천"과 같은 의미 입니다.조사재판 단계에서의 선처든, 교도소에서의 선처든 **정성 지극한 수발은 불가능도 가능케 하니**. 정성들일 방법을 연구해야 합니다.

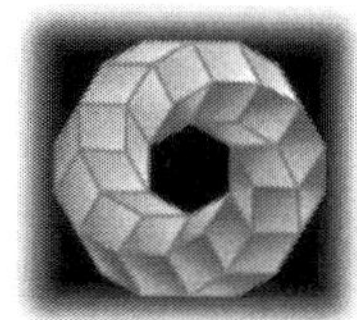

⑥믿을 사람은 자신 밖에 없습니다.
평소 때는 길을 가다 넘어지면 여러 사람이 도와주지만 형사문제에서는 도와주기는 커녕 비난하고 질책합니다(원망하지 말고 감수해야할 일입니다)

변호사가 있던 없던, 도우는 사람이 있든 없든, 모든 과정에 있어서 선처 받을 노력은 오직 스스로의 노력 으로 이루어지는 일입니다 모든 주변의 도움은 그저 도움일 뿐이고 진정성 있는 스스로의 노력만이 스스로와 가족을 구하는 힘이 됩니다.

⑦죽으려면 살고 , 살려면 죽습니다.
강을 건너기 위해 배를 탓다면, 강을 건너고 나서는 배에서 내려야 하듯이, 처벌이 두려워서 시작한 노력이지만 처벌을 두려워하는 마음을 버려야 선처가 결과됩니다.

처벌을 두려워하는 마음은 처벌을 피하려는 마음이고, 피할 수 없는 처벌을 피하려고 하면 더 큰 처벌이 따라옵니다..
그러므로 처벌을 피하려는 마음, 두려운 마음은 내려놓고 무엇이 문제인지 알아내고 같은 잘못을 반복하지 않을 방법을 찾아 내면 처벌은 적어지게 됩니다.

⑧요행심과 변명과 동정심 구하기는 '독약'입니다.

처벌의 궁극적 목적은 재범방지에 있으므로, (합의하거나 하지 못하거나에 관계없이) 형량은 재범가능성에 따라 좌우됩니다. 그러므로 형량을 정하기 위한 조사.재판 과정은 엄격한 법률적 과정이고 요행심이나, 변명이나 동정심을 구하는 행위는 재범가능성이 높다고 판단케 할 수 있으므로 명백히 독약입니다.

⑨절반의 죄인임을 인정해야 합니다.

남편의 성공하면 아내의 공이 절반이상이 되는 것과 같이 남편의 실패에 아내의 책임도 역시 절반 이상이므로, 아내는 절반의 죄인임을 인정해야 합니다. 이렇게 하므로서 남편을 덜 원망하게 되고 결국은, 좀 더 많은 선처를 가능 하게 합니다.
가족은 민법상 상속비율 만큼 책임이 있습니다.

⑩ 수행하는 태도가 되어야 합니다.

유치장에 있을 때는 구치소에 가지 않게, 구치소에 있을 때는 교도소에 가지 않게 , 교도소에 있을 때는 가능한한 빨리 나오게 하는 것이 목표가 되지만 , 궁극적인 목표는 유치장이든 교도소든 다시 가지 않는 것입니다.

무엇이 다시 가지 않을 방법인가? : 수형을 수행상황으로 만들어 합니다.

오직 수형을 수행으로 전환시키는 것만이 다시 가지 않을 최선의 방법인 동시에 올바르게 다시 시작할 수 있게 되고, 그래서 전화위복의 선택이 됩니다.

❖ 교도관과 함께

- 교도관, 그들은 누구인가
- 교도관이 말하는 징역 잘 살기 10훈

[예미, 장선숙 지음: 왜 하필 교도관이야]

➢ 교도관, 그들은 누구인가

▪ **사전적 의미**

교도관은 교도소나 구치소에서 재소자들을 통제, 교화 등의 직무를 수행하고, 교도소를 유지하는 일을 하는 공무원을 말하며 . 국가에서 공무원으로 채용하나, 사설 교도소(소망교도소)는 **민간인** 신분의 교도관(원)이 근무합니다.

이전에는 '교정직', '교화직', '분류직'으로 구분하였으나, 2010년대에 '교정직 공무원'이라는 단일 직렬로 통합 되었습니다. 이외 의료, 기계, 시설 등 직 공무원들은 ' 교정직원'입니다

▪ 교도관이 되는 법

교도관이 되기 위해서 학력에 제한은 없으며, 만20세이상 공무원 결격 사유가 없는 사람이면 됩니다. 특별채용의 경우 상담심리,사회복지 등의 전공자면 유리합니다,

교도관은 공무원 채용시험을 통해 선발되며 교도관 업무의 특수성이 있어 체력검사가 실시됩니다. 필기시험 합격자를 대상으로 4가지 종목을 측정하여 최종 교도관 합격자로 선발됩니다.(20m왕복 오래 달리기, 악력, 윗몸 일으키기, 10M 2회 왕복달리기)

▪ **교도관의 수**

2018년: 1만5,999명
2019년: 1만5,934명
2020년: 1만9,481명
#자료: 2021, 교정통계 연보

• **교도관의 보수**

하위(25%) 3,702만원,
중위(50%) 4,246만 원,
상위(25%) 5,317만원
※ 위 임금 정보는 직업당 평균 30명의 재직자를 대상으로 실시한 설문조사 결과 통계치임. 재직자의 경력, 근무업체의 규모 등에 따라 실제 임금과 차이가 있을 수 있음
#자료: 잡코리아

▪ **교도관의 업무**

1. 수용자의 구금 및 형의 집행
2. 수용자의 지도, 처우 및 계호(戒護)
3. 수용자의 보건 및 위생
4. 수형자의 교도작업 및 직업능력개발훈련
5. 수형자의 교육・교화프로그램 및 사회복귀 지원
6. 수형자의 분류심사 및 가석방
7. 교도소・구치소 등 교정시설의 경계(警戒) 및 운영・관리
8. 그 밖의 교정행정에 관한 사항

#자료: 교도관 직무규칙 제2조 (정의)

- **교도관의 위상: 성직자와 법관의 중간**

조사, 재판, 구속, 출소로 이어지는 형사과정에서 마지막 부분, 형을 집행하는 교도관은 형사과정에서 재범방지라는 가장 중요한 업무를 담당하고 있으나, 미숙한 사회 상황으로부터 가장 중요함에도 불구하고 충분히 인정되지는 못하고 있습니다

그러나 최근 범죄의 사회적 책임이 재인식됨에 따라 징벌적 처벌이 아니라, 교화적, 치유적 목적으로서의 처벌로서 전환되고 있고 실제로 재범방지라는 형법적 목적에도 징벌적 처벌보다 교화. 치유 목적의 처벌이 더 효과적이라는 점이 증명되고 있으며,

나아가서는 가치회복을 중심으로 하는 '회복적 사법'이라는 바람직한 상황의 진전을 고려할 때 , 재범방지는 반성적 수형 생활로서 달성될 수 있을 뿐 아니라, 반성적 수형 생활은 곧 수행이 되고

이로부터 이전보다 더 나은 경제적 도덕적 가치를 얻게 할 수 있다는 점에서, 수행처의 법사역할로서 도덕적 가치회복을 도우고, 출소후의 경제적 가치 회복도 도우게 되는, 이러한 일들은 오직 교도관만이 할 수 있으므로 교도관의 위상은 성직자과 법관의 중간쯤에 위치하게 될 것으로 보입니다.

- **교도관에 대한 정책적 과제**

간디가 " 한 나라 감옥이 죄수에 대한 태도는 그 나라의 발전, 문명, 민주 정도와 정비례된다" 라고 말한 바와 같이 이른 바 죄수의 도덕적 경제적 가치회복을 위해 노력하기 위해서는 이 노력의 중추인 교도관에 대한 처우개선 및 능력 함양이 필요하고 이를 위해 우선은 특정직 전환과 함께 교도관 대학(원) 등이 필요해 보입니다

➢ 교도관이 말하는

징역 잘 살기 10훈

- 제1훈 모든 길은 교도관으로 통한다
- 제2훈 징역 계획을 수립하자
- 제3훈 튼튼한 몸에 튼튼한 정신
- 제4훈 가족을 잃지 않아야 한다
- 제5훈 징역은 죄 값의 일부다
- 제6훈 가까이 하면 사고 난다
- 제7훈 자존심은 독약이다
- 제8훈 감사는 감사할 일 부른다
- 제9훈 감추면 커지고, 드러내면 작아진다
- 제10훈 수형을 수행으로

신은 자기 스스로 높은 자리에 앉은 자를 낮은곳으로 떨어뜨리며, 스스로 겸손한 자를 높이 올린다.: 탈무드

교도관이 말하는, 징역 잘 살기 10훈(訓)

⁎ 우리가 자발적 수행을 할 때는, 수행을 도우고 인도하는 선생님이 있기 마련인 데 , 불교적 수행해서는 법사님이 선생님 역을 하게 됩니다.

수행의 상황이 아닌 상황에서 법사님은 한량없이 자애롭고 자비심이 충만 하지만, 수행의 상황에서 법사님은 자비로운 바로 그 만큼 엄격하게 됩니다.

아버지는 자식을 이기기 못하기 때문에 자식의 교육을 선생님에게 맡기게 되는 데, 선생님은 제자를 목표에 도달시키기 위해 오직 엄격함으로 일관하게 되며, 수행의 목표에 도달하는 데 아무리 사소한 문제도 결코 소홀히 하지 않게 됩니다.

...

강제수행의 상황에서는 교도소가 수행처이며, 따라서 교도관은 법사님이며 선생님이 됩니다.(실제로 원래 교도소는 수행처와 같은 구조를 가지고 있습니다)

우리가 판사에 대해 늘 " 존경하는 판사님" 이라고 하는 것은 판사 개인 인격이라기 보다 죄를 가리는, 존경 받아야 할 그 직위에 대한 것입니다.
따라서 교도관은 그 개인이 아니라, 수행을 독려하고 인도하는 직위에 있으므로 선생이며, 법사의 위치에 있으므로 우리는 "존경하는 교도관님" 이라 해야할 것입니다.

이 글, { 교도관이 말하는 징역 잘살기 10훈}은, 23여 년을 교도관으로 봉직하면서 많은 수행자들의 힘이 되어 주었고, 앞으로도 도움 되어주고자 애쓰는 유환창 교도관님이 수행을 도우기 위해 직접 작성한 글입니다.

귀한 글에 감사 말씀 드리며, 이 기회를 빌어 전국의 수행처 교도관님에게도, 우리 수행자를 대신하여 그리고 국민의 한 사람으로서도 감사의 말씀 드립니다.

▪ 제1훈: 모든 길은 교도관으로 통한다.

교도소 운영의 중추는 교도관이며, 교도관의 목적은 수용자들이 수행의 태도를 고취시키는 데 목적이 있으므로 교도소에서의 무슨 일이건 교도관과 상의하면 길이 있기 마련이다.

교도소에서 시행되고 있는 이송, 가석방, 훈련생 선정 등 자신이 궁금한 사항이 있으면 동료 수형자들에게 묻지 말고 반드시 담당 교도관과 상의 하자

동료 수형자들이 알고 있는 지식은 원칙이 아니라 편법이 많다.

- 징역을 오래 산 수형자 일수록 자신을 과시하기 위하여 과장하는 경우가 허다하다.
- 동료 수형자에게 물어보더라도 반드시 담당 교도관에게 확인하록 하자
- 교도관은 엄격해야 하는 입장이므로, 어려워 보이더라도 한 번 안 되면, 두 번 세 번이라도 교도관에게 문의해야 한다.

▪ 제2훈: 징역 계획을 세우자

사회생활에서는 이런 저런 일로 몸과 마음을 건전하게 간수하기는 참 어려운 일이며, 대개는 온갖 욕망에 치여 몸과 마음이 오염되고 급기야 몸과 마음은 성인병의 창고가 되기 일쑤다.

그러나 징역생활에서는 몸과 마음의 건강을 회복할 수 있을 뿐 아니라, 오히려 더 나아지게 할 수 있는 데, 교도소의 목적이 수형자의 교화에 있기 때문이다.

영어공부에서, 대학공부까지 무엇이든, 하지 못했던 공부들, 기타치기에서 그림그리기까지 배우고 싶었던 취미들,서예에서 도예까지,더욱이 목공, 컴퓨터 등 생업에 필요한 기술들 까지 배울 수 있다.

이 다양한 것들을 무상으로 배울 수 있다는 것은, 사회생활에서는 시간적 문제로도 어려웠지만 이제 배울 수 있다.

계획을 수립하여 차근차근 배우는 것은 수형 생활을 값진 생활로 바꾸게 되며 계획을 세우지 않으면 징역생활은 고통이며, 징역일 뿐이고 많은 다른 경우에서 보듯이 징역에 오기 전보다 더 나빠지게 된다.

계획을 세우자.

▪ 제3훈: 튼튼한 몸에 튼튼한 정신

자신이 교도소에 들어온 이유를 잘 생각해 보자! 이 시점에서 자신이 들어오지 않았다면 어떻게 되었을 것인가를 다시 한번 생각해 보라. 어쩌면 더 크게 일이 벌어지기 전에 이 정도에서 정신차리라고 **조상님(신)이 한번 경고를 주었다고 생각하라!**

징역오기 전까지 생활을 한번 돌아 보라. 예를 들면 매일 향락에 빠져, 가족들은 돌보지 않고 일을 핑계 대면서 자신의 인생을 허비하지 않았는지. 아마도 계속 그렇게 살면 몸과 마음의 건강에 문제가 생길 것이다라고 생각이 들지 않는지 생각해 보라

일단 징역에 들어오면 술과 담배를 하지 못한다. 사회에서는 돈 주어가며 해야 하는 것을 어쩔 수 없이 하게 된다.금연 때문에 죽었다는 수형자는 아직 없다.

규칙적인 생활이 가능하다. 일과표에 맞추어 운동이나 취미생활도 할 수 있다. 몸을 튼튼하게 할 수 있다.

바쁘게 움직이는 사회와는 다른 것이 징역생활이 그렇게 타이트 하지는 않다. 자신과 주위를 한번 돌아 볼 수 있다.

온전히 자신에게 투자 할 수 있는 시간이 주어진다. - 평생을 살면서 갖기 힘든 시간이다.- 마음껏 독서 할 수 있다.

"피하지 못할 고통은 즐겨라"는 말이 있지 않은가 어차피 징역사는 것 헛되지 않게 살자 하고 다짐하자

몸과 마음이 튼튼해졌다면 거의 저절로 다시 일어선다

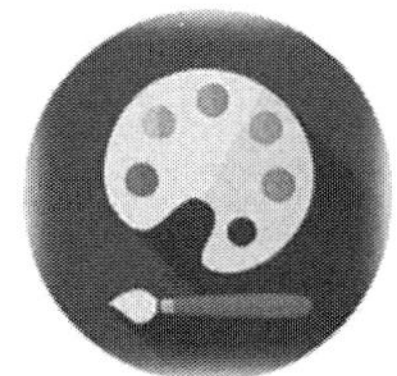

▪ 제4훈: 가족을 잃지 말자

돈, 명예, 자존심 등을 잃더라도 가족은 잃지 말자. 돈이나 명예 등은 나중에 다시 찾을 수도 있지만 가족을 한번 잃어버리면 되돌릴 수 있다.

명예를 잃으면 많이 잃는 것이고, 건강을 잃으면 전부 잃는 것이라 라는 말이 있지만 명예가 없어도, 건강이 나빠져도 다시 회복의 기회를 가질 수 있는 것은 가족이 있는 경우이다.

생각해보자 지금 나이에 어디 가서 부모님, 아내, 자녀들을 구할 수 있을 것 같은가? 징역을 사는 것도 서러운데 가족까지 잃는다고 생각해 보라! 인생이 얼마나 비참하고 허망한 것일까를!

가족 관계를 원만하게 유지하지 않으면 출소하여서 새 출발 하는데도 장애가 될 수 있다,(가석방에도 매우 감정요소이다)

수형자들이 가장 두려워하는 것 중의 하나가 이혼서류가 도착하지 않을까 고민한다.

담 안에 있더라도 항상 자신을 수발해 주는 가족에게 감사 의 마음을 마음속으로 가지고 있지 말고, 편지 전화 등으로 표현하자

가족들이 10분 면회 왔다가 간다고 생각하면 안 된다. 아침부터 면회하기 위해 얼마나 서둘러야 하나! 더운 날을 애써 수시간을 들여 도착하여 10분 면회하고 또다시 생활 전선으로 간다고 생각해 보라. 가족이 얼마나 고마운가

내 사정을 내세우지 말고 가족의 애로를 먼저 생각하자 가족은 본전을 넘어서 엄청난 이익이다, 가족을 놓치지 말자.

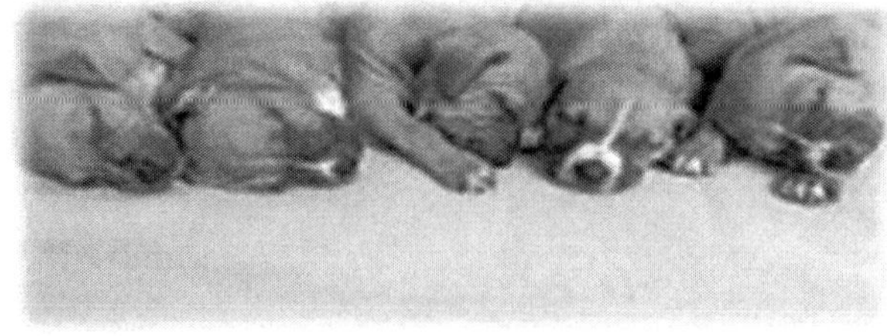

▪ 제5훈: 징역은 죄 값의 일부다

나머지는 스스로 치러야 한다.
징역의 형기만 살면 그 동안 지었던 죄 값을 다 치루었다고 생각한다면 그것은 잘못된 생각이다. 피해자가 국가이던 사회이던 개인이던 자기로 인하여 피해를 보았다. 시간이 지나간다고 해서 꼭 피해가 회복 된다는 보장이 없다.

이 세상에 공짜는 없다. 자신이 지은 죄는 반드시 갚아야 한다. 그렇지 않으면 내가 받지 않더라도 자식이나 부모에게 피해가 온다. 마치 질량 보존의 법칙처럼 작동한다.

피해자로부터 용서를 받는 것이 가장 좋으나 그것이 뜻대로 되지 않는다고 해서 모른 척 하면 안 된다

범죄피해자지원센터에 수형 생활하면서 모은 돈을 기부 할 수도 있고 다른 단체에 후원을 할 수도 있다. 이런 마음을 내는 것이 자신을 보고 반성하는 지름길이 될 것이다.

형식적으로 징역을 마쳤다고 하여 자신의 죄 값을 치른 것이 아니 진정한 반성과 노력이, 그리고 결정적으로는 건전하게 일어 설 수 있어야 온전히 죄값을 치른 것이라 할 수 있다.

죄인이 단순히 처벌만으로 속죄되는 것이 불가능하다는 사실은 형벌을 마친 후에도 감수해야 하는 지속적인 모욕과 불신에서도 잘 나타난다. 짐멜 509

▪ 제6훈: 가까이 하면 사고 난다

가까이 하기엔 너무 먼 당신.

수형자들끼리 하는 말로 "감방동기"라는 말이 있다. 수용시설 내에서 같은 방, 같은 작업장에서 몇 개월, 몇 년을 같이 동고동락하다 보니 정이 들기 마련이다
대부분 수형자는 출소하게 된다. 이렇게 서로 의지하며 생활하다 출소하면 서로 연락하고 지내는 것은 인지상정이다. 출소하면 서로 만나서 옛날 감방동기 시절 추억도 이야기하지만 먹고 사는 문제도 서로 상의하게 된다.

전과자들 끼리 모여서 무엇을 도모한다 한들 과연 교도소에서 했던 말처럼 그렇게 아는 사람이 많고 말처럼 돈 벌기 쉬운 일이 있을까? 전혀 그렇지 않다. 이 사실을 뉘우칠 때가 되면 이미 발을 깊숙히 담구게 된다. 때는 늦었다. 후회한다. 또 다시 실망하면서 자책하게 된다. 수형자들이 출소하여 감방동기끼리 무슨 일을 같이 하다가 후회하는 일반적인 결과다

다른 도움 없이 전과자라는 불리한 입장의 사람 둘이 만나면 2배로 불리하게 되고 결과는 불 보듯 명백하다.

출소자 4명중 1명이 다시 징역 간다는 사실은 자신의 불리한 상황을 극복하지 못하고 실패하기 때문이다.(게다가 공범이 되면 처벌도 가중된다)

기회로 보인다고 하더라도, **충분히 준비되지 않았다면 함정일 뿐이다.** 뭔가 새로 시작해야 한다면, 이 역시 교도관과 상의하거나, 도움 받을 수 있는 단체에 도움을 청해야 한다. 사실, 당신이 수형 생활을 수행생활로 전환시켜 내었다면 당신은 누구 보다 훌륭한 인재이거나 사업가가 될 수 있다.

▪ 제7훈: 자존심은 독약이다

자존심은 대개 열등감의 위장이다.
이른 바 배우지 못한 사람, 혹은 배웠더라도 잘못 배운 사람의 공통된 문제는 열등감이며, 이 열등감을 감추기 위한 것이 바로 자존심이다.

드러난 죄명은 사기, 폭력, 절도 등이지만 그것의 내면을 들여다보면 겸손하지 못하고 자신의 자존심을 지키려다가 징역을 사는 경우가 많다.

헛된 자존심은 자신을 해치는 독약이며 내면의 독사와도 같다.

교도소에 들어와서도 겸손하지 못하고 자존심을 내세우다 동료 수형자와 교도관으로부터 사이가 나빠지고 급기야는 마음의 문을 닫고 매사에 불평불만으로 손가락질 받으며 힘들게 살아가는 수형자가 있다. 이런 여파는 밖에 있는 가족들에게도 영향을 미칠 수 밖에 없다.

자신의 자존심을 버리고 남을 배려하고 감사하는 마음을 가지고 징역생활을 하자!
징역은 사실(강제)수행이다.

눈 앞의 조그마한 이익 정도는 양보하고 배려하라 그러다 보면 오히려 자신에게는 더 큰 기회가 온다.

모든 일에는 때가 있기 마련이다.
수형 생활을 하면서 다른 사람과 경쟁 해야할 때가 있다.
그럴 때는 지금 이 때 이것(승급, 이송, 가석방, 훈련생, 교육생 선정 등)을 꼭 해야 되나 생각해보고 굳이 다른 사람과 등을 지면서까지 이 시점에서 해야 할 시점인지 고민해보고 결정해야 한다.

▪ 제8훈: 감사는 감사할 일을 부른다

감사하는 마음 감사할 일을 불러온다.
어떤 일에 감사하게 되면 자꾸 감사할 일이 생긴다고 한다. 감사하는 태도는 겸손의 태도와 함께 삶의 양 날개이다.

이른바 죄인으로 낙인 되면 가족이든 친구든 접견오는 사람에 그동안 표시하지 못했던 감사를 적극적으로 표현해야한다.

구속되면 자유의 소중함을 알 듯이 또한 가족과 주위사람들의 소중함을 알게 된다. 또한 평소의 내자신 평소의 인간성이 어땠는지 대해 알게 된다

수용초기에는 여러 사람들이 안부를 묻고 걱정을 같이 해주다가 시간이 지날수록 하나 둘 연락이 끊기게 되는 것이 보통이다

그 동안 이해관계에 얽혀 주위에 사람이 많았으나 이해관계가 끊어지면 차츰차츰 잊혀져 가는 사람이 된다 그러나 순수한 인간관계로 맺어진 사람은 시간이 흘러도 변하지 않는 것이다.

접견 오고 전화통화하고 편지 쓰고 하는 사람들을 소중하게 생각하라
다른 사람들과 비교해보면 알 수 있을 것이다.
동료 수형자 중 가족이외에 면회를 자주 오는 사람들을 잘 관찰해 보라
이해관계에 의한 것인지 순수한 인간관계에 의한 것인지 나에게 시사 하는 바가 있을 것이다.

명절날 가까이 되었을 때 더욱더 가족들이 그리워 질 것이다.
면회오면 감사하는 마음을 표현하자.

오늘도 일을 할 수 있어 감사하다, 동료 수형자가 빵을 하나 주었다
담당교도관이 나에게 좋은 조언을 해주었다. 숨쉬고 있는 것 조차도 감사하게 생각해보라 항상 이 마음을 잊지 않고 생활 한다면 별 무리 없이 징역을 잘 살 수 있을 것이다

면회를 오지 않는다고 "이 자식 봐라, 내가 여기 있다고 나를 무시해 나가면 박살내버리겠다."라고 살생부를 적는 수형자가 있다.

이렇게 하면 자신이 괴로워질 뿐이다. 오히려 아 내가 이제 나의 친구와 적을 구분하게 되었구나 라고 그동안 몰랐던 것을 알게 되어 감사하다고 생각하자
▪

▪ 제9훈: 감추면 커지고, 드러내면 작아진다

다른 범죄도 그렇지만 특히 경제범죄는 고소, 고발되지 않은 죄들이 벽장 속의 해골처럼 수형생활 내내 마음을 불안하게한다

아직 드러나지 않은 죄가 있다면 과감하게 편지하여 고소.고발하지 않은 것에 대해 감사 편지하자. 만약 상대가 받아주지 않는다면 거의 고소하게 되므로, 검사에게 편지하여 자수하는 것이 훨씬 속 편하고 처벌을 덜 받는 방법이며, 하산 후에 새로 시작하는 데 장애를 없애는 방법이다.

· 과감하게 드러내자
어차피 엎질러진 물이다. 부모님, 부인, 자녀, 형제자매, 친구에게 잘못한 것이 있거든 기와에 죄인인 것 감추지 말고 몽땅 드러내고 용서를 구하자. 그래야 훗날을 기약할 수 있다.

남겨두지 말고 위기를 기회로 생각하고 과감하게 드러내고 반성하자. 툭툭 털고 가는 것이 새출발의 밑거름이다. 결코 복잡하게 돌아가는 것이 아님을 잊지 말자

경험하고 있는 사실이겠지만 감추면 더 커진다.

▪ 제10훈: 수형을 수행으로

수형을 수행으로 바꾸자
"내 죄는 드러났고, 네 죄는 드러나지 않았을 이다" 라는 말에서,
"죄 없는 자가 먼저 이 사람을 쳐라"라는 말에서,

우리 모두는 모두 죄인이며, 다만 고소, 고발 되지 않아 죄가 드러나지 않았을 뿐 임을 잘 알고 있다.

이 말은 "살아 있는 존재는 필연적으로 죄를 짓게" 되므로, 죄를 해소할 수 있도록 노력해야 한다는 말에 다름 아니며, 이 노력이 수형을 수행으로 바꿀 수 있게 결과 하는 것이다.

내 죄를 감추려고 하기 보다, 내 죄를 드러내고 죄의 원인을 살펴보는 것이 수형을 수행으로 바꾸는 기초이다.

"반성하는 죄인은 죄짓지 않은 의인보다 도덕적 경제적 가치가 더 높다" 는 진리에 따라 수형을 수행으로 바꾼다면 교도소는 금광과 마찬가지다

수행중인 사람이,
{조사. 재판 중인 사람}에게 보내는 편지

❖ 가막소에서 온 편지

- 청주(여)교도소: 가해자의 가족도 2차 피해자 입니다
- 대전교도소: 무기수가 전하는 글- 수형이 수행이 되는 과정
- 여주교도소: 가족, 아내에게 사과하고, 복수 보다는 내일을...
- 남부교도소: ..다만 힘 듦에 무너지지는 않기 바랄뿐입니다.
- 군산교도소: 과거에 묻혀 사는 사람, 내일을 준비하는 사람
- 서울구치소: 조사관, 검찰에 척을 지지 마세요

청주(여)교/.....가해자의 가족도 2차 피해자 입니다

안녕하세요 불인님

오늘은 선선한 바람이 불어와서 좋은 날이었습니다.

잘 지내셨어요?
매주 보내 주시는 겸사모 서신 감사합니다

담장 밖 세상도 어렵다는 이야기는 들었습니다.

물가는 계속 오르고 모두 힘든 시간들에 고생이 많으신줄 압니다.

늘 감사드립니다

언제나 늘 불인님과 회원님들 모든 가정에 화목함과 건강하기를 기도 하겠습니다

김** 올림

(*'불인'은 '겸인'의 별칭입니다. 편집자 주)

언제나 다시 생각해도 그날의 시간들은 참 고통스럽고 힘든 시간이었습니다

앞이 보이지 않는 건 지금도 마찬가지 입니다
그 때의 시간들은 참으로 참담했습니다
살면서 경찰서 한 번 가본적 없었고, 참고인 조사도 받은적 없습니다.

어쩌다가 앞이 보이지 않는 긴 터널 속에 혼자 남겨진 시간이 되었지만 이제는 마냥 뒤돌아 보고 만 있을 수 없는지라

오늘 하루도 이곳의 주어진 시간을 충실히 살아내어 지내려 노력하고 있습니다

재판 받는 과정에서 다들 정신도 없고 가족에게 지인에게 너무나 부끄럽고 얼굴을 들 수 없는 상황일 것입니다. 저도 그랬습니다.

저 자신보다 가족이 아이가 아파 하는 것이 가장 큰 형벌이었습니다.

어찌 되었든 죄를 지었고, 이제는 반성의 시간을 가지고 앞으로의 삶은 어떤 죄도 짓지 않고 살겠다는 다짐을 해야 합니다

진실되고 깊은 반성이 필요한 시간 입니다.

피해자분과 피해자 가족들에게도 진정한 사과와 반성이 따라야 하겠습니다.

어떤 분들은 피해자와 가족들에게 위로가 될 수 없겠지만, 그래도 우리는 우리가 해야할 일도 해야 된다고 생각합니다.

가해자 가족조차 피해자 이기에 가슴이 아픕니다.

너무나 큰 슬픔이고 가슴 아픈 일이기에 더 많이 반성하고 앞으로의 삶에 걸림돌이 될 것입니다.

그것 또한 내가 짊어야야 할 이제는 어쩔 수 없는 나의 삶이 되어 버린 것입니다.

인사사고는 피해자 였던 사람이 결과적으로 가해자가 된 경우도 있습니다.

이유야 어쨌든 잘못된 것은 잘못된 것입니다.

아무리 정신이 없더라도 많은 반성과 후회 또한 나의 몫이지만

이곳에 있는 사람이지만 또 재판을 받는 그 분들의 기족을 위해서 포기하지 마시고

또한 억울하다는 표현은 그렇지만 그런 부분 또한 분명 있을 것입니다.

계속 후회만하고 눈물 흘리고만 있을 수는 없습니다

저의 경우에는 이 모든걸 변호사가 다 해주는 줄 알고 눈앞에 보이는 증거자료 조차도 찾지 않고 있었습니다.

구속된 상태에서 아무 것도 할 수 없었지만 대한민국의 변호사는 모두가 TV에서 보는 일류 변호사, 정의로 똘똘 뭉친 사람인줄만 알았습니다.

그런 무지 속에서 눈만 뜨고 오로지 변호사가 다 해결해 주는 줄 알았습니다

어떤 말로든 깊은 후회와 반성으로도 피해자가 겪었을 슬픔을 말로 다 할 수 없다는 것은 너무나 잘 알고 있습니다.

내가 했던 잘못은 깊게 반성하고 또 다른 억울한(죄송하지만) 부분이 있다면 포기하지 말고 가족을 위해서라도 제대로 된 증거도 찾아야 된다고 생각합니다

나의 변호는 변호사가 해주는 것이 아니었습니다.

처음부터 반성과 별개로 내가 하지 않은 부분은 정신 바짝차리고 재판을 받아야 합니다.

사랑하는 가족을 위해서 포기하지 마시고 정신 차렸으면 합니다

저도 여기 있는 동안 저만 힘들면 괜찮지만 가족 또한 못난 저희 때문에 너무 큰 형벌을 받고 있습니다.

2차 피해자인 가족은 또 무슨 죄로 그런 고통을 당해야 하는지 땅을 치고 후회와 참회 속에 살고 있습니다

사랑하는 가족을 생각하시고 포기 하지 마세요

마지막으로 나의 잘못으로 피해자에게 슬픔을 준 죄에 대해서는 제대로된 반성과 앞으로 절대 어떤 죄도 짓지 않겠다는 다짐도 해야한다고 생각합니다

두서없는 내용 읽어 주셔서 감사합니다

P.S: 죄를 지으면 벌을 받아야 하지만 정말 한번만 초범은 한번만 다시 기회를 주면좋겠다는 생각을 해봅니다.

1/3만 살린다든지 형기의 반만 살리고(초범) 다시 죄를 지으면 무기라도 받게 한다면 누가 죄를 짓겠습니까.
하는 생각을 해봅니다

오죽 답답하면 하는 소리니 노하지는 말아주세요,

저희로 인해 가정경제는 다무너지고 아이들은 뿔뿔히 흩어져 자녀의 삶의 방향까지도 흔들어 놓았으니 무슨말을 하겠습니까.

제발 국가에서 은혜를 베풀어 주기를 간절히 소망해봅니다,

죄송합니다.

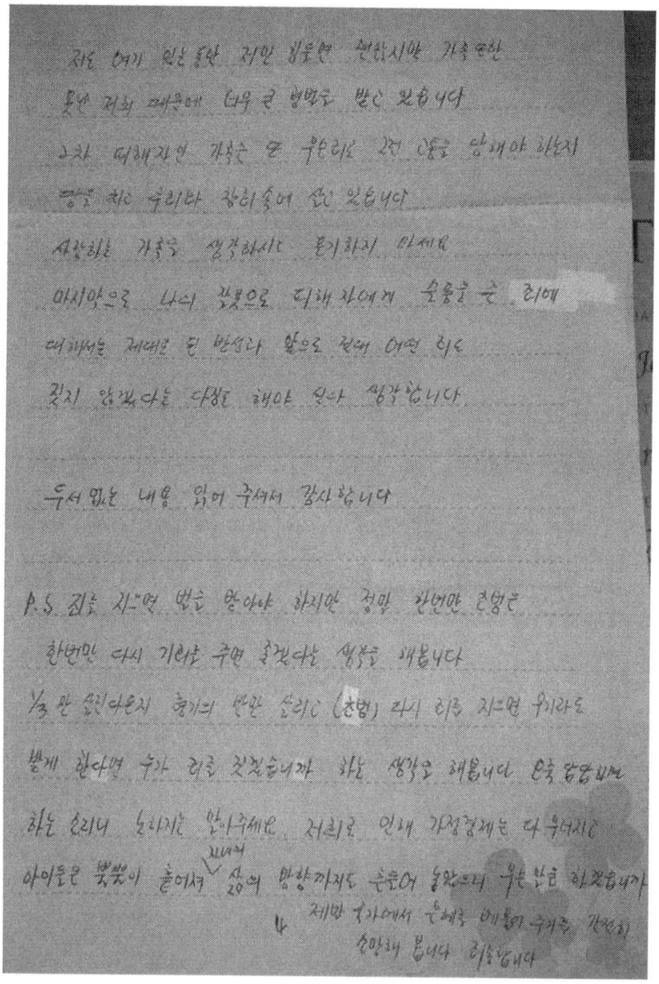

대전(교) 무기수가 전하는 글/ … 수형이 마침내 수행이 되기 시작했던 과정

안녕하십니까,
아주 오랜만에 글을 올리게 되었습니다
00교도소에서 수행중인 000범 무기수 박00 입니다

자주 소식을 드려야 마땅하나 제가 워낙에 졸필에 다른 교에 갔다가 다시 00직훈 훈련생 자격으로 00교에 다시 온 관계로 학과 교육을 받다보니 마음에 여유가 생기질 않아 이제서야 짧은 글이나마 올리게 되었습니다.

이번에 재판받는 사람들에게 들려주고 싶은 얘기나 충고해 주고 싶은 얘기에 대해서 글을 올리려 하는데 솔직히 저는 누구에게 충고를 해주거나 도움이 될만한 그런 얘기를 해줄만큼 올바르게 살아오질 못한 몸이라서 재판받고 있는 분들께 도움드릴 말씀은 없고

다만 이곳에서 수형생활을 하고 계시는 분들에 좁은 소견이나마 이곳 교도소 생활을 함에 있어서 마음고생 하지 않고 생활할 수 있는 간단한 팁은 들려 드릴 수 있을 것 같습니다.

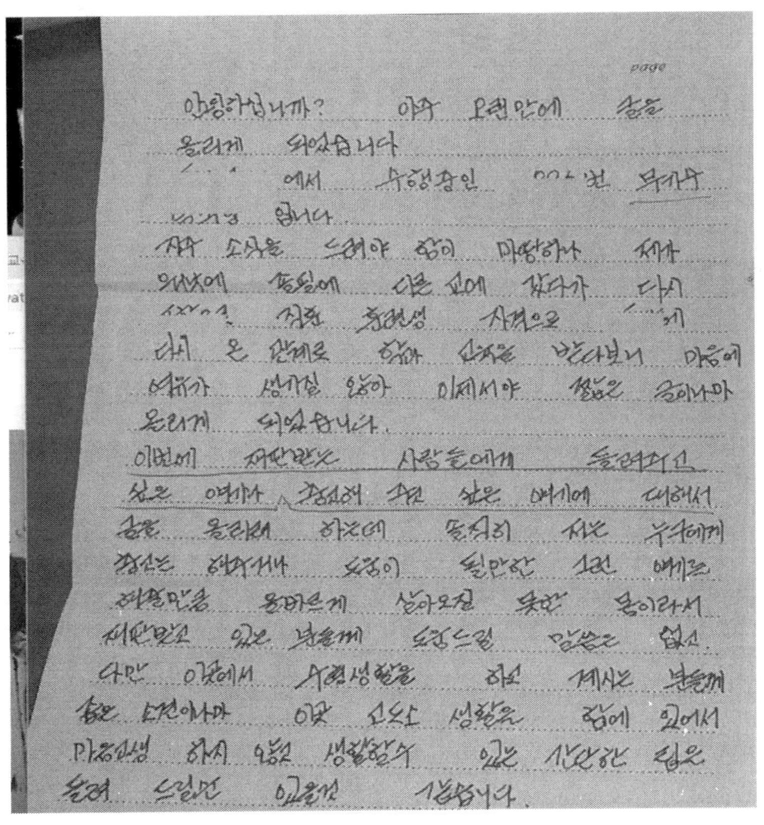

page

안녕하십니까? 아주 오랜만에 글을 올리게 되었습니다 에서 수행중인 범 무기수 입니다.

자주 소식을 드려야 함이 마땅하나 제가 워낙에 졸필에 다른 교에 갔다가 다시 직훈 훈련생 자격으로 다시 온 관계로 학과 수업을 받다보니 마음에 여유가 생기질 않아 이제서야 짧은 글이나마 올리게 되었습니다.

이번에 재판받는 사람들에게 들려주고 싶은 얘기나 충고해 주고 싶은 얘기에 대해서 글을 올리려 하는데 솔직히 저는 누구에게 충고는 해주거나 도움이 될만한 그런 얘기를 해줄만큼 올바르게 살아오질 못한 몸이라서 재판받고 있는 분들께 도움드릴 말씀은 없고.

다만 이곳에서 수형생활을 하고 계시는 분들께 좁은 소견이나마 이곳 교도소 생활을 함에 있어서 마음고생 하지 않고 생활할수 있는 간단한 팁은 들려 드릴수 있을것 같습니다.

저는 2009년도에 무기징역을 선고 확정받고 지금까지 십수년을 이곳에서 살아오고 있습니다

처음에 무기징역을 선고받고 근 2-3년간은 거의 제정신이 아닌 병자처럼 살아왔습니다.

근무자 멱살을 잡고 흔들어서 구치소로 들어온 다음날부터 징벌방에서 구치소 생활은 시작되었으며, 재판이 끝나고 이곳으로 00교로 이감을 온후에는 조금만 거슬리는 사람이 있으면 마치 투견이라도 된 양 물어뜯으려 덤벼들었고 그러면서 시간이 흐르면 흐를 수록 점점 더 내 자신은 고립되어 갔고 누구도 저한테 관심을 가지는 사람이 없었습니다.

워낙에 성격자체는 누구와 잘 어울리는 그런 성격도 아니거니와 제가 먼저 누구에게 먼저마음을 열고 다가가는 성격도 아니기에 동료나 근무자에게 미움받는 그런 존재로 그렇게 몇 년을 지내온 것 같습니다.

그렇게 몇 년의 시간이 흐르다 보니 차츰차츰 마음에 안정도 되찾아 가고 그렇게 시간을 흘려보다 보니

이렇게 징역을 살아서는 절대로 나에게 발전이 없을 것 같다는 생각이 제 머리 속을 강하게 때리 더군요.

저는 2009년도에 무기징역을 선고 확정받고 지금까지 십수년을 이곳에서 살아오고 있습니다.
처음에 무기징역을 선고받고 근 2-3년간은 거의 제 정신이 아닌 병자처럼 살아왔습니다.
근무자 멱살을 잡고 흔들어서 구치소에 들어온 다음날 부터 징벌방에서 구치소 생활을 시작하였으며 재판이 끝나고 이곳 [illegible]으로 이감을 온후에는 조금만 거슬리는 사람이 있으면 마치 투견이라도 된양 물어 뜯으려 덤벼들었고 그러면서 시간이 흐르면 흐를수록 점점 내 자신은 고립되어 갔고 누구도 저한테 관심을 가지는 사람이 없었습니다. 워낙에 성격 자체는 누구와 잘 어울리는 그런 성격도 아니거니와 제가 먼저 누구에게 먼저 마음을 열고 다가가는 성격도 아니기에 동료나 근무자에게 미움받는 그런 존재로 그렇게 몇년을 지내온것 같습니다.
그렇게 몇년에 시간이 흐르니 차츰차츰 마음에 안정도 되찾아 가고 그렇게 시간을 흘려보다 보니 이렇게 징역을 살아서는 절대로 나에게 발전이 없을것 같다는 생각이 제 머리속을 강하게 때리더군요.

그 후로 처음 생각한 것이 먼저 내 자신이 변해야 겠다는 생각을 했습니다

일단은 제 성격부터 바꿔 보기로 했습니다
하지만 40년을 넘게 그렇게 살아온 성격을 하루 아침에 바꾸기란 너무나 힘들었습니다

그러던 중 자기보다는 남들을 먼저생각하고 남들의 고충을 먼저 알아주는 그런 친구를 알게 되었습니다.

처음에는 저게 뭐하는 짓인가? 남들이 알아 주지도 않고 뒤에서 뒷담화나 까는 놈들을 위해서 저렇게 까지해야하나 싶었습니다.

하지만 그 친구는 주위에서 뭐라하든 전혀 개의치 않고 자기 길을 굳건히 가고 있었습니다

그 친구를 보며 조금씩 마음에 변화를 가져올 수 있게되었습니다.

제가 먼저 상대에게 다가가기로 했습니다

처음에는 너무나 어색하고 힘들었지만 , 처음이 힘들다고 한번이 두번되고,

두번이 배로 늘고 하다보니 어느듯 많은 사람과 소통하고 있는 제 자신을 발견할수 수가 있었습니다.

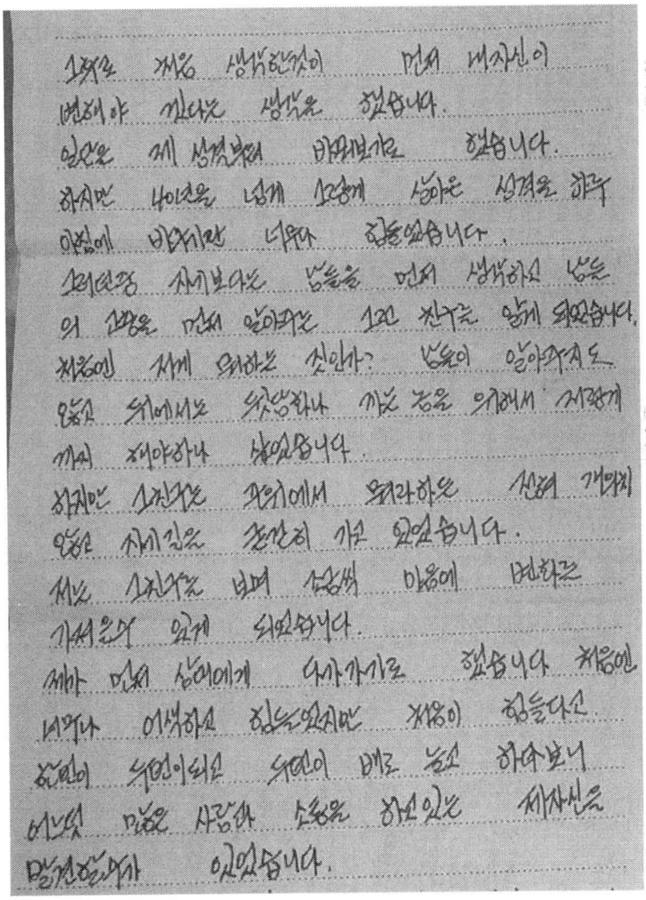
그후로 처음 생각한것이 먼저 내자신이
변해야 겠다는 생각을 했습니다.
일단은 제 성격부터 바꿔보기로 했습니다.
하지만 40년을 넘게 그렇게 살아온 성격을 하루
아침에 바꾸기란 너무나 힘들었습니다.
그러던중 자기보다는 남들을 먼저 생각하고 남들
의 고충을 먼저 알아주는 그런 친구를 알게 되었습니다.
처음엔 저게 뭐하는 짓인가? 남들이 알아주지도
않고 뒤에서는 뒷담화나 까는 놈들을 위해서 저렇게
까지 해야하나 싶었습니다.
하지만 그친구는 주위에서 뭐라하든 전혀 개의치
않고 자기길을 굳건히 가고 있었습니다.
저는 그친구를 보며 조금씩 마음에 변화를
가져올수 있게 되었습니다.
제가 먼저 상대에게 다가가기로 했습니다 처음엔
너무나 어색하고 힘들었지만 처음이 힘들다고
한번이 두번이되고 두번이 배로 늘고 하다보니
어느덧 많은 사람과 소통을 하고있는 제자신을
발견할수가 있었습니다.

그러면서 한 걸음 더 나아가 저보다 더 어려운 사람들이나. 몇년 전에 마치 저를 보는 것 같은 사람이 있으면 그 사람에게 제가 지내온 과거를 얘기해주며 그 사람에 마음은 조금씩 돌려놓을 수가 있었습니다.

그렇게 또 몇 년을 지내다 보니, 저는 어느덧 요즘에 젊은 친구들이 말하는 핵인싸가 되어 있었습니다.
처음 이곳에 들어와 골치덩이였던 제가 지금은 직원들이나 동료들이 좋아하는 그런 사람이 되어 있습니다.

제가 이곳에서 수행하는 분들에게 들려 드리고 싶은 얘기는 별개 없습니다.

자기 자신이 먼저 바뀌어야 남들에 마음도 바꿀 수 있는 것이며, 뻔한 이야기지만 모든 면에서 솔선수범하면 주위에서 보는 이도 바뀔 수 있다는 것입니다

그러다 보면 제 자신이 더 마음이 평안해 지는 걸 느낄 수 있을 것이며,

이곳에서 생활함에 있어서 모든 것이 즐거울 수 있을 것입니다

수행자 여러분, 먼저 마음을 가다듬고 모든 걸 잠깐 내려놓으십시요

그럼 모든게 편안해 집니다

감사합니다

여주(교)/-가족에게, 아내에게 사과하고. 복수를 버리고 내일을 생각해야한다

안녕하세요 겸인 선생님

저는 여주에 있는 이OO입니다.

선생님과 인연을 맺은지 어느덧 9개월 째이군요, 작년(2021년 9월) 아내의 신청으로 시작된 매일수행, 지금 저는 올해 형 확정(5월4일) 되어 기결 대기방에서 출소를 기다리고 있습니다 (출소일 8월12일)

선생님의 서신을 보며, 원고를 모집한다고 하시고 저도 선생님에 대한 감사함을 표현하고 싶어 편지를 씁니다. 먼저 말씀드리지만 저의 순수한 감사함으로 지금까지의 제 재소자로서 지내왔던 과정과 다른 이들의 수행을 위해 편지 씁니다.

Page. 1

안녕하세요. 겸인 선생님.

저는 여주교에 있는 ...... 입니다

선생님과 인연을 맺은지 어느덧 9개월째이군요. 작년(2021년 9월)

아내의 신청으로 시작된 매일 수행. 지금 저는 올해 형 확정(5월 4일)

되어 기결대기방에서 출소를 기다리고 있습니다. (출소일 8월12일)

선생님의 서신을 보며, 원고를 모집한다고 하시고 저도 선생님에 대한

감사함을 표현하고 싶어 편지를 씁니다. 먼저 말씀드리지만 저의 순수

감사함으로 지금까지의 제 재소자로서의 지내왔던 과정과 다른 이들의

수행을 위해 편지를 씁니다.

대기업에서 20년 넘는 직장생활, 누구보다도 깨끗하게 살아왔다고 생각했던 저에게 법정구속은 비현실적인 상황이었고 매일 눈을 뜨면 꿈일거라 생각했습니다

수원 구치소 격리방에서 멍한 그 심정, 환경, 벗어나고자 죽고 싶다는 생각도 있지만 CCTV는 그걸 막고 있더군요, 옆방에서 일어나는 상황을 봐서는 죽을라고 해도 죽을 수 없구나.

자살도, 외침도 마음대로 할 수 없다는 환경은 완전한 외톨이 였습니다.

세상에 홀로된 심정이 눈물로 변한건, 아내의 서신 이었습니다.

대기업에서 20년 넘는 직장생활, 누구보다도 깨끗하게 살아왔다고 생각
했던 저에게 법정구속은 비현실적인 상황이었고 매일 눈을 뜨면 꿈일
거라 생각했습니다. 수원구치소 격리방에서 멍한 그 심정, 환경 벗어
나고자 죽고 싶다는 생각도 있지만, CCTV는 그걸 막고 있더군요. 옆방에서
일어나는 상황을 봐서는 '죽을라고 해도 죽을 수가 없구나'..
자살도, 외침도 맘대로 할 수 없는 환경은 완전한 외톨이였습니다.
세상에 홀로된 심정이 눈물로 변한건, 아내의 서신이었습니다.

걱정으로 이루어진 인서, 한 줄을 읽을 때 마다 입에서 나오는 소리는 막을 수 없었습니다. 그리고 이어진 형과 어머니, 친구, 동료들의 메시지를 ' 죽지만 않았으면 돼' 내죄에 대한 어떠한 내용도 묻지 않은채 내 존재를 인정받고서야 정신차리고 항소를 준비했습니다.도

Page. 2

걱정으로 이루어진 인서, 한줄을 읽을때마다 입에서 나오는 소리는 막을수
없었습니다. 그리고 이어진 형과 어머니, 친구, 동료들의 메세지를.
'죽지만 않았으면 돼'. 내 죄에 대한 어떠한 내용도 묻지않은채,
내 존재를 인정받고나서야 정신차리고 항소를 준비 했습니다.

어떻게든 빨리 나가기위해 가족과 변호사는 피해자와 합의를 진행하고 용서해달라고 사과문과 탄원서를 내기 시작했습니다. 매일 '수형일기 ' 를 쓰며 '제발 제발' 용서해주기를 바라는 심정으로 지내왔지만 한편으로 용서해주지 않으면 끝까지 가볼 수 밖에 없다는 심정이었습니다.

항소심 막판까지 오고가는 줄다리기, 그리고 말도 안되는 추가고소, 변호사는 '걱정마라 되려 역고소도 가능하다' 라며 경찰과 검찰과의 치열한 공방속에 제 속은 타들어 갔습니다. 결국 합의는 실패하고 제 성찰과 가족. 지인의 적지 않은 탄원서로 항소심을 준비했지만 기각되었습니다

항소심을 준비하며 차마 알릴 수 없는 민감한 사춘기 두 딸과 장모님을 제외한 처제, 처남을 비롯한 친척들과 친구들, 동료들에게 알렸습니다. 그일은 너무나 잘한 일이라 생각했습니다.

홀로 옥바라지 하는 아내에게 힘이 된다는 걸 알았습니다.

저의 치면치레만 생각하며 아무에게도 알리지 않았더라면 저의 죄를 오로지 아내가, 가족이 받았을 것이고 지금 제가 다시 서지

어떻게든 빨리 나가기위해, 가족과 변호사는 피해자와 합의를 진행하고
용서해달라고 사과문과 탄원서를 내기 시작했습니다. 매일 수형일기를
쓰며 '제발제발' 용서해주길 바라는 심정으로 지내왔지만, 한편으로
용서해주지 않으면 끝까지 가볼수밖에 없다는 심정이 었었습니다.
항소심 막판까지 오고가는 줄다리기, 그리고 말도 안되는 추가고소, 변호사는
'걱정마라. 되려 역고소도 가능하다' 라며 경찰과 검찰과의 치열한 공방속에
제 속은 타들어 갔습니다. 결국 합의는 실패하고 제 성찰과 가족·지인의
적지않은 탄원서로 항소심을 준비했지만 기각되었습니다.
항소심을 준비하며 차마 알릴수 없는 민감한 사춘기 두딸과 장모님을 제외한
처제, 처남을 비롯한 친척들과 친구들, 동료들에게 알렸습니다. 그일은 너무나
잘한 것이라 생각했습니다. 홀로 옥바라지하는 아내에게 힘이 된다는 걸
알았습니다. 저의 치면치레만 생각하며 아무에게도 알리지 않았다면
저의 죄를 오로지 아내가, 가족이 받았을 것이고 지금 제가 다시 서지

못했을 것입니다. 자신의 죄를 최대한 알려야 합니다. 다시는 죄를 짓지 않기 위해, 가족의 존재를 위해, 그리고 내 자신을 위해서요

그렇게 만들어진 적지 않은 탄원서는 재판보다는 아내의 버팀목이 되었습니다.

아내 왈, 위인전이 따로 없는 글들은 저를 버리지 않고 가족을 지키게 했습니다. 아내는 나보다 더 포기하지 않고 상고까지 진행했습니다. 추가 고소건도 자기일 처럼 처리하고 탄원과 민원은 제게 살라고 주는 메시지 였습니다.

5/4일 상고가 기각되고, 모든 추가소고건도 다 정리가 된 지금, 더 이상의 제 과오에 대한 감정 소모는 미래의 저를 위해 가족을 위해 끊어야 한다는 생각에 마지막 남은 감정을 정리하여(편지지 4장)봉인 했습니다

법조인이 아닌 일반인으로 재판을 받고 선고를 받는 과정은 지옥과 같은 과정입니다..
구속상태에서 낯선 환경에서 홀로 있다고 생각하지 않길 바랍니다.

예의를 갖춰 가족에게 사과하고 의지하여야 합니다.

그리고 복수보다는 미래를 생각 해야 합니다.
매일 일기를 쓰며 반복되는 단어, 문구들이지만
수형생활에서의 일기는 성찰보다 정신력 유지입니다

일기도 편지도 많이 써야 한다고 알려주세요.

Page. 3

못했을 겁니다. 자신의 죄를 최대한 알려야 합니다. 다시는
죄를 짓지 않기 위해, 가족의 존재를 위해, 그리고 내 자신을 위해서요
그렇게 만들어진 적지 않은 탄원서는 재판보다는 아내의 버팀목이
되었습니다. 아내 왈, '위인전이 따로 없는 글들은 저를 버리지 않고
가족을 지키게 했습니다. 아내는 나보다 더 포기하지 않고 상고까지
진행했습니다. 추가고소건도 자기 일처럼 처리하고 탄원과 민원은
제게 살라고 주는 메세지였습니다.

5/4일 상고가 기각이 되고, 모든 추가고소건도 다정리가 된 지금.
더이상의 제 과오에 대한 감정 소모는 미래의 저를 위해, 가족을 위해
끊어야 한다는 생각에 마지막 남은 감정을 정리하여 (편지지 4장)
봉인했습니다.
법조인 아닌 일반인으로 재판을 받고 선고를 받는 과정은 지옥과 같은
과정입니다. 구속된 상태에서 낯선 환경에 홀로 있다고 생각하지 않길
바랍니다. 예의를 갖춰 가족에게 사과하고 의지하여야 합니다.
그리고 복수보다는 미래를 생각해야 합니다. 매일 일기를 쓰며
반복되는 단어, 문구들이지만 수형생활에서의 일기는 성찰보다
정신력 유지 입니다. 일기도 편지도 많이 써야 한다고 알려주세요.

이편지가 수행중인 사람으로서 재판을 받고 고통속에 있는 분들에게 충고가 될지는 모르겠습니다만 (사실상 모든 재판 선고는 최악이지만) 죄에 대한 솔직함으로 가족과 피해자에게 접근한다면 분명 그 지옥같은 재판을 버틸 거라 믿습니다.

누군가(피해자나 가족)을 미워하는 건 자기 자신을 괴롭힌다는 것과 이 세상에는 결코 혼자가 아니라는 사실과 나 자신은 누구보다 소중하다는 걸 꼭 알고 있기를 바랍니다.

[바람을 혼자 맞을 땐 절대 웃지 않는다, 되려 힘들다. 하지만 바람은 여럿이 맞으면 웃음이 난다] – 시간을 파는 상점 中

겸인 선생님 마지막으로 매일 수행을 보내주셔서 감사합니다

저는 이제 6/1일 기준으로 68일 남았습니다

다른 수형인을 위하여 저에게는 더 이상 보내지 않으셔도 됩니다

출소후 언젠가는 찾아뵙고 감사인사 드리겠습니다

2022년 5월 24일
이 OO 올림

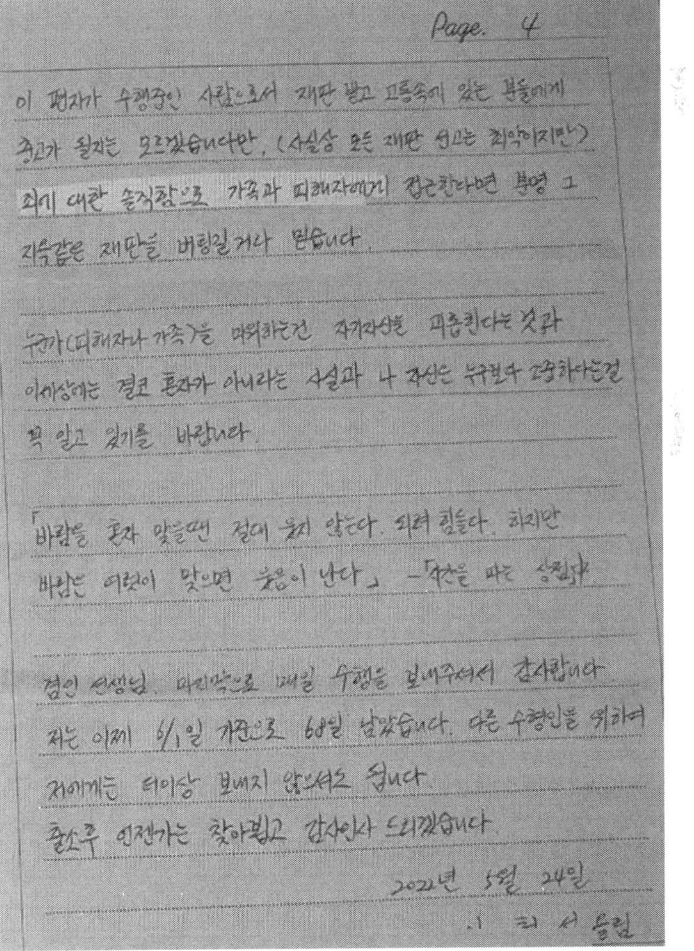

Page. 4

이 편지가 수행중인 사람으로서 재판 받고 고통속에 있는 분들에게 충고가 될지는 모르겠습니다만, (사실상 모든 재판 선고는 최악이지만) 죄에 대한 솔직함으로 가족과 피해자에게 접근한다면 분명 그 지옥같은 재판을 버틸거라 믿습니다.

누군가(피해자나 가족)을 미워하는건 자기자신을 괴롭힌다는 것과 이세상에는 결코 혼자가 아니라는 사실과 나 자신은 누구보다 소중하다는걸 꼭 알고 있기를 바랍니다.

「바람을 혼자 맞을땐 절대 웃지 않는다. 되려 힘들다. 하지만 바람은 여럿이 맞으면 웃음이 난다」 -「시간을 파는 상점」中

겸인 선생님. 마지막으로 매일 수행을 보내주셔서 감사합니다. 저는 이제 6/1일 기준으로 68일 남았습니다. 다른 수형인을 위하여 저에게는 더이상 보내지 않으셔도 됩니다.
출소후 언젠가는 찾아뵙고 감사인사 드리겠습니다.

2022년 5월 24일
올림

남부(교)/...다만 힘 듦에 무너지지는 않기 바랄뿐입니다.

"재판 중인 사람에게 하고 싶은 말"

진짜 괜찮은 것도 아닐테고, 모든 것이 다 수월하게 잘 해결되고 있는 것도 아닐텐데, 괜찮다는 웃음을 지어봐요

별일 아니라고 넘기는 그 말의 무게를 알기에 고달펐을 것이고 한숨 한 번에 쉽게 풀리지 않았을 고단함 이었을 것입니다.

혼자 힘들어 하는게 더 익숙에진 탓에 스스로 견뎌내야 하는 것도 알고 있습니다.

아무리 강한 사람이라 하더라도 지치는 날은 있는 법인데, 견딜만한 일이라고 하더라도 그것이 전부 괜찮을 수는 없기에 힘들다고 고백하지 않아도 되고 지쳤다고 하소연 하지 않아도 됩니다.

다만, 힘듦에 무너지지는 않기를 바랄 뿐 입니다.
누구보다 치열하게 버티면서 많이 행복했으면 좋겠어요

너무걱정 하지 마세요
인생은 어느 순간에도
다시 시작할 수 있습니다

언제 어느 순간에나 다시 시작할 수 있는게 인생이라 생각합니다.

만일 다시 시작할 수 없다면
인생이 아닙니다

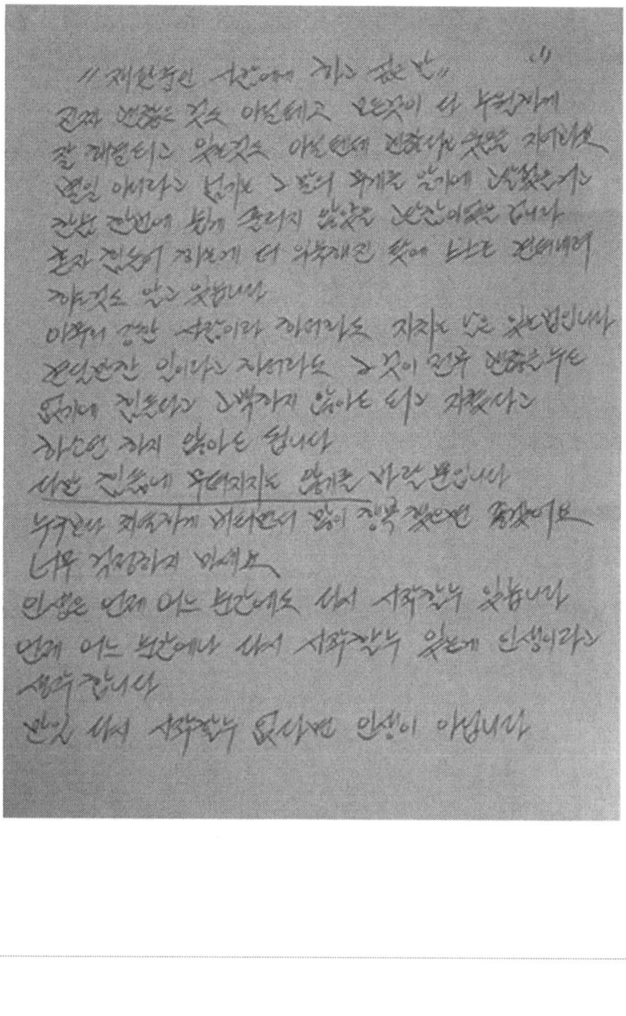
"재판중인 사람에게 하고 싶은 말"
진짜 괜찮은 것도 아닐테고 모든것이 다 수월하게
잘 해결되고 있는것도 아닐텐데 괜찮다는 웃음을 지어봐요
별일 아니라고 넘기는 그 말의 무게를 알기에 고달팠을 것이고
한숨 한번에 쉽게 풀리지 않았을 고단함이었을 겁니다
혼자 힘들어 하는게 더 익숙해진 탓에 스스로 견뎌내야
하는것도 알고 있습니다
아무리 강한 사람이라 하더라도 지치는 날은 있는 법입니다
견딜만한 일이라고 하더라도 그것이 전부 괜찮을수는
없기에 힘들다고 고백하지 않아도 되고 지쳤다고
하소연 하지 않아도 됩니다
다만 힘듦에 무너지지는 않기를 바랄 뿐입니다
누구보다 치열하게 버티면서 많이 행복했으면 좋겠어요
너무 걱정하지 마세요
인생은 언제 어느 순간에도 다시 시작할수 있습니다
언제 어느 순간에나 다시 시작할수 있는게 인생이라고
생각합니다
만일 다시 시작할수 없다면 인생이 아닙니다

저는 어렵고 힘들 때 마다, 이 말을 떠올리면서 잃었던 힘을 되찾곤 합니다.
물론 인생에는 때가 있습니다.

인생의 어느 일은 그때 하지 않으면 안된다는 일이 있어요
그래서 때를 놓쳐버리면 영영 못하게 될 수 있습니다.

그러나 그 시기를 놓쳤다고 해서 그대로 주저앉아 있을 수 없는게 우리의 인생입니다.

인간의 힘은 스스로 원하는 만큼 강해지는 법이에요
강한 척 하지만 더는 무너지지 않기를 바랍니다.

그리고 무엇보다도 진정으로 반성을 했다면 재판부에 " 반성문 " 을 작성해서 제출하세요.

오늘도 애쓰느라 고생많이 했어요
지치지 마시고 힘내세요

그러다 보면 좋은 일이 생길 거에요

언제나 파이팅 하세요
물론 건강관리를 잘 하세요

저도 응원할께요

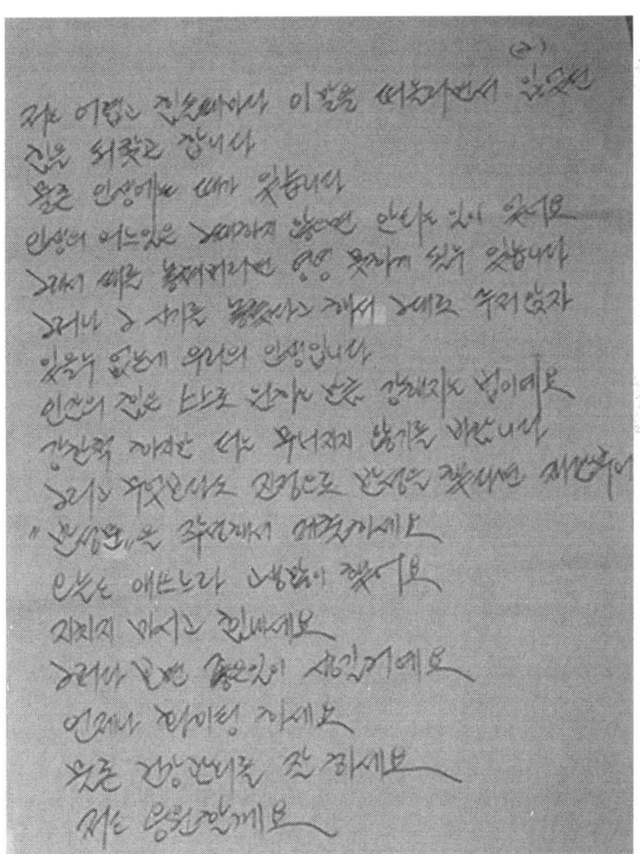

(2)
저는 어렵고 힘들때마다 이 말을 떠올리면서 잃었던
힘을 되찾고 합니다
물론 인생에는 때가 있습니다
인생의 어느일은 그때하지 않으면 안되는 일이 있어요
그래서 때를 놓쳐버리면 영영 못하게 될수 있습니다
그러나 그 시기를 놓쳤다고 해서 그대로 주저앉자
있을수 없는게 우리의 인생입니다
인간의 힘은 스스로 원하는 만큼 강해지는 법이에요
강한척 하지만 더는 무너지지 않기를 바랍니다
그리고 무엇보다도 진정으로 반성을 했다면 재판부에
"반성문"을 작성해서 제출하세요
오늘도 애쓰느라 고생많이 했어요
지치지 마시고 힘내세요
그러다 보면 좋은일이 생길거에요
언제나 파이팅 하세요
물론 건강관리를 잘 하세요
저도 응원할께요

군산(교)/...과거에 묻혀 사는 사람, 내일을 준비하는 사람

Dear 겸인님께
늘 정성을 다해 보내주시는 서신을 감사하게 받고 있습니다.
그래서 그런지 하루하루가 소중하게 느껴지고 의미를 부여하는 시간이 많이 늘어난 것 같습니다

앞으로도 늘 관심을 주시길 바라며, 오늘은 수행중인? 사람으로서 재판 받으시는 분들께 몇자 적어 봅니다.
과거는 이미 흘러갔고, 내가 벌인 일 또한 되돌릴 수 없는 시간입니다.
하지만 미래는 아직 오지 않았습니다.

그래서 당신의 미래를 위해 준비해 보십시요 그러기 위해서는 지금 이 순간 최선을 다 하셔야 합니다.

최선을 다해서 재판을 준비해야 남은 시작을 후회없이 살 수 있습니다.

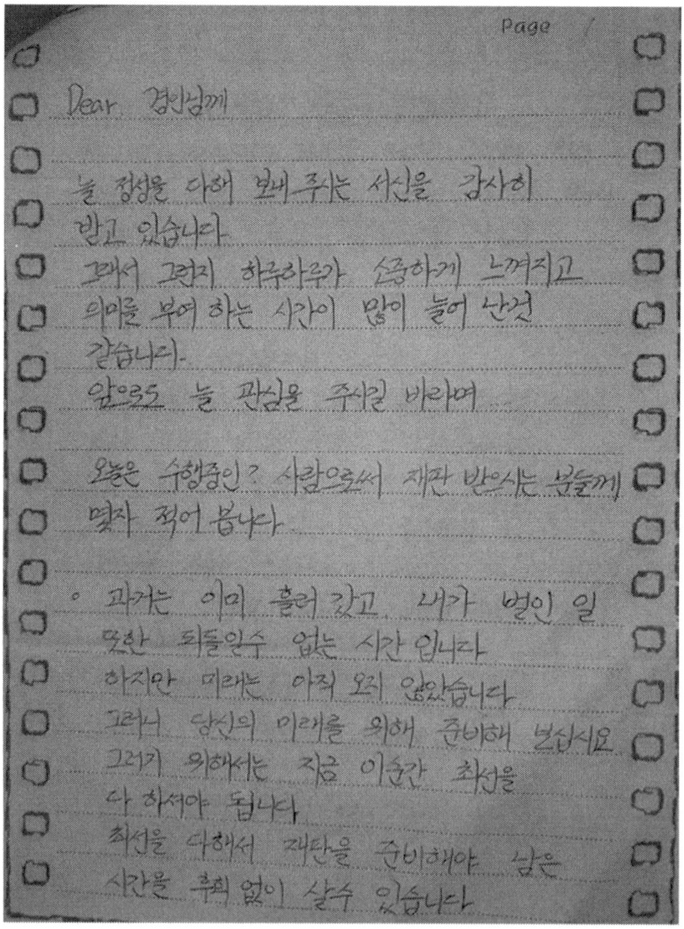
Page 1
Dear 겸인님께
늘 정성을 다해 보내 주시는 서신을 감사히
받고 있습니다.
그래서 그런지 하루하루가 소중하게 느껴지고
의미를 부여 하는 시간이 많이 늘어 난것
같습니다.
앞으로도 늘 관심을 주시길 바라며
오늘은 수행중인? 사람으로써 재판 받으시는 분들께
몇자 적어 봅니다.
◦ 과거는 이미 흘러 갔고, 내가 벌인 일
또한 되돌릴수 없는 시간 입니다
하지만 미래는 아직 오지 않았습니다
그러니 당신의 미래를 위해 준비해 보십시요
그러기 위해서는 지금 이순간 최선을
다 하셔야 됩니다
최선을 다해서 재판을 준비해야 남은
시간을 후회 없이 살수 있습니다

이곳에는 두 부류의 사람이 있습니다
한 부류는 하루 하루 최선을 다해 사는 사람과 다른 한 부류는 과거에 빠져 헤어나오지 못하고 증오와 복수 속에 자신을 망치는 부류가 있습니다

전 전자로 살았습니다

자는 시간을 쪼개서 책을 봤고, 짬나는 시간을 모아 자가 발전을 위해 노력을 했습니다.

그에 결실로 자격증을 5개 땄고 장관상 또한 3개나 받았고, 각종 지방대회에서 금. 은 메달을 취득했습니다

그런데 그렇게 하기 전에 가장 중요한 것이 있습니다

지금의 현실의 '불행'을 받아들이는 것입니다.
그래야 다시 시작할 행복을 준비할 수 있습니다.

'불행' 그거 지나고 보니 별거 아니더라구요.

저처럼 빨리 받아들이고 미래를 위해 현재를 살아가다가 보면 언제그랬냐?는

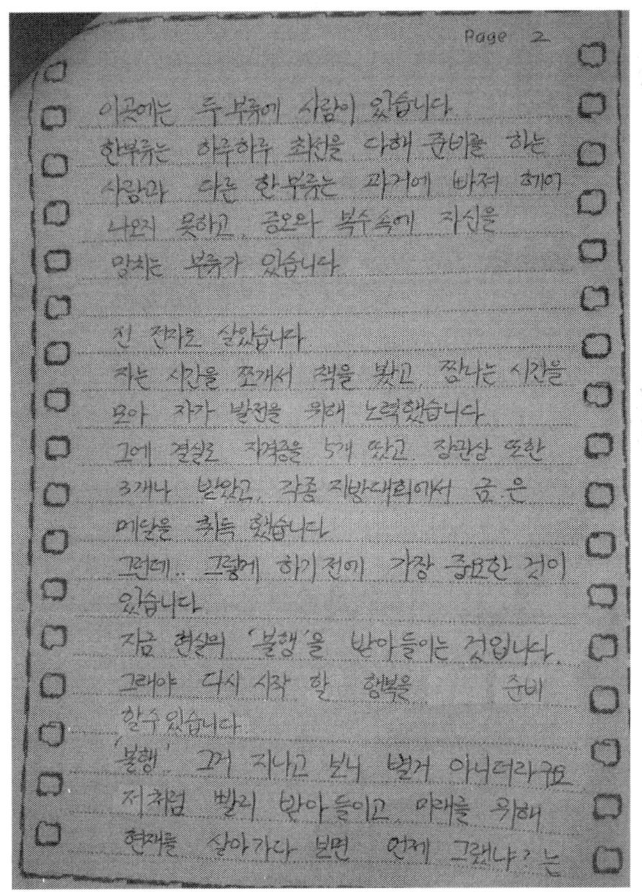

Page 2

이곳에는 두 부류에 사람이 있습니다.
한부류는 하루하루 최선을 다해 준비를 하는
사람과 다른 한부류는 과거에 빠져 헤어
나오지 못하고, 증오와 복수속에 자신을
망치는 부류가 있습니다.

전 전자로 살았습니다
자는 시간을 쪼개서 책을 봤고, 짬나는 시간을
모아 자가 발전을 위해 노력했습니다.
그에 결실로 자격증을 5개 땄고 장관상 또한
3개나 받았고, 각종 지방대회에서 금.은
메달을 취득 했습니다.
그런데.. 그렇게 하기전에 가장 중요한 것이
있습니다.
지금 현실의 '불행'을 받아들이는 것입니다.
그래야 다시 시작 할 행복을 준비
할수 있습니다.
'불행' 그거 지나고 보니 별거 아니더라구요
저처럼 빨리 받아들이고, 미래를 위해
현재를 살아가다 보면 언제 그랬냐?는

생각이 드실 때가 있을 것입니다

인생의 하이라이트는 희망을 품고 사는 바로 그 시간이라고 합니다.

그러니 님께서도 용기 잃지 말고 힘내시길 바랍니다

많이 부족한 사람이 글 드립니다

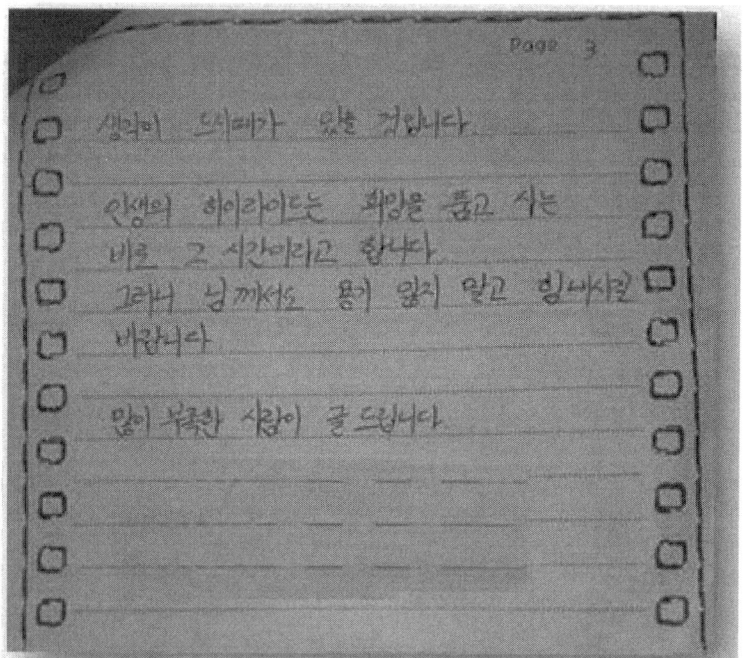

Page 3

생각이 드실때가 있을 것입니다.

인생의 하이라이트는 희망을 품고 사는
바로 그 시간이라고 합니다.
그러니 님께서도 용기 잃지 말고 힘내시길
바랍니다.

많이 부족한 사람이 글 드립니다.

서울(구)/...조사관, 검찰에 척을 지지 마세요

To 겸인 선생님께

안녕하십니까, 앞 전에 보낸 편지는 잘 받아 보셨는지요 :)

글 쓸 기회가 생겨 미약하나마 도움이 되었으면 하는 마음으로 조사 받는 사람, 재판 받는 사람에게 들려 주고 싶은 충고라는 주제에 대해 적어 드립니다.

먼저 조사받는 사람에게는 어느 누구도 예외 없이 초동 수사가 중요할 것입니다. 죄의 경중에 따라서나 죄질에 따라서 해당하는 죄명이 정해지게되고 그 혐의에 대한 진술 조서를 받게됩니다

죄명에 따라 처벌의 형량의 양형이 달라지기에 더욱 중요할 것입니다.

그리하여 혐의에 대한 인정 불인정의 여부나 진술번복을 계속하거나 조사관에게 비협조적이거나

공격적인 태도로 조사를 받을 시에 기소. 의견으로 검찰에 송치 하는 것은 결국 담당 조사관 이기에 초기 대응과 수사부터가 중요할 것입니다.

또한 합의가 필요한 사건이나, 법리적인 해석이나 다툼이 필요한 경우에도

최대한 원만히 해결하여 경미한 처벌만으로도 끝날 수 있도록 노력해야 할 것이고,

모든 고민과 해결 방안의 노력들에 대해서는 개인 사정에 따라 다르겠지만 변호사나…

가족 등 지인의 도움을 받고, 조언을 구하여 어려움을 나누어 타개할 수 있도록 적극적으로 노력을 행함이 좋을 것입니다.

그러므로 합의를 해야할 피해자가 존재하거나, 혐의에 대한 증거가 명확하다면 올바른 판단과 대응으로 선처를 구하여 반성의 태도와 자세를 보여 주어야 합니다.

그리고 경찰 조사관의 출석 요구에 응하지 않거나, 약속을 어기거나 연락을 피하거나 받지 않는 등의 행위들은 최악의 경우 구속 사유가 될 수도 있기에 반드시 성실히 조사에 임하여 조사관과의 적대관계를 만들지 않고 원만히 소통을 하는 것이 불이익을 피하는 것이고 조금이나마 자신의 신상에 이로운 영향이 있을 것이니 주의하여야 겠습니다.

재판을 받는 사람에 대하여는, 자신의 죄가 명확하고,
피해자 분이 존재한다면
최우선적으로 피해자
분과 합의를 통해 피해
회복의 노력을 하며,
진지한 반성과…

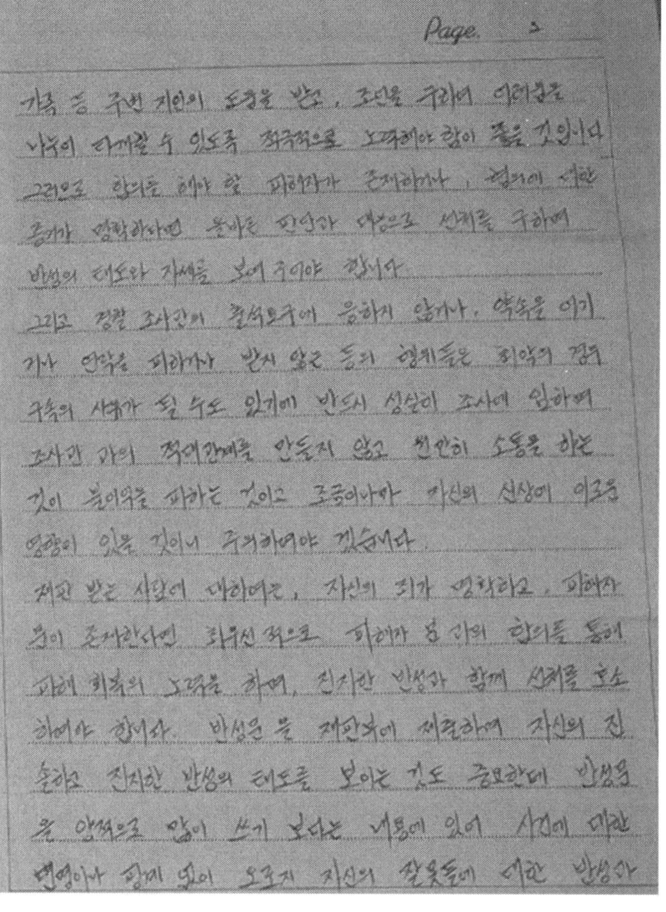

Page. 2

가족 등 주변 지인의 도움을 받고, 조언을 구하여 어려움을 나누어 타개할 수 있도록 적극적으로 노력해야 함이 좋을 것입니다

그러므로 합의를 해야 할 피해자가 존재하거나, 혐의에 대한 증거가 명확하다면 올바른 판단과 대응으로 선처를 구하여 반성의 태도와 자세를 보여 주어야 합니다.

그리고 경찰 조사관의 출석요구에 응하지 않거나, 약속을 어기거나 연락을 피하거나 받지 않는 등의 행위들은 최악의 경우 구속의 사유가 될 수도 있기에 반드시 성실히 조사에 임하여 조사관 과의 적대관계를 만들지 않고 원만히 소통을 하는 것이 불이익을 피하는 것이고 조금이나마 자신의 신상에 이로운 영향이 있을 것이니 주의하여야 겠습니다.

재판 받는 사람에 대하여는, 자신의 죄가 명확하고, 피해자 분이 존재한다면 최우선 적으로 피해자 분과의 합의를 통해 피해 회복의 노력을 하며, 진지한 반성과 함께 선처를 호소하여야 합니다. 반성문 등 재판부에 제출하여 자신의 진솔하고 진지한 반성의 태도를 보이는 것도 중요한데 반성문은 양적으로 많이 쓰기 보다는 내용에 있어 사건에 대한 변명이나 핑계 없이 오로지 자신의 잘못들에 대한 반성과 선임에 있어서도 여러 변호사들에게 최대한 많이 상담하여 합리적인 비용과 재판의 방향성에 대해 가장 알맞은 분을 선임하는 것이 좋을 것입니다.

그리고 무엇보다 미흡하거나 안일한 재판 준비로 되돌릴 수 없는 흔적을 남길 수 있기에 모든 노력과 대응을 하여 재판 준비에 최선을 다해야 할 것입니다

편지지 3장이내로 최대한 아는 내에서 써 보았는데 조금이나마 도움이 되었으면 합니다.

항상 감사합니다, 선생님 건행하세요

5월 24일 이oo 올림

Page. 3

[illegible], [illegible], 앞으로의 다짐과 계획 등의 내용으로
진정성 있게 쓰다면 재판장님께서도 진심을 읽어 주실 것입니다.
그리고 재판에 있어 가장 중요한 것이 변론 이라고 할 수 있는데
죄의 혐의에 대해 모두 인정하거나 일부 인정하거나 혹은 불인정을
하느냐에 따라서 재판 과정의 변론이 더욱 중요해집니다.
경제적 여건에 따라 국선 변호인 이나 사선 변호인의 선임으로
도움을 받을 수 있는데 복잡한 법리적인 해석을 동반하는 사건의
경우에는 비용이 좀 들더라도 사선 변호인의 도움을 받는것이 국선
변호인 보다는 좀 더 구체적이고 성의있고 깊이있는 도움을 받을
수 있는것이 통상적입니다. 선임에 있어서도 여러변호사들에게
최대한 많이 상담을 하여 합리적인 비용과 재판의 방향성에
대해 가장 알맞은 분을 선임하는 것이 좋을 것 입니다.
그리고 무엇보다 미흡하거나 안일한 재판준비로 되돌릴 수 없는
재판 결과를 맞이하고 후회하거나 앞으로의 삶에 지울수 없는
흔적을 남길수 있기에 모든 노력과 대응을 하여 재판 준비에
최선을 다해야 할 것입니다.
편지지 3장 이내로 최대한 아는 내에서 써보았는데 조금이나마
도움이 되었으면 합니다. 항상 감사합니다 선생님 건강하세요 :)

[illegible] 올림.

거친 바람은 아침 한 나절을 넘지 않고,
사나운 비도 하루를 넘지 않는다.

飄風不終朝 驟雨不終日: **표풍부종조 취우부종일 노자.23**

Part IV: 질문과 답 모음

- ❖ 조사·재판 선처 받기
- ❖ 구치소생활
- ❖ 징역생활
- ❖ 가석방

❖ 조사·재판 선처 받기

보이스피싱: 전달책

안녕하세요 제 남자친구가
구인구직 사이트에 이력서를 올려놓았는데
채권추심 이런거라며 일을 한게 전달책 이였습니다

그리고 알고나서 바로 그만두었구요 피해자는 2명 피해금액 3천만원 입니다. 사건은 현재 검찰청으로 넘어가 있는 상태이구요 다행히 피해자분이 500에 그렇게 합의하자고 하셔서 합의서랑 처벌불원서 작성했구요.

처분이 어떻게 내려질까요? 동종 전과 없구요..
현재 남자친구는 음주사건으로 교도소에 구속 되어있습니다. 검찰측에서 기소유예로 마무리 가능할까요.. ?

남친이 음주운전으로 구속된 상태에서 보이스피싱 조사를 받을 경우 생활이 무질서한 사람으로 판단된다면 질문자가 말한 기소유예는 매우 어려울 것으로 보입니다.

그러나 음주운전과 보이스피싱 연루에도 불구하고 피해자와 합의하고 진정성 있는 반성 등으로 재범하지 않을 의지를 인정받는다면 선처 받을 수 있으며 남친의 잘못에 여친이 책임이 있음을 인정하고 여친도 반성문을 제출하는 것도 도움될 수 있으니 아래 처벌과 선처에 대한 글 참고하시고 필요하면 도움요청하시기 바랍니다.

형법,
제32조 (종범) ①타인의 범죄를 방조한 자는 종범으로 처벌한다.
②종범의 형은 정범의 형보다 감경한다.

제347조(사기)① 사람을 기망하여 재물의 교부를 받거나 재산상의 이익을 취득 한 자는 10년 이하의 징역 또는 2천만원 이하의 벌금에 처한다. <개정 1995.12.29>
②전항의 방법으로 제삼자로 하여금 재물의 교부를 받게 하거나 재산상의 이익을 취득하게 한 때에도 전항과 같다.

보이스피싱: 대포통장 제공

제 남자친구가 생활고에 힘들어 한 순간의 잘못된 선택으로 대포통장 전달 하는걸 하게되어 어떤 형을 알게 되었습니다

그 형이 환전상으로 통장을 쓴다 하여 통장을 건네 주었는데 그 형 쪽에서 보이스피싱으로 사용한거 같습니다 그래서 지금 구치소에서 재판을 기다리고 있는 상황인데 제 남자친구랑 저랑 이런 상황은 처음인지라 반성문, 탄원서 도움 요청 드립니다!

안녕하세요, 보이스피싱 문제이군요

요청하신 반성문. 탄원서, 가족(아내)의 반성문 보내 드렸으니 참고하시고 도움요청하시기 바랍니다

이외 관련하여 도움말씀 드리자면,

속아서 모르고 가담하게 되었다는 사실을 인정받고, 진정성 있는 반성 등으로 재범하지 않을 의지를 인정받는다면 선처 받을 수 있습니다.

그러나 속아서 모르고 가담하지 않았다는 점을 증명하지 못하고 충분히 알고 있었음에도 몰랐다는 등의 거짓진술이 있을 경우 오히려 가중 처벌받을 수 있으니 매우 주의해야 합니다.

한편 질문자가 남친의 약혼자고, 남친의 잘못에 책임이 있다고 인정한다면, 질문자의 반성문이 선처 받는 데 도움될 수 있으니 참고하시기 바랍니다

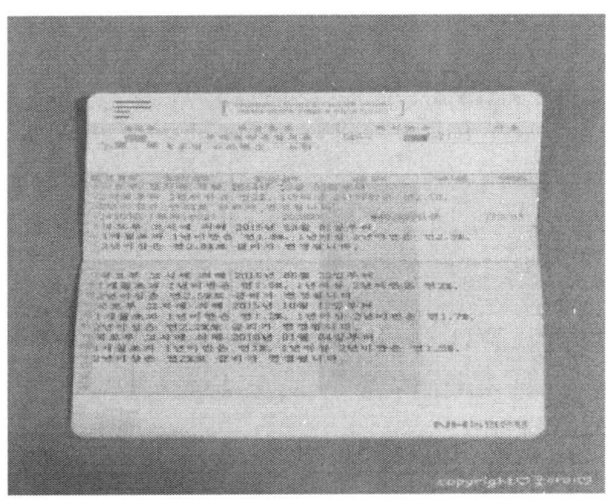

보이스피싱: 억울합니다

코로나로 인하여 일자리 구하는데 어려움도 있고 경제적으로 많이 힘든 상황이였습니다 그러던 중 문자를 받았고 알바지원을 했습니다

처음에는 부동산 법원 등재를 하기 위해 건물 사진 찍어서 보내주는 일이라고 하더니 일주일 정도 뒤에는 갑자기 고객한테 완납 증명서 같은 서류를 건네주고 돈을 받아오면 된다고 하더군요

첫번째 일을 진행하고 하루 뒤에 더 큰 금액을 받아오라길래 불법이 아니냐는 질문을 했지만 여러가지 이유를 대며 합법이니 걱정하지 말라고 하더니 2건의 일을 더 진행시켰습니다 그리곤 담 주에 경찰서에서 연락이 오더군요

보이스피싱 가담했으니 출석 하라고요 저는 그저 아무것도 모르고 시키는 대로 하였고 저 역시도 속은 건데 너무도 억울합니다,,,

---

요청하신 반성문 등 자료는 메일로 보내드렸으니 참고하시고

관련하여 도움말씀 드리자면,

질문자가 속아서 했고, 이득도 없다면 피해자가 되어 처벌받지 않을 수 있게 되니, 속아서 했다는 점과 이득이 없다는 점을 증명하기 바라며, 속아서 했다고 하더라 보통 알바 이상의 이득이 있었다면 약간의 가담이 될 수 있습니다. (사기방조 등)

이 때 약간의 죄라도 진정성 있는 (큰)반성이 인정 경우 선처 받을 수 있으니 (왜냐하면, 작은 잘못에 큰 반성은 향후 있을 수 있는 많은 잘못을 사전에 방지하고, 그러므로서 더 나은 사람이 될 수 있기 때문입니다)

.

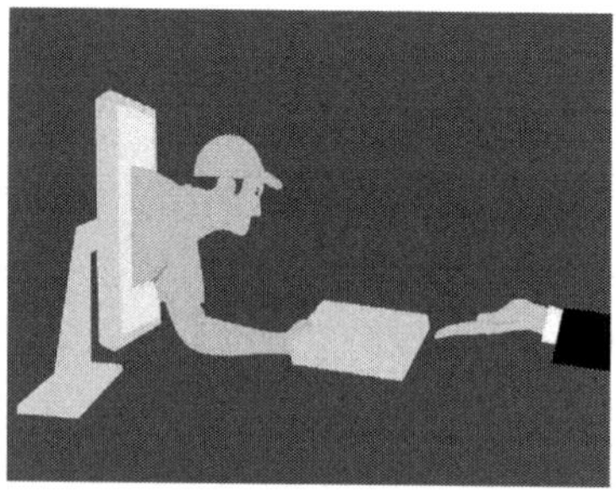

음주운전 초범: 자체사고

엊그제 회사에서 회식 후 계곡 갔다가 조금 더 마시구 집을 가서 한숨 자고, 사무실에 놓고 온 것이 있어서 가다가 음주 단속에 걸렸습니다. 자고 일어나서 괜찮겠지라는 생각으로 갔는데 생각보다 오래 잔게 아니여서인지 0.065 정도 수치가 나와서 100일정지 처분을 받았습니다.. 운전관련 일을 하다보니 음주운전도 원래 안하고 제가 너무 안일하게 생각한게 잘못이죠. 그 자리에서 바로 인정하고 내일 경찰서 가구요,

1. 혹시 처음 걸린 건데 벌금이 얼마정도 나올까요..?

2. 제가 운전관련 일을 하다 보니 생계가 달려서요..내일 조사받으면서 반성문 제출하면 조금이나마 효과가 있을까요..?

안녕하세요, 음주운전 초범 문제이군요

도움말씀 드리자면,

대인은 작은 잘못에 크게 반성하여 더 대인이 되고, 소인은 큰 잘못에도 남 탓하여 더 나빠진다고 합니다.

처벌의 큰 목적은 재범방지에 있고 재범가능성은 진정성 있는 반성으로 가늠되니 조사받기 전에 반성형진술 서 작성하여 조사받을 때 제출하면 선처 받는 데 도움될 수 있습니다

한편 음주운전이 반복되면 반드시 인명사고로 이어지게 되므로, 운전자가 음주운전을 통제할 수 없다고 간주되면 예방적 치유적 차원에서 가중 처벌될 수 있음을 잘 이해하시고,

다른 한편, 질문자가 처음 걸렸다고 해서 처음 음주운전한 것이 아니라는 점을 스스로 이해하고 이번 사건을 통해 다시는 음주운전 하지 않을 계기로 할 것을 반성문 작성시 참고하시기 바랍니다.

음주운전 2회 째: 오토바이 음주

오토바이 음주운전 자체사고

7월 10일 금요일에 친구가 집에서 가까운 바닷가 근처에서 연락이와 얼굴도 볼 겸 만나러 갔습니다. 평소 기름값도 아끼려고 오토바이로 출퇴근을 했습니다. ...한잔 두 잔 빈속에 마시다 보니 2시간 가량 음주를 무리하게 되었고 너무 마신것 같아 더 취하기전에 집으로 가야겠다 일어나기전에 생각을 했습니다.

2013년에 면허정지수치에 상대방 진단서제출로 인해서 면허 취소된적이 있었습니다.
그래서 현재는 2진아웃으로 혹시 몰라 변호사 선임을 하기로 했습니다. 아직 경찰조사는 받지않았습니다. 9월 7일에 조사를 받기전에 반성문과 탄원서를 준비하는게 좋다 라고 하여 여기까지 찾게 되었습니다.
죄를 지었음에도 도움 받고자 이렇게 글을 쓰게 되었습니다.
저의 인생에 있어서 술이란 것은 아무런 도움도 안되겠구나 하고 지나고 나서 후회가 됩니다.

담배도 9년째 금연중이고, 술도 끊고 살겠습니다.
벌금형이라면 벌금이라도 줄일수 있었으면 좋겠습니다. 최악의 경우 법정구속도 면하였으면 좋겠습니다.

안녕하세요, 음주운전 2회째 문제이군요

요청하신 반성문- 탄원서- 음주운전 근절 서약서. 는 메일로 보내드렸으니 참고하시고 도움요청하시기 바라며

도움말씀 드리자면,

1. 술을 먹는 것이 문제가 아니라 <u>술 먹고 운전한다는 것이 문제이고</u>, 질문자가 술을 끊었다고 하더라도 내면에 있는 문제-술 먹고 운전하게 만드는 문제-는 여전히 해결되지 않아 다른 문제로 드러나게 됨을 이해 해야 하며 (예를 들면 술 안먹고 운전했는 데 사고 나는 경우)술먹고 운전하게 만드는 문제 - 내면의 고통 혹은 부조화를 찾는 과정이 반성의 과정임을 또한 이해해야 합니다

2. 음주운전이 반복되면 반드시 인명사고로 이어지게되므로 질문자가 음주운전을 통제할 수 없다고 판단되면 예방적 치유적 차원에서 적더라도 실형이 선고될 수 있습니다.

3. 한편 음주운전 2회째는 <2년이상 5년이하의 징역 혹은 1,000만원 이상 2,000만원 이하의 벌금>의 범위 에서 재범가능성에 따라 처벌이 조절되니 징역으로 음주운전 하지 않을 기회를 갖고자 하는 것이 아니라면 음주 운전하지 않을 의지와 방법이 분명한 반성문으로 선처 받을 노력해야 하니, 이외 아래 처벌과 선처에 대한 글 한번 더 참고하시고 필요하면 도움요청하시기 바랍니다.

.

음주운전: 3진아웃 도와주세요

현재 35살 직장인 입니다
평소 대리운전 항상 이용했는데 음주후 한숨자고 운행했다
0.088로 적발되었습니다
이전 적발내용은
17년 0.088 벌금 150정지
18년 0.087 벌금 300정지
윤창호법 시행전이라 둘다 정지로 끝났는데요
이번에는 어떻게 나올지요....정말 잘못한거알고 후회 엄청 하고있습니다. 전날도 대리운전해서 집왔는데.... 연휴 마지막날 미치겠네요

안녕하세요, 음주3번째 문제이군요

도움말씀 드리자면,

사고가 안난 음주운전이니 다행이고, 이번 음주운전이후로 다시 음주운전 안하게된다면 이번 음주운전 단속은 재수가 좋은 경우입니다(그렇게 만들어야 합니다)

왜냐하면,
음주운전이 반복되면 반드시 인명사고로 이어지게되므로 질문자가 음주운전을 통제할 수 없다고 판단되면 통제력을 길러 주기위해 혹은 예방적 치유적 차원에서 적더라도 실형이 선고되는 경우가 많습니다

질문자가 처벌이 두려워서 후회하고 있게되는 점을 시작으로, 음주운전으로부터 위험을 잘 이해하고 음주 운정을 하지 않을 방법을 생각하는 과정을 반성문으로 작성 제출하면 선처 받는 데 도움 될 수 있으니 필요하면 도움요청하시기 바랍니다.

특정범죄 처벌법: 뺑소니

음주 뺑소니 처벌

17일 있었던 일입니다..술 먹고 운전해서 귀가하다가.. 골목에서 지나가시던 사람이 제차 사이드 미러에 부딪혀 넘어져서 저는 그것을 보지 못하고 그냥 집으로 향했습니다..그러고 어제 경찰서에서 조사받으러 오라고 연락이 왔어요.. 근데 제가 그날 거의 만취상태였어서.. 자세히 사이드 미러에.. 경찰말로는 넘어지신 분이 크게 다쳤다는데.. 어떻게 해야할까요.. 제가 진술하지 않아도 음주사실을 알아낼 수 있나요.. 사건 있던 날 술을 회사동료랑 2~3병 가까이 마시고 코로나라 10시에 나와서.. 대리가 너무 안구해져서 운전한건데.. 이런것도 참작이 좀 될까요

제가 카드결제한걸로 제가 음주했던 사실을 알아낼 수 있을까요.. 너무 걱정입니다..

안녕하세요, 음주뺑소니 문제이군요

도움말씀 드리자면,

뺑소니는 특가법상 가중 처벌대상이 되어 있습니다.

질문자가 음주하였을 것이라는 추정은 충분히 할 수 있는 상황에서 음주를 부인한다면 증거 불충분으로 음주가 빠진다고 하더라도 그만큼 뺑소니 처벌이 더 커질 수 있다는 점을 고려하여 자백하는 것이 더 나빠지지 않게 하는 선택이라고 생각되니 참고하시기 바랍니다.

왜냐하면,

처벌의 목적은 처벌자체에 있는 것이 아니라 피해회복(합의)와 재범방지에 있는 만큼 합의하고 (합의하지 못할 경우 , 공탁, 기부,기증 혹은 봉사활동 으로 노력) 진정성 있는 반성 등으로 재범하지 않을 의지를 인정받는다면 그 만큼 선처받을 수 있으니 아래 우리 카페 안내 참고하시고 필요하면 도움요청 하시기 바랍니다.

(가족이 있다면 질문자의 잘못에 일정한 책임이 있다는 취지에서 탄원서 보다 반성문이 선처 받는 데 더 도움될 수 있으니 참고하시기 바랍니다)

도로교통법 44조, 148조의 2: 음주운전

도로교통법
제44조 (술에 취한 상태에서의 운전금지)
① 누구든지 술에 취한 상태에서 자동차등(「건설기계관리법」 제26조제1항 단서에 따른 건설기계 외의 건설기계를 포함한다. 이하 이 조, 제45조, 제47조, 제93조제1항 제1호부터 제4호까지 및 제148조의2에서 같다), 노면 전차 또는 자전거를 운전하여서는 아니 된다.

② 경찰공무원(자치경찰공무원은 제외한다. 이하 이 항에서 같다)은 교통의 안전과 위험방지를 위하여 필요하다고 인정하거나 제1항을 위반하여 술에 취한 상태에서 자동차 등과 노면전차 또는 자전거운전자가 운전하였다고 인정할 만한 상당한 이유가 있는 경우에는 운전자가 술에 취하였는지를 호흡조사로 측정할 수 있다. 이 경우 운전자는 경찰공무원의 측정에 응하여야 한다.

③ 제2항에 따른 측정 결과에 불복하는 운전자에 대하여는 그 운전자의 동의를 받아 혈액 채취 등의 방법으로 다시 측정할 수 있다.

④ 제1항에 따라 운전이 금지되는 술에 취한 상태의 기준은 운전자의 혈중알코올농도가 0.03퍼센트 이상인 경우로 한다.

제148조의2 (벌칙)
① 제44조제1항 또는 제2항을 2회 이상 위반한 사람(자동차등 또는 노면전차를 운전한 사람으로 한정한다. 다만, 개인형 이동장치를 운전하는 경우는 제외한다. 이하 이 조에서 같다)은 2년 이상 5년 이하의 징역이나 1천만원 이상 2천만원 이하의 벌금에 처한다.

② 술에 취한 상태에 있다고 인정할 만한 상당한 이유가 있는 사람으로서 제44조제2항에 따른 경찰공무원의 측정에 응하지 아니하는 사람(자동차등 또는 노면전차를 운전하는 사람으로 한정한다)은 1년 이상 5년 이하의 징역이나 500만원 이상 2천만원 이하의 벌금에 처한다.

③ 제44조제1항을 위반하여 술에 취한 상태에서 자동차등을 운전한 사람은 다음 각 호의 구분에 따라 처벌한다.

1. 혈중알코올농도가 0.2퍼센트 이상인 사람은 1년 이상 5년 이하의 징역이나 1천만원 이상 2천만원 이하의 벌금

2. 혈중알코올농도가 0.08퍼센트 이상 0.2퍼센트 미만인 사람은 1년 이상 2년 이하의 징역이나 500만원 이상 1천만원 이하의 벌금

3. 혈중알코올농도가 0.03퍼센트 이상 0.08퍼센트 미만인 사람은 1년 이하의 징역이나 500만원 이하의 벌금

④ 제45조를 위반하여 약물로 인하여 정상적으로 운전하지 못할 우려가 있는 상태에서 자동차등을 운전한 사람은 3년 이하의 징역이나 1천만원 이하의 벌금에 처한다.

특정범죄가중법: 뺑소니

특정범죄 가중처벌 등에 관한 법률 (약칭: 특정범죄가중법)
[시행 2020. 5. 5.] [법률 제16922호, 2020. 2. 4., 일부개정]

제5조의3(도주차량 운전자의 가중처벌) ①「도로교통법」 제2조에 규정된 자동차・원동기장치자전거의 교통으로 인하여「형법」 제268조의 죄를 범한 해당 차량의 운전자(이하 "사고운전자"라 한다)가 피해자를 구호(救護)하는 등「도로교통법」 제54조제1항에 따른 조치를 하지 아니하고 도주한 경우에는 다음 각 호의 구분에 따라 가중처벌한다.
1. 피해자를 사망에 이르게 하고 도주하거나, 도주 후에 피해자가 사망한 경우에는 무기 또는 5년 이상의 징역에 처한다.
2. 피해자를 상해에 이르게 한 경우에는 1년 이상의 유기징역 또는 500만원 이상 3천만원 이하의 벌금에 처한다.
② 사고운전자가 피해자를 사고 장소로부터 옮겨 유기하고 도주한 경우에는 다음 각 호의 구분에 따라 가중처벌한다.
1. 피해자를 사망에 이르게 하고 도주하거나, 도주 후에 피해자가 사망한 경우에는 사형, 무기 또는 5년 이상의 징역에 처한다.
2. 피해자를 상해에 이르게 한 경우에는 3년 이상의 유기징역에 처한다.
[전문개정 2010. 3. 31.]

사기: 누범기간 중 사문서 위조

1. 누범기간 중에 대출 및 카드 발급 등으로 사문서위조로 고소되었다.

2. 회사운영상 일어난 일이고 피해금액 전부 변제되었지만 누범기간이라서 불안하여 도움이 필요하다.

---

1. 누범기간 동안의 재범은 집행유예를 선고할 수 없으므로 징역형이거나 벌금형인데 질문자의 경우
   1)회사업무상 일어난 일이고(증명된다면)
   2)전액 변제 하였으며(합의가 있으면 더 좋습니다만)
   3)죄질이 나쁘다는 등의 특별한 고려사항이 없다면

진정성 있는 반성 등을 통해 재범하지 않을 의지를 인정받는다면 선처 받을 수 있을 것이며, 만약 죄질이 나쁘다는 평가가 있게 될 경우는 더욱 깊은 노력이 필요합니다.

(검찰조사 전이라면 검사가 정해지기 전에 필요한 반성문 등 작성해 두었다가 정해지면 반성문 제출하고 나서 조사받는 것이 선처 받는데 도움될 수 있으니 참고하시기 바랍니다.

3. 관련 조문을 첨부하니 해당부분 참고하시기 바랍니다.

형법 제35조(누범) ① 금고 이상의 형을 받어 그 집행을 종료하거나 면제를 받은 후 3년 내에 금고이상에 해당하는 죄를 범한 자는 누범으로 처벌한다.
②누범의 형은 그 죄에 정한 형의 장기의 2배까지 가중한다.

형법, 231조(사문서 등의 위조·변조) 행사할 목적으로 권리·의무 또는 사실증명에 관한 타인의문서 또는 도화를 위조 또는 변조한 자는 5년 이하의 징역 또는 1천만원 이하의 벌금에 처한다.
<개정 1995.12.29>

형법, 제347조(사기)① 사람을 기망하여 재물의 교부를 받거나 재산상의 이익을 취득 한 자는 10년 이하의 징역 또는 2천만원 이하의 벌금에 처한다. <개정 1995.12.29>
②전항의 방법으로 제삼자로 하여금 재물의 교부를 받게 하거나 재산상의 이익을 취득하게 한 때에도 전항과 같다.

사기: 재판에 안나가면...

1. 18건 정도의 사기로 벌금처분을 받은 적이 있는데 이번에 피해자 총5명 피해액 250만원 정도의 사기사건으로 징역1년이 구형되었고 9월9일 선고공판인데

1)반성문을 내면 조금 도움이 될지
2)재판에 안나가면 바로 수배가 되는지

1.처벌은 형법적 목적을 달성하기 위한 방편인데 결국 강제반성을 시키기 위한 것 이므로, 진정성 있는 반성만이 선처 받을 수 있는 이유가 되며 질문자가 말하는 것과 같이 "반성문을 내면 조금 도움이 될 수 있을지"하는 태도의 반성문은 도움되지 않을 수 있으니 유의해야 하며

2.재판에 안나가면 선처 받을 수 있을 가능성도 없어지게 되고, 안 나가므로 해서 불안함은 더욱 가중되며 따라서 징역보다 힘든 생활이 될 수 있으므로 어느 모로 보나 불이익이니 재판에 가서 선처 구해야 합니다.

3.위에서 말한 바와 같이 반성은 처벌의 목적에 부합하는 것이므로 진정성 있는 반성 등을 통해 재범하지 않을 의지를 인정받는다면 선처 받을 수 있으니 참고하시기 바랍니다.

(혹시 법정 구속되는 경우는, 항소심에서라도 노력해야 합니다.)

형법, 제347조(사기)① 사람을 기망하여 재물의 교부를 받거나 재산상의 이익을 취득 한 자는 10년 이하의 징역 또는 2천만원 이하의 벌금에 처한다. <개정 1995.12.29>
②전항의 방법으로 제삼자로 하여금 재물의 교부를 받게 하거나 재산상 이익을 취득하게 한 때에도 전항과 같다.

형법, 제351조(상습범) 상습으로 제347조 내지 전조의 죄를 범한 자는 그 죄에 정한 형의 2분의 1까지 가중한다

사기: 허위매출

1..마트에서 정육점코너를 운영하던 중에 직원이 1250만원의 허위매출을 발생시켜 사기죄로 고소되었는 데,

2. 마트측에서는 5,700만원의 피해금액(이 금액은 내가 마트로부터 돌려 받을 금액이다)을 주장하며 직원과 같이 형사 고소하였고 민사소송도 별도로 진행이다

3. 이 사건으로 나는 무혐의가 되었으나 직원은 징역 8개월을 구형 받았고 8월17일이 선고인데 어떻게 해야 할지 도움이 필요하다.

---

1. 1250만원의 피해금액에 징역8개월을 구형한 것은, 합의가 없는 가운에 반성의 태도도 인정받지 못했다는 등, 뭔가 가중구형의 이유가 있었던 것으로 보이니 무엇이 가중구형하게 했는지 확인하고 선처 받을 노력해야 합니다.

1)마트에서의 절도의 경우와 유사하게 그전에 손해 본 것 까지 다해서 배상을 청구한것 같습니다, 실제금액은 1250만원이지만, 나머지는 보상금조로 요구하는 것으로 보이니 참고하시기 바랍니다.

2)민사소송에서는 형사재판의 결과를 보고 재판을 진행하게 되므로 형사재판에서 선처 받을 수 있다면 민사소송에서도 그 결과가 반영될 수있으니 참고하시기 바라고

3)질문자가 무혐의 받았다고 하더라도 피해자는 30일 이내 항고할 수 있으니 수시로 내 사건 조회하기를 통해 확인해보기 바랍니다.

기본적으로 처벌은 피해회복(합의)와 재범가능성 평가에 따라 좌우되는 데 질문자의 경우 합의하지 못하고 진정성 있는 반성도 인정받지 못했다면 일반적 가중처벌의 사유가 될 수 있으니, 합의 하지 못한다고 할지라도 진정성 있는 반성 등을 통해 재범하지 않을 의지를 인정받는다면 초범이고, 생계형이므로 선처 가능성이 높습니다.

(이 사건은 결국 항소심까지 이어질 가능성이 있으니 참고하시기 바랍니다)

카메라*: 의견서, 반성문 등

1. 카메라*관련 문제로 피해자와 합의하지 못한 가운데 재판이 시작되었는 데, 1차 공판 때 판사님이 국선변호인 선임과 함께 다음 공판부터 시작하기로 하여 법원에서 의견서를 받았는데,

1)의견서 등은 언제까지 어디로 제출해야 하는지
2)의견서를 직접 작성하여 불리하게 되는 것은 없는지
3)반성문 작성하듯이 의견서 작성해도 되는지
4)피해자의 동의로 촬영하였으나 동의 없이 배포한 것인데 적용 죄목 "성폭력 특례법 제14조 제2항,제1항은 3년이하, 500만원이하의 처벌이 아닌지

---

1. 질문자의 노력으로 선처 받을 수 있는 기초가 마련된 것은 합의 혹은 공탁할 수 없는 상황에서는 다행스러운 일로 보이나, 판사님이 국선변호인을 선임하게 한 것은 다소 긴장해야 할 일일 수도 있으니 유의하여야 합니다.

1)원래 의견서는 받은 날로부터 7일 이내에 제출해야하는 것이므로, 법원에서 받은 날로 7일 이내에 제출하는 것이 좋습니다.
2)의견서를 직접 작성하여 불리할 것은 없으나 중요한 문건이므로 잘 작성해야 합니다.
3)반성의 태도로 의견서를 작성하는 것은 좋으나 의견서는 사건전체에 대한 자신의 의견을 밝히는 것입니다.
4)성폭14.2에 해당하는 것으로 보입니다.

성폭력범죄의 처벌 등에 관한 특례법, 제14조(카메라 등을 이용한 촬영) ① 카메라나 그 밖에 이와 유사한 기능을 갖춘 기계장치를 이용하여 성적 욕망 또는 수치심을 유발할 수 있는 다른 사람의 신체를 그 의사에 반하여 촬영하거나 그 촬영물을 반포·판매·임대·제공 또는 공공연하게 전시·상영한 자는 5년 이하의 징역 또는 1천만원 이하의 벌금에 처한다.
② 제1항의 촬영이 촬영 당시에는 촬영대상자의 의사에 반하지 아니하는 경우에도 사후에 그 의사에 반하여 촬영물을 반포·판매·임대·제공 또는 공공연하게 전시·상영한 자는 3년 이하의 징역 또는 500만원 이하의 벌금에 처한다.
③ 영리를 목적으로 제1항의 촬영물을 「정보통신망 이용촉진 및 정보보호 등에 관한 법률」 제2조제1항제1호의 정보통신망(이하 "정보통신망"이라 한다)을 이용하여 유포한 자는 7년 이하의 징역 또는 3천만원 이하의 벌금에 처한다.

카메라*: 전철역 몰카

1. 지난8월 중순 전철역 부근에서 폰의 카메라 앱으로 사진을 찍다가 현행범 체포되어 조사 받게 되었는데 100여장의 사진이 있었지만 특정부분이 아닌 전신 혹은 상반신 사진이 주였으며 그중에 4장만 수사대상이 되었다.

2. 현재까지 반성문 6번 탄원서 1번, 성교육 이수증, 학창시절 때의 상장 등을 제출하였는데

1)조사과정에서 자백하지 않으면 구속시킬 수 있다고 하여 전부 자백했는데 이것이 불리하게 작용할지

2)반성문은 6회 제출했는데 반성문을 잘못쓰면 불리하게 작용할 수도 있을지

3)제출한 양형 자료가 잘 전달되었는지 확인하는 방법이 있는지

4)국선변호사를 선임할 계획인데 국선변호사는 도움이 될지

---

1. 우선 100여장 정도의 사진이 있는데 폰을 복원하지 않고 4장만으로 한 것은 질문자가 조사에 협조했기 때문에 선처한 것으로 보이니 참고하세요

1)자백한 것은 선처 받는 기초이고 증거없이 부인하는 것은 가중처벌 받는 이유입니다. 자백한 것은 위에서 말한 것처럼 더 이상 수사하지 않는 이유입니다.

2)반성문은 탄원서 봉사활동과 함께 처벌의 50% 전후를 좌우하는 핵심요소이며 진정성이 생명입니다.

반성문의 목적이 재범하지 않을 의지를 확인하고자 하는 것인 만큼 변명성이 아닌, 읍소형이 아닌 올바른 반성문이라면 선처 받을 수있습니다.

3)제출한 자료가 잘 전달되었는지는 지금은 확인할 수 없고 나중에 재판과정에서 기록열람 신청해서 확인할 수 있습니다.

4)국선변호인은 필요하다면 법원에서 선임하는 것이며, 국선변호인에게 최선을 다하면 기대이상의 결과를 얻을 수 있습니다.

카메라*: 동거녀 알몸 촬영

1. 동거녀의 알몸을 촬영하는 등 하여 카메라촬영* 과 강간으로 고소되었으나, 강간은 무혐의 되었으며 카메라는 벌금500만원이 선고되었다.

2. 피해자는 강간에 대해 항고하였고 합의는 아직 하지 못하였는데, 가족과 지인 탄원서와 봉사 활동하게 되면 벌금이 감면될 수 있을지

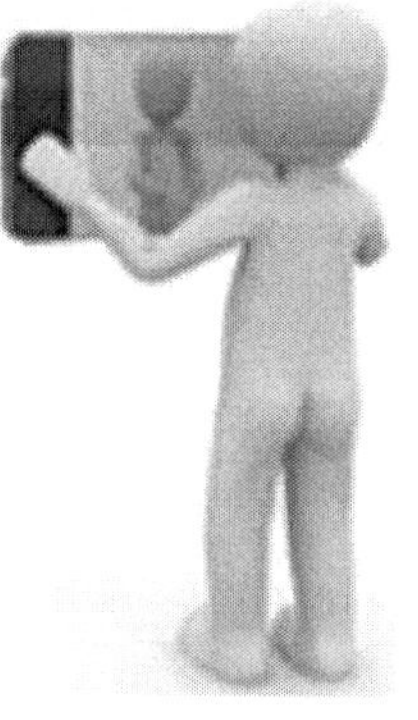

1 .가족과 지인의 탄원서와 반성문으로 처벌이 감면될 수 있다는 보장은 전혀 없으며, 오히려 선처를 바라고 제출하는 반성문은 대개 선처받지 못하는 결과를 낳게 되는데,

처벌을 피하고자 쓰는 반성문은 대가 변명문이거나, 혹은 무조건 잘못했다는 식의 읍소문이 되어-재범방지를 목적으로 하는- 선처의 목적에 반하는 반성문이 되니 유의하기 바랍니다.

(선처 받는 반성은 그 깊이가 1단계-변명문, 2단계-읍소문에 3단계-자백형, 반성에 이르러야 하며 최선의 반성은 4단계의-수행적 반성의 깊이를 가져야 하는데 대개의 반성은 1단계나 혹은 2단계에 머무르게 됨을 참고하시기 바랍니다.)

한편, 탄원서의 경우에도 탄원서는 제3자의 증언적 효력 즉, 같은 잘못을 반복하지 않을 것임에 대해 선처를 구하는 기능을 하는 것이므로, 가족은 제3자가 아니기 때문에 가족의 탄원서는 크게 인정받지 못하게 되며

가족은 피고의 죄에 대해 공범적 입장에 있는 것이므로 탄원서와 함께 반성문이 같이 제출된다면 그 진정성을 인정받고 선처 받는데 도움될 수 있으니 참고하시기 바랍니다.

강간이 아직 항고 중이라면(항고 하였다면 다시 조사받고 기소될 가능성이 있는 것이므로) 벌금의 감면의 선처와 항고사건의 검찰로부터의 선처 받기 위한 노력이 필요할 것입니다.

폭행: 집행유예기간 중 재범

1. 남친이 지인에게 여자를 소개시켜주었으나, 지인이 여자와 관계 후 여자를 폭행하여 이를 말리려고 갔다가 피해자를 폭행하게 되어 폭행으로 재판 받는 중이다.

2. 피해자가 시간을 끄는 등 하여 합의하지 못하고 있으며 남친은 이전에 교도소 2번의 전과가 있어서 항소하고 지인들이 탄원서 제출해도 기각된다고 하는데, 어떻게 해야 할지

---

1. 집행유예기간 중 재범은 벌금이거나 실형이 되는데, 사안이 경미하며 합의하고 진정성 있는 반성 등을 통해 재범하지 않을 의지를 인정받는다면 선처 받을 수 있습니다.

1)구체적으로 폭행의 내용이 무엇인지 모르겠으나 합의하지 못하고 전과가 있다고 하더라도. 그리고 집행유예 기간 중이라 하더라도 처벌은 피해회복(합의)외에도 재범방지에 큰 목적이있는 것이니, 본인 여친의 진정성 있는 노력은 선처 받을 수 있음을 다시 한 번 말씀 드립니다.

2)지인의 탄원서와 여친의 반성문 및 탄원서는 선처 받는데 도움될 수 있으며, 무엇보다 본인의 진정성 있는 반성이 중요하다는 것을 참고하시기 바랍니다.

형법, 제260조(폭행, 존속폭행)① 사람의 신체에 대하여 폭행을 가한 자는 2년 이하의 징역, 500만원 이하의 벌금, 구류 또는 과료에 처한다. <개정 1995.12.29>
②자기 또는 배우자의 직계존속에 대하여 제1항의 죄를 범한 때에는 5년 이하의 징역 또는 700만원 이하의 벌금에 처한다. <개정 1995.12.29>
③제1항 및 제2항의 죄는 피해자의 명시한 의사에 반하여 공소를 제기할 수 없다. <개정 1995.12.29>

형법, 제257조(상해, 존속상해) ① 사람의 신체를 상해한 자는 7년 이하의 징역, 10년 이하의 자격정지 또는 1천만원 이하의 벌금에 처한다. <개정 1995.12.29>
②자기 또는 배우자의 직계존속에 대하여 제1항의 죄를 범한 때에는 10년 이하의 징역 또는 1천500만원 이하의 벌금에 처한다.
③전 2항의 미수범은 처벌한다

폭행: 공동폭행과 방조

1. 취중에 지인의 일행이 위협하여 친구 3명이 2명의 상대를 폭행하게 되었는데 폭행한 상황을 지켜 본 사람과 폭행을 한 사람에게 각각 어떤 정도의 처벌이 있을지

---

1. 3명이 일방적으로 2명을 폭행했다면 공동폭행(상해)가 되고 친구를 부르고 지켜본 사람은 폭행을 방조하였으므로 공범이 될 수 있습니다.

1)공동폭행(상해)나 일반폭행(상해)죄에 50%가중 처벌됩니다. 그러나 처벌의 목적은 처벌이 아니라 피해회복(합의)와 재범방지에 있는 것이므로 피해자와 합의하고(합의는, 치료비를 제외하고 진단1주당 50만원 전후의 보상금 지불관행-교통사고의 경우가 있습니다)

2)진정성 있는 반성 등을 통해 재범하지 않을 의지를 인정받는다면 선처 받을 수 있으니 아래 처벌과 선처에 대한 글 참고하시고 도움 요청하시기 바랍니다.

(아직 경찰조사 받기 전이라면 반성형 진술서 제출하는 것이 도움됩니다.)

폭력행위 등 처벌에 관한 법률, 제2조 (폭행등) ① 상습적으로 다음 각 호의 죄를 범한 자는 다음의 구분에 따라 처벌한다.<개정 2006.3.24>
1.「형법」 제260조제1항(폭행), 제283조제1항(협박), 제319조(주거침입, 퇴거불응) 또는 제366조(재물손괴등)의 죄를 범한 자는 1년 이상의 유기징역
2.「형법」 제260조제2항(존속폭행), 제276조제1항(체포, 감금), 제283조제2항(존속협박) 또는 제324조(강요)의 죄를 범한 자는 2년 이상의 유기징역
3.「형법」 제257조제1항(상해)·제2항(존속상해), 제276조제2항(존속체포, 존속감금) 또는 제350조(공갈)의 죄를 범한 자는 3년 이상의 유기징역
②2인 이상이 공동하여 제1항 각 호에 열거된 죄를 범한 때에는 각 형법 본조에 정한 형의 2분의 1까지 가중한다. <신설 1962.7.14, 1990.12.31, 2006.3.24>
③이 법 위반(「형법」 각본조를 포함한다)으로 2회 이상 징역형을 받은 자로서 다시 제1항에 열거된 죄를 범하여 누범으로 처벌할 경우에도 제1항과 같다. <신설 1990.12.31, 2006.3.24>④제2항 및 제3항의 경우에는「형법」 제260조제3항 및 제283조제3항을 적용하지 아니한다. <신설 1962.7.14, 1990.12.31, 2001.12.19, 2006.3.24>

폭행: 특수상해 대 폭행

1. 취중에 상대를 철제 옷걸이로 폭행하였는 데 상대가 저항하다가 손가락 뼈가 골절되어 수술을 해야 한다.

1)합의는 어떻게 해야 하는지

2)상대가 보상해야 하는 것은 없는지

---

1. 철제 옷걸이로 폭행한 사람은 특수상해가 될 것이고, 상대의 저항이 정당방위 정도가 아니라면 상대는 폭행이 될 수 있습니다.(사실 정당방위는 잘 인정되지 않습니다)

1)쌍방사건이 성립되면 합의는 상계하고 더 많이 다친 쪽에 치료비 및 보상금을 지불하는 것이 합리적인데 보상금의 기준은 치료비를 제외하고 진단 1주당 50만원 전후의 관행(교통사고의 경우)이 있음을 참고하세요

2)상대의 저항이 정당방위 이상의 것이고 이로 인해 피해가 있다면 1)의 경우와 같이 보상하는 것이 합리적일 것입니다.

원칙적으로 쌍방사건에서 상대방이 더 잘못했다고 해서 내 잘못이 줄어드는 것은 아니며 각자의 잘못에 대해 각자 처벌받게 됨을 이해해야 합니다.

형법, 제258조의2(특수상해) ① 단체 또는 다중의 위력을 보이거나 위험한 물건을 휴대하여 제257조 제1항 또는 제2항의 죄를 범한 때에는 1년 이상 10년 이하의 징역에 처한다.
② 단체 또는 다중의 위력을 보이거나 위험한 물건을 휴대하여 제258조의 죄를 범한 때에는 2년 이상 20년 이하의 징역에 처한다.
③ 제1항의 미수범은 처벌한다. [본조신설 2016. 1. 6.]

횡령: 가족과 남친까지 고소

1. 두 회사(A,B)의 업무를 보던 중 한 회사의 돈을 쓰게 되었는 데, 회사의 자금에 문제가 생기면 다른 회사의 돈으로 메꾸는 등 하여 두 회사로부터 횡령으로 고소하였다.

2. 횡령의 과정에서 가족과 남친의 계좌를 사용하게 되어, 남친과 가족까지 공범으로 고소되었으나, 단순히 계좌만 빌려 쓴 것을 밝혔고, 1개월 전에 조사를 받았는데 이후 진행에 대해 소식이 없다.

3. 실제 횡령금액은 1억 수천만원 정도인데, 7억을 횡령하였다고 고소 하였으며 현재 1,000만원을 변제하고 매월 몇 만원씩이라도 보내려고 하는 데 참작이 될지

---

1. 횡령은 실제 취득한 금액과 횡령된 금액과는 차이 나는 것이 보통입니다, 예를 들면 1억을 횡령하고 1억을 입금한 후 다시 1억을 횡령했다면 실제 횡령금액은 1억이지만 횡령 총액, 즉 범죄 금액은 2억이 될 수 있음을 참고하시기 바랍니다.

1) 1개월 전에 조사를 받았고 아직 소식이 없다면 횡령범위를 정하기 위한 조사과정이 계속 되고 있기 때문일 수 있고, 진술이 엇갈리는 경우 재조사할 수도 있으니 참고하시기 바라며 사건진행에 대한 자세한 내용은 내 사건 조회하기를 통해 확인할 수도 있습니다.
내 사건 조회하기: http://www.kics.go.kr/index.html

2)실제 횡령금액이 1억 수 천만원에서 1천만원을 상환하고 매월 5만원을 상환하는 것은 피해자가 인정하지 않는다면 크게 도움될 것 같지는 않습니다.

형법, 제355조(횡령, 배임) ① 타인의 재물을 보관하는 자가 그 재물을 횡령하거나 그반환을 거부한 때에는 5년이하의 징역 또는 1천500만원이하의 벌금에 처한다. <개정 1995.12.29>
②타인의 사무를 처리하는 자가 그 임무에 위배하는 행위로써 재산상의 이익을 취득하거나 제삼자로 하여금 이를취득하게 하여 본인에게 손해를 가한 때에도 전항의 형과 같다.

형법, 제356조(업무상의 횡령과 배임) 업무상의 임무에 위배하여 제355조의 죄를 범한자는 10년 이하의 징역또는 3천만원 이하의 벌금에 처한다.<개정 1995.12.29>

횡령: 집행유예 기간 중 재범

1. 회사에서 캐셔 업무 중에 986만원을 횡령하여 220만원은 갚았으나, 나머지를 갚을 날짜에 갚지 못하게되어 회사에 말하고 자수하려고 한다.

1)자수할 경우 집행유예나 벌금형으로 그칠 수 있을지

2)고소장이 접수되면 조사. 재판은 어떻게 진행되는지

3)구속수사도 있다는데 어떻게 하면 불구속 수사로 될 수 있는지

---

1. 집행유예 기간 중 재범은 집행유예를 할 수 없으므로 벌금형이거나 실형이 선고되는 데 사안이 경미하고, 합의 및 재범하지 않을 의지를 인정받는다면 벌금형 정도의 선처도 가능할 것입니다.

1)적극적인 의미에서 자수라는 것은 내가 말하지 않으면 밝혀지지 않을 범죄에 대해 자수라고 할 수 있으나, 질문자의 경우와 같이 밝혀진 범죄에 대해 자진하여 조사받고자 하는 경우라도 자수로 보고 감경 사유가 된다는 판례가 있으므로 자수하는 것은 나중에 선처 받는이데 도움될 수 있을 것입니다.

2)그러나 피해회복의 노력을 하지 않고 자수하는 경우는 "배째라"식의 태도로 볼 수 있기 때문에- 더우기 집행유예 기간 중이므로-유의하여야 하며 자수하기 전에 반성형 진술서 작성하여 해당 경찰서에 미리 상담하는 것도 오해를 피하는 것에 도움될 것이니 참고하시기 바랍니다.

형법, 제355조(횡령, 배임) ① 타인의 재물을 보관하는 자가 그 재물을 횡령하거나 그반환을 거부한 때에는 5년이하의 징역 또는 1천500만원이하의 벌금에 처한다. <개정 1995.12.29>
②타인의 사무를 처리하는 자가 그 임무에 위배하는 행위로써 재산상의 이익을 취득하거나 제삼자로 하여금 이를취득하게 하여 본인에게 손해를 가한 때에도 전항의 형과 같다.

형법, 제356조(업무상의 횡령과 배임) 업무상의 임무에 위배하여 제355조의 죄를 범한자는 10년 이하의 징역또는 3천만원 이하의 벌금에 처한다.<개정 1995.12.29>

횡령: 내 통장에 있는 남의 돈

1.지인이 사업실패 등으로 자기통장을 쓸 수 없어 은행카드 등을 빌려주었으며 수개월 동안 지인의 처지를 동정하여 식사 등의 선심을 베풀었으나,

2. 나중에 통장을 확인하는 과정에서 지인이 항상 돈이 있었음이 확인되어 괘씸한 생각에 카드를 정지시키고 연락을 두절하였는데 지인이 법적인 조치를 하려는 중이다.

3. 통장에 있던 돈은 160만원 정도이고 전혀 손대지 않고 있는 상황인데

1)고소했다면 어떤 처벌이 있을지

2)카드 양도한 사실도 처벌이 될지

3)돈만 돌려주면 문제가 없게 되는지

4)고소했는지 확인하는 방법은 무엇인지

---

1. 질문자의 선행을 이용한 상대방에 대해 괘씸한 마음에 카드를 정지시키는 등 하여 상대방의 돈을 쓰지 못하게 했다면 횡령이 성립될 수 있으나, 괘씸하게 생각될 수 있는 상황에 대한 입증과 돈을 전혀 쓰지 않은 사실 등으로 일반적인 횡령보다는 선처 받을 수 있을 것으로 보입니다.

1)횡령죄의 법정처벌의 기준은 5년 이하의 징역 1500만원 이하의 벌금이 기준이 되어있으나 합의 및 재범가능성에 따라 처벌량이 좌우됩니다.

2)카드 양도한 것은 전자금융거래법 위반이기는 하나 피해자가 없고, 대가가 동반된 것이 아닌 등 선처의 이유가 많이 있으므로 처벌될 수 있으나 선처 받을 수 있습니다.

3)돈만 돌려주는 것 외에 합의가 필요하고,이에는 피해원금 외에 정신적 보상을 요구할 수도 있습니다.

4)고소했는지 확인은 거주지 혹은 관할 경찰서 민원실에 확인 전화하는 방법이 있으며 한편, 경우에 따라서는 내 사건 조회하기를 통해 확인할 수도 있습니다.

절도: 합의하지 않으면?

1. 가게 사장님 카드로 수 차례에 걸쳐 300만원의 현금을 인출하였으나 조사받고 변제하면 된다는데 변제하지 않을 경우는 어떻게 되는지

---

1. 절도는 변제해도 처벌받게 되나 피해회복(합의)의 정도와 죄질과 재범가능성 평가에 따라 그 정도가 달라집니다.

1)변제(합의)하지 않을 경우의 처벌이 100이라면 변제한 경우의 처벌은 50전후가 될 수 있으며 죄질이 나쁘고 재범할 가능성이 높아 보이면 합의해도 100전후의 처벌이 있을 수 있습니다.
한편 경제적 이유로 합의하지 못할 경우는 더욱 깊은 반성의 태도를 인정받아야 합니다.

아직 경찰조사 받기 전이라면 반성형 진술서 작성,제출하는 것도 선처 받는데 도움될 수 있으니 참고하시기 바랍니다)

형법, 제329조(절도) 타인의 재물을 절취한 자는 6년 이하의 징역 또는 1천만원 이하의 벌금에 처한다. <개정 1995.12.29.>

형법,제330조(야간주거침입절도) 야간에 사람의 주거, 간수하는 저택, 건조물이나 선박 또는 점유하는 방실에 침입하여 타인의 재물을 절취한 자는 10년 이하의 징역에 처한다.

형법, 제332조(상습범) 상습으로 제329조 내지 제331조의2의 죄를 범한 자는 그 죄에 정한 형의2분의1 까지 가중한다.<개정 1995.12.29.>

절도: 남편과 함께 특수절도

1. 남편과 택시를 타고 내리면서 택시에 있던 노트북을 같이 가지고 내리게 되었는데 찾아주려고 하였으나 가지고 있다가 경찰서에서 전화가 와서 절도로 조사를 받게 되었다,

처벌이 어떻게 될지

---

1. 남편과 같이 절도한 것이 된다면 특수절도가 될 수 있고 특수절도는 벌금이 없는 징역형 처벌이 되니 긴장하고 노력하여야 합니다.

1)기본적으로 처벌은 피해회복(합의)와 재범가능성 평가에 따라 좌우되니 피해자와 합의하고 진정성 있는 반성 등으로 재범하지 않을 의지를 인정받는다면 선처 받을 수 있으니 아래 처벌과 선처에 대한 글 참고하시고 도움요청 하시기 바랍니다

2)선처 받을 노력은 합의 외에 진정성 반성이 중요한데 질문자의 글에 "내 가방으로 알고 가지고 내렸다, 돌려주려고 하였으나 돌려주지 못하였다"는 등의 진술은- 실제로 그렇다고 하더라도- 솔직함이 결여된 진술로 오해 받을 수 있으며 따라서 선처 받는데 장애가 되니 참고하시기 바라며

3)조사관이 팀장님께 잘 이야기 해보겠다는 것과 진술서를 써오라고 한 것이라면 선처의 의도가 있은 것이며 이 경우 반성형 진술서를 작성 제출하는 것이 도움될 것이니 참고하세요.

형법, 제331조(특수절도) ① 야간에 문호 또는 장벽 기타 건조물의 일부를 손괴하고 전조의 장소에 침입하여 타인의 재물을 절취한 자는 1년 이상 10년 이하의 징역에 처한다.
②흉기를 휴대하거나 2인 이상이 합동하여 타인의 재물을 절취한 자도 전항의 형과 같다

절도: 자동차 절도 공범

1. 친구가 취중에 차를 절도하려다가 스틱이라 운전하지 못해서 내가 대신 50m 가량 운전하여 주차하였는데

2. 친구가 다시 다른 차를 절도하려다가 체포되고 나는 한 시간 뒤에 경찰서에 가서 음주측정하고 특수절도 미수와 음주로 면허취소와 벌금 이라고 하는데 벌금감면이 가능할지

---

1. 친구가 절도하고자 한 차를 운전하였으나 실제로 절도한 것은 아니므로 특수절도 미수가 되었고 취중이므로 음주운전이 된 것으로 보입니다.

특수절도 미수는 특수절도에 준하여 처벌하게 되는데, 벌금이 없는 실형범죄이므로 질문자는 음주운전 벌금보다 특수절도 처벌에 대해 더 관심을 가져야 할 것으로 보입니다.

1)범죄에 사용된 면허증은 취소 될 수 있고 음주 운전에 대해서 벌금이 나올 수 있는데
2)결과적으로 특수절도 미수에 대한 처벌과는 별도로 음주운전에 대한 벌금처분 될 수 있으니 유의하여야 합니다.

처벌은 기본적으로 피해회복(합의)와 재범가능성 평가에 따라 좌우되는데, 합의 외에 진정성 있는 반성 등으로 재범하지 않을 의지를 인정받는다면 선처 받을 수 있으니 참고하시기 바랍니다.

공무집행방해: 검사의 항소

1. 공무집행방해와 폭행으로 조사를 받았으나 폭행은 합의하여 공소기각되었으나, 공무집행방해는 벌금400만원의 선고가 있었는데 검사가 항소하였다.

2. 10월13일 항소심이 시작되는데 국선변호인을 신청하였으나 선임되지 않았는데

1)국선변호사가 선임되지 않았는데 재판에 안좋은 영향이 있을지
2)국선변호사가 선임되지 않아 1심 결과가 유지될지
3)항소심 재판에서 400만원이상의 서고가 있을지
4)지난 5월에 음주로 면허취소와 함께 400만원의 벌금형이 있었는데 이번 재판 영향을 미칠지

---

1. 1심에서 검사의 구형과 일정 이상의 차이(예를 들면 절반)가 나는 선고가 있을 경우 자동항소 되는 경우가 많은데, 이 경우 1심 결과와 다른 고려사항이 없다면 1심 결과가 유지되는 것이 보통이므로 1심의 선처를 혹은 1심과는 다른 결과를 희망한다면 1심에서 부족했던 합의 혹은 진정성 있는 반성으로 노력을 해야 합니다.

1)국선변호사가 선임되지 않은 것이 재판에 안 좋은 것이라기 보다 오히려 판사님이 사건을 간단하게 보고 국선변호인이 필요없다고 보는 의미일 수 있습니다.

2)위 1의 이유로 국선변호사 선임되지 않은 것이라면 1심 결과가 유지될 가능성이 높아 보이기는 하지만 위1과 같이 판사님의 결정이므로 불안해 하기보다 1심 결과를 유지하기 위한 노력이 필요합니다.

3)검사가 항소한 것이므로 1심 결과 보다 높은 형이 선고될 수도 있습니다.

4)이전 재판에서 벌금형으로 선처받았는 데 이후 5월에 음주 증으로 벌금400만원의 처벌이 있었다는 것을 판사님이 이 사실을 안다면 재판에 영향을 미칠 수도 있습니다.

형법, 제136조(공무집행방해) ① 직무를 집행하는 공무원에 대하여 폭행 또는 협박한 자는 5년 이하의 징역 또는 1천만원 이하의 벌금에 처한다. <개정 1995.12.29>
②공무원에 대하여 그 직무상의 행위를 강요 또는 조지하거나 그 직을 사퇴하게 할 목적으로 폭행 또는 협박한 자도 전항의 형과 같다.

공무집행방해: 초범에 대기업직원인데...

1. 취중에 술집에서 난동을 피워 경찰이 출동했는데 경찰서에서도 난동을 피워 폭행과 공무집행방해로 조사받게 되었는데, 대기업직원이고 , 초범이라면 처벌이 어떻게 될지

1.질문자의 글로만 본다면 매우 질이 나쁜 공무집행방해로 보이는데, 이 문제가 해소될 수 있는 노력이 없다면 초범이라도 벌금형 이상의 처벌이 있을 수 있으며 이 경우 대기업 직원이라면 중소기업 직원인 경우보다 더 나쁜 결과의 원인이 될 수도 있습니다.

1)그러나 처벌의 목적은 피해회복(합의)와 재범방지에 있는바, 피해자와 합의하고 진정성 있는 반성 등을 통해 재범하지 않을 의지를 인정받는다면 이 경우에 초범이며 대기업 직원이므로 선처 받을 수 있습니다.

2)처벌은 피해회복(합의)의 정도와 재범가능성 평가에 따라 좌우되는데, 이 경우 공무원은 합의하기 어려운 입장이므로, 해당 공무원에게 소정의 사죄금 공탁을 내용으로 하는 사죄문 제출하면서 처벌불원서를 받는다면 합의에 갈음할 수 있습니다.

단순폭행은 합의하면 처벌받지 않으나 공무집행방해는 죄질이 나빠 보이니 더 많은 노력이 필요합니다.

공무집행방해: 억울하면 손해

1. 취중에 택시를 타고 가던 중에 지갑에 택시비가 있는 줄 알았으나 없어서 나중에 지불하겠다고 하자 택시기사가 휴대폰을 달라는 등 부당한 행동에 시비하다가 지구대로 가게 되었다.

2. 지구대에서 취중이라는 이유로 일방적으로 잘못한 것으로 하자 이에 항의하는 과정에서 공무집행방해가 되었다.

3. 광주지검에서 전화가 왔는데 주소가 불명하여 우편물이 가지 않으니 재판 잘 받으라고 연락이 왔는데

질문자의 억울한 문제보다는, 당면한 문제 어떻게 대응해야 할지에 대해 도움 말씀 드립니다

1. 질문자의 상황이 더 나빠지지 않고자 한다면, 처벌이 어떻게 이루어지는지 이해하고 노력해야 합니다.

   1) 처벌은 피해회복(합의)의 정도와 재범가능성 평가에 따라 좌우되는데, 이 경우 공무원은 합의하기 어려운 입장이므로, 해당 공무원에게 소정의 사죄금 공탁을 내용으로 하는 사죄문 제출하면서 처벌불원서를 받는다면 합의에 갈음할 수 있습니다.

   2)재범가능성 평가는 진정성 있는 반성 등을 통해 재범하지 않을 의지를 인정받으므로 서 평가에 갈음될 수 있습니다.

위에서 말한 데로 억울하다는 등의 감정적 상태에 있으면 선처받지 못할 뿐 아니라 가중처벌 되는 이유가 될 수 있으므로 우선 더 나빠지지 않기 위해서라도 억울하다는 감정은 접어두고 선처 받을 노력하시기 바랍니다

(이외에 해당 공무원에 대한 부당성 등은 이 사건 이후 별도의 민원제기 등을 통해 해결할 수 있을 것이니 참고하시기 바랍니다)

❖ 구치소 생활

하늘도 돕고,
땅도 돕고,
귀신도 돕고,
사람도 좋아하는 것이 있는데
우리는 그것을 "겸" 이라 부른다: 주역15, b

구치소 기간, 형기에 포함되는지

질문: 구치소 있던 기간도 형기에 포함되는지
형 선고받고 1/3이 지나면 가석방 신청할 수 있다고 하는데요.

궁금한 게,,구치소에 있는 기간도 포함이 되는 건가요??

그러니까 총 복역 개월 수로 따지나요?

상고할까 하는데..교도소에 있는 기간만 포함시킨다면 차라리 상고 포기 하려구요.

도움말:
형기는 판사님이 특별한 언급, 즉 유치장이나 구치소의 구금일수를 제외한다는 선고가 없는 경우를 제외하고는, 유치장이나 구치소에 있던 날도 형기에 포함됩니다

형법, 제73조(판결선고전 구금과 가석방)
① 형기에 산입된 판결선고전 구금의 일수는 가석방에 있어서 집행을 경과한 기간에 산입한다.
②벌금 또는 과료에 관한 유치기간에 산입된 판결선고전 구금일수는 전조제2항의 경우에 있어서 그에 해당하는 금액이 납입된 것으로 간주한다.

@고통은 죽는 것 보다 어렵다
고통을 견디려면 죽는 것 보다 더 큰 용기가 필요하다: 나폴레옹

구치소에서-가석방, 출력 문의

Q.가석방을 많이 받고자 하는데, S1(모범수)이 되는 방법은?
A.가석방은 S2(초범)면 되고, S1(모범수)은 S2에서 다음에 승급되는 것인데 가석방을 위해서라면 조00님의 경우는 별로 관계가 없으며, S1이라고 해서 반드시 가석방 되는 것도 아닙니다.

Q. 구치소에서 어떤 출력이 좋은지
A.구치소에서 출력은 지원자가 많기 때문에 희망대로 잘 되지 않으며, 직업과 관련된다면 가능성이 있으며(예컨데 직업이 목수라면 영선이 가능성이 있습니다), 그렇지 않고 구치소에서 출력하고자 할 경우 취장(식당)을 신청하면 가장 가능성이 높습니다. 가장 힘들기 때문이고 가석방 점수에도 도움됩니다.

Q 언제 가석방 대상이 되며, 얼마나 되는지
A..석방은 형기의 3분의1이 지나면 대상이 되나 실제로는 70%이상 경과 되어야 구체적으로 고려됩니다

Q..규정이 바뀌어 가석방 비율이 25%가 될 수 있다는 데....
A.가석방 비율은 30% 일 수도 있는데, 각 교도소의 상황에 따라 다르게 적용됩니다. .

이전에 몇 번 강조했지만 수행의 태도 없이 징역가면 몸과 마음이 뒤틀어지게 되고, 출소 후에 더 나쁜 삶을 살게 됩니다. 그러나 수행의 태도로 임하게 되면 징역생활이 수행이 되고, 출소 후 더 나은 삶을 살 수 있는 힘을 얻게 되니 수행의 태도로 마음을 가다듬기 바랍니다.

수용자번호/영치금/신입방 생활

질문:
남자친구가 구치소에 있는데요 인터넷 서신을 보내고 싶은데 수용자 번호를 알아야 되는데 아직 몰라서요 무조건 방문해서 알아야 된다는데 가족이 아닌 경우에도 가서 물어보면 알려주나요?

그리고 들어간지 몇일 안되서 아직 영치금도 없을텐데 일단 우표랑 편지지 살 돈을 영치금으로 넣어주고 싶은데요 얼마 정도면 될까요?

또 신입방에서는 몇일 정도있는지 ...알려주세요!..

도움말:
1.가족이 아니어도 수용자 번호는 가까운 구치소/교도소에 가면 알 수 있습니다.

2. 구치소에서 영치금은 주로, 사적구매 하는 데 쓰이게 되는데, 주간 2만원~4만원 정도로 월간 10만원~20만원 정도면 충분합니다.

3. 신입방은 보통 3내지 6일간 있게 되고 항소할 경우 항소방으로 가게 되거나 항소법원이 있는 구치소로 가게 됩니다.

항소하라는 의미

질문 : 동생이 15년 11월 자기 딸에 대해 강체 추행한 혐의로 10년형을 선고받았는 데, 딸이 아빠에게 맞고나가서 아빠에게 성폭행 당했다고 신고한 사건이다.

처음에는 딸이 화가 나서 그랬다는 것으로 이해하였으나 시간이 지나면서 일이 심각해지고, 변호사를 선임하고 관련 증거자료를 제출하면서 무죄를 주장하였으나 1심 판사님은 항소하라는 말씀과 함께 징역10년을 선고하였다.

현재 항소한 상태인데, 항소변호사를 어떻게 선임해야할지 모르겠다.

도움말,
여러가지 말씀을 드릴 수 있겠으나...1심에서 그러나 어쨌든 징역10년의선고가 있었다면, 실제로 강체추행 이외에 다른 문제도 고려되었을 수도 있을 것으로 보이는데-예를 들면 아동학대 등- 1심의 기간동안 무죄증명을 위해 선처 받을 노력을 하지 않았다면 2심에서라도 선처 받을 노력해야 할 것입니다.

무엇보다 중요한 것은 형사적 처벌은 기본적으로 재범방지에 기본적인 목적이 있는 것이므로 피고의 재범가능성을 평가하게 되는데, 위에서 말한 것처럼 실제로 딸을 강제 추행하지 않았다고 할지라도 강제추행에 해당하는 다른 죄를 지었거나, 지을 수 있기 때문에 선고한 것일 수도 있으니(원칙은 그래서는 안되지만) 이점을 잘 고려하시기 바랍니다.

구속적부심

질문:
동생이 구치소에 수감되어 있는데 지병이 있어서 매일 주사와 약을 복용해야 하는데, 재판 받을 때까지 나올 수는 없는지

구속영장이 발부된 이유는 피고인의 재판불참인데, 동생이 겁이 나서 재판에 참석하지 않은 것으로 보인다.

도움말
재판불참을 이유로 구속영장이 발부되고 수감 중이라면 구속적부심을 신청하여 불구속으로 재판을 받는 방법이 있고, 병 보석을 신청하는 방법도 있습니다.

구속적부심이나, 보석이나 기본적인 조건은 1)증거인멸 2)도주 3)주거부정이 있으면 어렵게 됩니다,

질문자의 경우는 재판불참이 구속의 유일한 사유라면 재판을 성실히 받을 의지를 분명히 하여야 할 것이며, 만약 석방되지 못할 경우 의사의 소견서, 진단서 등을 첨부하여 구치소 측에 민원 신청하여 치료할 수 있으니 참고하시기 바랍니다.

구속적부심은 가족, 친인척, 고용주 등이 신청할 수 있으며, 구속된 피의자에 대한 심문이 종료된 때로부터 24시간 이내에 체포 구속적부심사청구에 대해, 기각, 석방 등을 결정하여야 합니다.

{구체적인 안내는 "구속적부심 청구" 참조}

보석 청구에 대해

질문:
오늘 오후에 검찰 조사가 끝나고 기소가 떨어진다고 하는데,
1)내일 기소되는지
2)보석신청은 보증보험으로 신청했다가 현금으로 하면 되는지
3)보석허가가 난 경우 보석금이 안될 경우 불이익이 있는 것인지
4)변호사 없이 보석신청은 무리인 것 같은데, 보석신청서류는 어떻게해야 하는지

도움말:
1. 글의 내용을 보면 구속되어 있는 상태로 보입니다.
1)검찰조사가 끝나면 기소여부를 결정하는 데 기소가 떨어진다는 의미는, 법원으로 넘겨 재판 받게 한다는 의미이고, 보통은 기소 된지 1월 전후하여 재판을 받게 됩니다.

2)보석은 보증보험으로 할 수도 있고 현금으로 할 수도 있는데, 보증보험으로 했는데 현금으로 해야 할 이유는 없어 보입니다.

3)보석허가가 났는데, 보석금을 납입하지 않으면 다음 보석허가는 어려운 것 외에 불이익은 없을 것입니다.

4)법원민원실에 비치된 신청서류에 관련 자료를 탄원서와 함께 첨부하여 신청하면 됩니다.

동부, 서울 구치소 접견

질문: 동부구치소 접견
동부구치소 면회 주말에 가보니 10분이던데 평일에도10분인가요?

도움말: 평일도 10분입니다.
접견은 평일, 휴일관계 없이 매회 10분인데 장소제한접견은 그런 제한이 없습니다.

구치소는 주일 내(공휴일 제외) 접견이 되나 교도소는 수용자 등급에 따라 월4회, 5회로 제한이 있습니다.

질문: 서울 구치소 면회요.
아는 지인이 동부구치소에서 서울구치소로 넘어갔는데요
성동구치소는 주말에도 지인이 면회가 됐는데 서울구치소도 주말에 지인 면회 가능 한가여

도움말: 코로나와 토요일 접견
최근 코로나 사태로 수시로 접견이 제한되니 반드시 먼저 확인해야 합니다 (법무부 대표민원 전화 1363)

토요 접견은 평일과 동일하며, 접견 대상자는 수용자의 부모, 자식, 형제.자매, 배우자, 배우자의 부모, 및 형제자매 중 주중에 접견을 못한 사람(단, 작업상의 이유로 주중접견을 하지 못하는 수용자의 경우 접견대상을 제한하지 않음)

구치소에서 독방쓰기?

질문:
1. 남편이 업무상배임으로 구속된지 10일 째인데, 공황장애 등이 있어 정신과 치료약을 먹는 중이었다.
2. 밖에서 하루에 한두시간 밖에 잠을 못자던 사람인데 쓰러질지 걱정되어, 교도소장 면담을 요청하였으나 거절되었고 독방도 안된다고 하며, 위험하면 옮겨준다고 하여 걱정된다
3. 광주인데 광주교정청에 민원해야 하는지, 도움이 필요하다.

도움말:

1. 교도소 혹은 구치소의 민원은 수용자의 선처를 위한 민원요청일 때 잘 받아들여 질 수 있으나, 항의성 민원은 잘 받아들여지지 않게 됩니다.
교도소는 **죄인에 대해 반성을 강제하기 위한 시설이라는 사고가 작동하고** 있기 때문이며, 교도소에 있는 사람 치고 이런저런 정신적 문제가 없는 사람은 거의 없음을 참고하시기 바라며

2. 남편이 정신질환 등이 있다면 정식으로 의사의 진단서와 소견서 등을 제출하여 병 보석을 하거나, 혹은 지금 구치소에서 10일째라면, 구속적부심을 신청하여 불구속 상태에서 재판을 받을 수도 있을 것입니다.

3. 질환 등의 이유는 독방이 아니라, 병동에서의 치료를 요청할 수 있는 데 굳이 독방을 요청하는 것이라면, 구체적인 사유가 있고, 첨부서류와 함께 소장님에게 요청하면 받아 들여질 수도 있습니다.

4. 이러한 정상적인 노력을 시도하지 않고 소장실에 쳐들어 가려다 말았다는 식의 우격다짐성의 민원은, 남편의 선처(가석방, 출력 등)를 구하는데 도움되지 않으니 참고하시기 바랍니다.(교도소 에서의 선처는 재범가능성을 가장 중요한 기준이 되기 때문입니다)

위에서 말한 바와 같이 교도소/구치소는 범죄에 대한 깊은 반성을 독려하기 위한 시설이고, 이것은 본인 외에 수발하는 가족도 본인과 같은 노력을 해야 한다는 점에서(본인도 물론이지만 아내도 반성문.탄원서는 제출하였는지?) 잘 생각해야 하는 일입니다.

구치소- 유언비어 주의

또 오랫만에 글 남깁니다...당부의 말씀도 한마디: 못난 엄마.

길고 긴 싸움 이었네요...
10여개월동안 아이 아빠는 병세가 악화되고 저 또한 죽음의 문턱을 다녀오고...

1차에서 변호사를 선임 했지만 2년이 구형되어 항소하며 변호사를 재선임 하였었고 구치소를 옮기게 되며 판사님이 바뀌고 많은 어려움 중에 합의가 이루어져 10여개월 만에 2년형에 집행유예로 나왔습니다...

너무 과하고 부당한게 아닌가 싶은 부분도 있지만 그래도 마음 비우고 감사 해야겠지요 ...죄는 제아들이 지었으니까요...출소하던 날....아들 아이와 점심을 먹고 함께 집으로 돌아오는 차 안에서 행여 꿈이어서 사라질까 싶어 아픈 어미는 스물여섯 먹은 놈의 손을 꼭 잡고 긴 여정에 잠시 눈을 붙였답니다...

무어라 말할 수 없이 행복 합니다...

본인은 가족들의 노력과 유능한 변호사덕이라고 하지만...제 아들 경우 진실된 반성문이 많은 도움이된것 같습니다...

그리고 함께 수감 되어있는 분들 말에 너무 휘둘리지 말았슴 하는 당부...!!!!너나 할꺼 없이 죄지은 분들 어설픈 정보력과 판단...NO!!!

모쪼록 여러분들 힘내시고 포기 하지 마세요...
진심은 통한다 믿으시고요...몸도 마음도 건강한 삶들 되시길 바랍니다

구치소 명절 접견 등

질문: 재판일이 명절지나서 있는데, 명절기간 동안 공휴일이 많아서 접견이 곤란할 것 같은데, 방법이 있을지

도움말: [코로나 문제 때문에 이번 추석접견은 하지 않는다]고 공지하고 있습니다

보통은 설날은 접견을 허용하고, 다른 연휴는 접견을 허용하지 않는 것 같습니다.

그러나 가족의 접견을 위해 설날 전후로 가족 접견날을 정하여 접견하는 것 같으니 아래., 법무부의 지난 공지사항을 참고하시고 문의 하시기 바랍니다.

...

안녕하십니까?
법무부를 방문해주셔서 감사드립니다.
귀하의 글을 잘 읽어보았으며, 가족만남의 날 행사와 관련하여 시기를 조정해 주기를 희망하는 민원으로 이해됩니다.

가족만남의 날 행사는 수형자와 그 가족이 교정시설의 일정한 장소에서 다과와 음식을 함께 나누며 대화의 시간을 갖는 행사로, 개방처우급, 완화경비처우급 수형자와 특히 필요한 경우 일반경비 처우급 수형자를 대상으로 교도관회의에서 선정하여 시행하고 있습니다.

행사 시기는 설날, 추석, 가정의 달, 교정의 날 등 특정 기념일 전후 등 해당 교정기관 실정에 맞게 날짜를 정하여 실시하고 있습니다.

기타 수용자 가족만남의 집 등 궁금한 사항은 법무부 사회복귀과(02-2110-3440)로 문의하시면 자세히 설명해 드리겠습니다.

구치소 접견시간 등

질문

1.어머니가 내일 구치소로 이동합니다. 그래서 이번주 토요일에 면회를 가려고 하는데 꼭 예약을 하고가야 정해진 시간에 볼 수 있는 건가요?

2. 인원은 저 포함해서 2명이 갈수있는지와 편지. 책, 사진등 줄 수 있을까요? 그리고 7분정도 밖에 볼수 없다는데 정말 그런건가요?

도움말

1. 코로나 문제로 접견 조건이 자주 변경되고 있습니다
접견은 예약하지 않아도 할 수 있으나, 해당시간에 다른 사람이 예약하면 할 수 없으니, 예약을 하는 것이 더 좋습니다.
접견예약 전화: 1363

2. 접견은 1회에 3인 이내, 시간은 평일 **오전 08:30 ~ 오후 04:00** (휴무토요일도 동일)이며, 책, 사진편지 등은 민원센터에 문의하면 넣어줄 수 있습니다(책 등을 영치물이라 하고, 넣어 주는 것을 "영치"한다고합니다.)

접견시간은 7분에서 10분 정도입니다. 이외에 자세한 것은 교정본부 안내를 참고하세요

교정본부: https://www.corrections.go.kr

❖ 징역 생활

@물이란 본디 산정상에 머물지 않고 계곡을 따라 흘러가는 법이다.

이처럼 진정한 미덕은 다른 사람보다 높아지려고 하는 사람에게는 머무르지 않으며 겸손하고 낮아지려는 사람에게만 머무는 법이다. : 탈무드

여자의 징역 생활

01교도소내에도 예배당이 있는지
별도의 예배당이 있는 것은 아니지만, 강당에서 매주 예배할 수 있습니다(천주교, 기독교, 불교)

02. 분유. 기저귀 등의 물품 조달이 어떻게 이루어지는지 :
젖먹이에 대한 분유 등은 교도소에서 주는 것이 아니라 외부 후원에 의해 주어집니다.

03. 직업훈련과 공장노역은 별개인지
직훈과 노역은 별개로 이루어 지며 직훈은 월 2만원 전후, 노역은 6만원 전후의 급여가 주어집니다.

04 재소자들의 담당의사가 별도로 있는지
재소자 건강검진 등을 위한 의사가 있습니다.

05. 교도소의 정기적인 행사가 있는지 (발표회 같은)
교정의 날이 가장 큰 행사가 비정기적으로 1~2회의 행사가 있습니다.

06. 출산 후 육아교육을 관리해주는 교도관이 따로 있는지.
전담자는 없고 교도관중 육아경험이 있는 사람이 지원합니다.

07. 외부에서 물품을 들여올 수 있는지 (출산 재소자, 일반 재소자):
대부분 소내에서 사비로 구입하고, 특별한 경우는 허가에 의해 구입할 수 있습니다

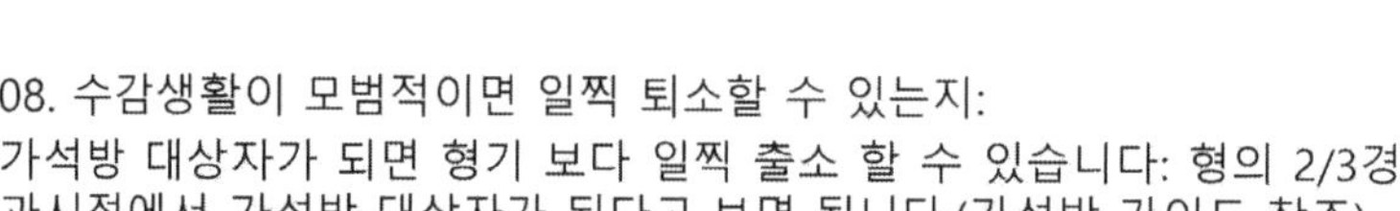

08. 수감생활이 모범적이면 일찍 퇴소할 수 있는지:
가석방 대상자가 되면 형기 보다 일찍 출소 할 수 있습니다: 형의 2/3경과시점에서 가석방 대상자가 된다고 보면 됩니다.(가석방 가이드 참조)

수용자의 인감증명

질문:
구치소에 수감된 친구의 인감증명이 필요한데, 수감자의 경우 어떤 식으로 인감증명서를 발급받아야 하는지

도움말:
1. 교화시설 수용자의 인감증명발급 대리신청은 다음과 같이 하면 됩니다.

1)소내에서 교도관에게 인감증명서 발급요청을 하면 인감증명 발급을 위한 신청서(위임장)을 작성할 수 있는데, 이를 작성하면, 교도관이 본인이 맞다는 증명을 하게 되고, 기타 교도소장의 날인이 있게 되며, 이 위임장을 가지고 가면 대리발급이 가능합니다.

2. 참고조문
교도관 집무규칙
제13조 (수용기록부 등의 관리 등) ① 교도관은 수용자의 신상에 변동사항이 있는 경우에는 지체 없이 수용기록부(부속서류를 포함한다), 수용자명부 및 형기종료부 등 관계 서류를 바르게 고쳐 관리・보존하여야 한다.
② 교도관은 제1항에 따른 수용자의 신상 관계 서류를 공무상으로 사용하기 위하여 열람・복사 등을 하려면 상관의 허가를 받아야 한다.
③ 수용자의 신상에 관한 전산자료의 관리・보존, 열람・출력 등에 관하여는 제1항과 제2항을 준용한다.

제14조(수용자의 손도장 증명) ① 수용자가 작성한 문서로서 해당 수용자의 날인이 필요한 것은 오른손 엄지손가락으로 손도장을 찍게 한다. 다만, 수용자가 오른손 엄지손가락으로 손도장을 찍을 수 없는 경우에는 다른 손가락으로 손도장을 찍게 하고, 그 손도장 옆에 어느 손가락인지를 기록하게 한다.
② 제1항의 경우에는 문서 작성 시 참여한 교도관이 서명 또는 날인하여 해당 수용자의 손도장임을 증명하여야 한다.

@ 고통은 인간의 위대한 교사다. 고통의 숨결 속에서 영혼이 발육된다: 바흐

수용자 물품전달

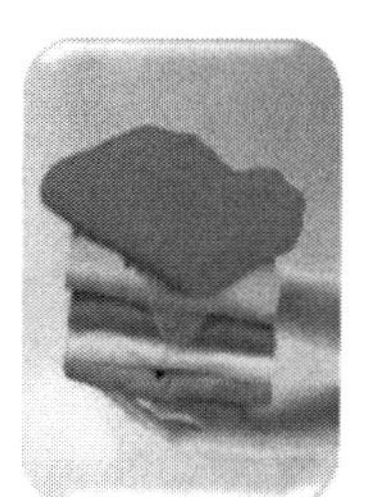

질문: 수용자에게 물품보내려 하는 데 어떻게하면 되는지

1. 인천구치소에 수감되는 사람에게 영치금 외에 속옷 등을 넣어주려고 하는데 가능한 물품이 어떤 것이 있는지?

2. 편지도 면회가면 넣어줄 수 있는지?

도움말씀: 대개의 물품은 소내에서 구매할 수 있습니다.

1. 결론부터 말씀 드리자면 속옷 등을 넣어줄 필요는 전혀 없습니다. 필요한 것은 내부에서 전부 관제로 무료 지급되거나, 면세로 구매할 수 있습니다.(편지도 물론 면회 가서 넣어줄 수 있습니다 ("영치"한다고 합니다.)

2. 책이나 기타 의료품도 전부 내부에서 구할 수 있으니 걱정하지 않으셔도 됩니다. 아래 법부무의 답변을 참고하세요

> "...특히, 외부에서 교정시설로 발송하는 티셔츠, 양말, 내의 등 속에 담배, 마약 등의 부정물품을 은닉한 소포 등을 반입하려다 적발되는 사례가 있어 부득이 부정물품을 은닉하기 용이한 티셔츠 및 속옷류 4종에 대하여 외부반입을 제한하고 교정기관에서 판매하는 물품에 한하여 교부를 허용하게 되었습니다.
>
> 다만, 수용자 처우의 적정성 유지를 위해 환자·노약자·임신부·장애인 수용자 또는 최근 6개월간 평균 영치금 잔액 2만원 이내인 수용자, 신체가 큰 수용자(옷 싸이즈 120호 이상 착용자)의 영치품은 수용자의 신청에 의해 티셔츠, 러닝, 팬티, 양말, 내의, 브래지어 품목에 대해서는 세탁하여 지급하고 사정이 어려운 미결수용자를 위하여 「형의 집행 및 수용자 처우에 관한 법률 시행규칙」에 의해 소장이 지급할 필요가 있다고 인정하는 경우 속옷을 지급하고 있으니 이점 양지하시기 바랍니다.
>
> 자세한 문의: 법무부 복지과 02-2110-3424로

@자유는 책임을 수반한다. 이것이 바로 대부분의 사람들이 자유를 두려워하는 이유이다. 버나드 쇼

수용자 물품찾기

질문: 수감자 물품찾기
1.수감된 사람의 일 처리를 대신해야 하는데, 구치소 수감된 사람의 물품을 받으려면 어떻게 해야 하는지

2.절차가 어떻게 되는지, 시간은 얼마나 걸리는지

도움말: 찾아갈 사람 지정
2.피의자/피고가 수감되면 피고가 가진 일체의 물품들(내의까지 포함하여)은 구치소/교도소에서 보관하며 이를 영치품 이라 합니다.

영치품을 찾는 방법은 수감자가 찾아갈 사람을 지정하면, 그 지정된 사람이 물품을 찾아갈 수 있습니다. 자세한 사항은 해당 구치소 민원실 또는 교정청 대표민원 전화(1544-1155)문의 하시기 바랍니다.

@자유는 획득하는 것보다 간직하는 것이 더 어렵다. 컬훈

영치금

질문: 영치금의 성격은 무엇이고, 영치금은 어떻게 보내는지

도움말씀 : 영치금은 수용자 생활 보조금 입니다.

1.영치금은, 수용생활 중에 소에서 제공하지 않는/ 못하는 물품 중 소에서 허용하는 물품(책 등 기타 생활용품)을 구매하기 위한 금원입니다.

2.가장 많은 구매가 식료품인데, 보통은 1주일에 1 내지 2만 정도면 충분한데 4만원 이상은 쓰기 어려우며 대개 공동구매 하게 됩니다.

3. 영치금의 한도는 200만원이며, 그 이상 초과되면 별도의 계좌로 옮겨져야 하고, 다른 곳으로 송금할 수도 있습니다.

4. 가끔 영치금을 압류하는 채권자가 있으니 참고하시기 바랍니다.

5. 영치금이 없는 사람은 법무부에서 월2만원을 지급 합니다.

영치금 송금은 우측 법무부의 설명을 참고하세요

□ 영치금 송금 방법
○ **온라인뱅킹 입금** : 은행, ATM기, 인터넷뱅킹, 폰뱅킹 등 온라인 송금 시스템상에서 **수용자 개인별 가상계좌**로 입금

※ 무통장 입금 시 반드시 송금인의 성명 기재**직접 입금(기관방문)** : 수용기관 **민원실 창구**에서 수용자 앞으로 입금**우편 입금** : **우편환**으로 입금 (수용자 성명, 수용번호 기재)

□ 수용자 가상계좌번호 확인 방법
교정민원 대표전화(1544-1155)나 수용기관 민원실에서 안내 받을 수 있습니다.

수용자를 통하여도 알 수 있습니다.(서신, 접견, 전화 등)

□ 영치금 온라인뱅킹 시스템의 좋은 점: 이용의 편리성과 신속성

수용자 가상계좌로 컴퓨터, 휴대폰, ATM기 등을 이용하여 언제, 어디서나 편리하게 송금 가능합니다.(연중 24시간, 수용자 영치금 300만원 내 1회 입금 한도 없음)

영치금 입금 확인 및 수용자 전달의 신속성 온라인 뱅킹을 통해서 영치금 입금결과를 바로 확인할 수 있으며, 수용자 계좌로 실시간 입금되므로 수용자에게 입금사실을 신속하게 전달할 수 있습니다.

민원인의 송금비용 절감
기존 법무부 홈페이지 온라인 입금이나 우편환 송금보다 비용이 적게 듭니다.

@자유가 없는 곳에서 무슨 선을 기대 하겠는가? (라마틴)

교도소 이감

질문: 교도소 배정과 이감은 어떻게 이루어 지는지
1.현재 특경법 대상으로 부산구치소에서 구속 재판 중인데, 교도소 배정은 어떻게 이루어 지는지

2.초범이지만 3등급 일 것이라 하는데,2급 교도소에는 못 가는 것인지,

3.부산 구치소에는 전라도 쪽으로만 배정되는 것인지

4.개인이나 가족의 주소지는 고려되지 않는지

도움말씀 : 등급분류와 교도소사정에 따라 이루어집니다.
1. 교도소 배정은 해당자의 등급 S1, S2...을 기본으로 하고, 해당 교도소의 사정을 감안한 뒤에 수용자의 개인적 사정 (가족의 주소지 등)을 감안하여 결정됩니다.

2. 3급이 2급 교도소로 가려면 2급으로 승급된 후이거나, 2급 교도소가 비어 있을 때 갈 수 있습니다.

3. 부산 구치소에서는 전라도 쪽으로만 배정되는 것은 없으며 위의 기준에 따라 배정됩니다.

4. 개인이나, 가족의 주소지는 고려되나 위1과 같이 최우선 순위가 아닙니다.

@배움이 없는 자유는 언제나 위험하며, 자유가 없는 배움은 언제나 헛된 일이다.
존 F. 케네디

접견회수 및 시간은?

질문: 수용자 접견 회수 및 시간

1. 구치소에서 미결수 였다가 기결수가 되어 기결방으로 옮길 예정이다.

2. 접견회수가 등급별로 차이가 있다고 하고, 교도소 마다 차이가 있다고 하는데 어떻게 되는지

3. 접견회수와 시간은 어떻게 차이가 있는지

도움말: 가석방이나,접견, 전화통화 등은 기본적인 것은 전국 어디나 같으나, 세부적인 것은 교도소의 사정에 따라 다를 수 있습니다.

1)접견회수는 미결/기결 등급별로 차이가 있습니다
-미결 : 1일1회 (각 회 10분 전후)
-기결
-노역수: 월5회 (각 10분 전후)

S1급: 1일 1회(모범수-각 10분 전후)
S2급: 월6회 (일반적으로 초범- 각 10분 전후)
S3급: 월5회 (일반적으로 중범-(각 10분 전후)
S4급: 월4회 (일반적으로 중중범 등-(각 10분 전후)

@장소변경 접견은, 칸막이 없는(넓은) 장소에서 보통 회당 20분 정도의 시간을 가질 수 있습니다.
@위 급수는 불변이 아니며, S4급에서 모범적인 수형 생활을 하게 되면, 상위등급으로 상향 조정됩니다.

2)전화통화
1.1) 미결수용자 : 월5회 (각3분)
1.2) 기결
S1급: 월5회 (각3분)
S2급: 월3회 (각3분)
S3급 이하: 특별한 사정이 있는 때 허가에 의해 사용가능

3)기타 : 위 규정에 불구하고 상을 당했다든가 기타 특별한 사유가 있을 경우 그 횟수와 시간을 제한 하지 않을 수 있다고 규정되어 있습니다.

특별접견(장소변경 접견)

1. 특별접견은 10분 전후인 일반접견과 는 달리 소장님의 특별한 허가에 의해 주어지는 "장소변경접견"을 말합니다. 보통은 넓은 장소에서 칸막이 없이 20분 전후로 접견 하게 됩니다.

2. 특별접견의 특혜성을 없애기 위해 "장소변경접견"으로 명칭을 변경한 것이며, 줄여서 "장접"이라고 하기도 합니다.

3."장접"은 3급 이상의 공무원 또는 그 정도 이상의 기관원이 신청하면 소장의 특별허가에 의해 장소를 변경하여 접견을 수 있으며, 칸막이 등이 없는 접견입니다.

(소에 따라서는 교정위원도 가능하다고 합니다)

소장의 특별한 허가에 의한 것이므로, 소장님이 **인정할 만한 특별한 사유가** 있다면 가능할 것입니다.

3. 관련 조문을 참조하시고, 이외에 민원요청에 의해 "장접"이 허락된 경우도(다음 페이지)참고하시기 바랍니다..

행형법시행령
제59조 (접견의 장소) 수용자의 접견은 접견실에서 하여야 한다. 다만, 소장이 필요하다고 인정하는 때에는 접견실 이외의 장소에서 하게 할 수 있다. <개정 1995.8.26>

제 6 장 장소변경 등의 접견
제34조 (적용범위) ① 이 장에서는 행형법시행령 제57조 및 제59조의 단서규정, 동제58조제2항의 규정에 의하여 실시되는 접견에 관한 사항을 규정한다.
② 제1항의 규정에 의하여 실시되는 접견은 다음과 같이 구분한다.
1. 장소변경접견 및 교화접견은 행형법시행령 제57조 및 제59조의 단서규정에 의하여 실시하는 접견을 말한다.
2. "가족만남의 날 행사"는 다수의 수용자와 그의 가족이 접견실외의 지정된 장소에서 음식물 등을 함께 취식하며 접견하는 경우를 말하며, '가족만남의 집 운영'은 행형구역 내에서 가재도구를 갖춘 주택형태의 시설을 제공하여 수용자와 그 가족이 함께 숙식할 수 있게 하는 경우를 말한다.
3. 무계호 접견은 행형법시행령 제58조제2항의 규정에 의하여 면담요지의 기록 및 교도관의 참여 없이 접견하는 개방접견 및 반 개방 접견의 경우를 말한다.

제35조 (세부사항) 제34조에 규정된 장소변경접견 등의 시행에 필요한 세부사항은 법무부장관이 따로 정한다.

@고통은 인간을 생각하게 만든다. 사고는 인간을 현명하게 만든다. 지혜는 인생을 견딜 만한 것으로 만든다. : .패트릭 "팔월 십오야의 찻집"

특별접견 사례

마라마라마(love****)
http://cafe.naver.com/noranribbon/16293

물어 보니 다른 양식은 없고 알아서 작성해서 와야 한다고 하더라구요

되던 안되던 신청해보려고 합니다 이번 달말 돌이 거든요

생일임이 확인되는 증명서와 아직 미결수이지만 접견불가한 날 빼고는 매일 접견했거든요

들어 가신지는 100일쯤 되었구요 주말과 공휴일 같은 날 빼고는 매일 보았네요

어떤 식으로 양식을 만들어 써야할까요..
손주라서 안될 것 같다고 하시던데 꼭 안겨드리고 싶어서요

도움 좀 주세요
[출처] 특별접견 신청하려고 해요 (노란리봉) |작성자 마*

안녕하세요, 내용은 잘 봤습니다.

특별접견이 아니고 공식명칭은 장소변경접견입니다.

요청양식이 없다면 아래 형식(다음페이지)로 (수기로)작성, 신청해 보시기 바랍니다.

그리고 이러한 요청은 평소에 소장님이나 교도관님들에 대해 편지로 라도 자주 감사인사 하였다면 더 쉬울 것이며,

이후라도 감사편지를 하면 남편의 수용생활에 도움될 수 있으니 참고하시기 바랍니다.

감사인사를 잘 하면, 감사 할 일이 더 생긴다고 합니다.

힘내세요

2016.03.14. 23:23
http://cafe.naver.com/noranribbon/20644

장소변경접견 허락되었어요
내일이에요

몇 달 만에 만져보겠네요

너무 좋아요~^^
[출처] 장소변경접견 허락되었어요 (노란리봉) |작성자 마라마라마

@나무는 그 열매에 의해서 알려지고, 사람은 일에 의해서 평가된다. : 탈무드

장소변경 접견 요청 내용(예)

아래 내용 참고하시고 신청서 작성하기 바랍니다.

장소변경 접견 요청서

존경하는 소장님

많은 수용자 개과천선의 삶을 도와주시는 소장님께 국민의 한 사람으로 감사말씀 우선 드립니다.

저는 위 000의 아내 되는 사람으로, 2015년 월 일의 아이의 돌에 남편을 보고 아이를 보여 준다면, 그 사람의 수용생활에 도움 줄 수 있지 않을까 해서 외람되게 장소변경 접견을 신청하게 되었습니다.

…

그 동안 남편을 죄 짓게 한 죄인으로서 100여일 넘게 매일 접견을 다녀오면서 생긴 작은 소망이, 아이를 직접 안아보게 해주고 싶다는 것이었습니다.

…

존경하는 소장님

죄인의 몸으로 이런 요청을 드리는 것은 가당치 않은 일인지 아오나,

반성하는 죄인은 죄짓지 않은 의인보다 도덕적 가치가 높다는 말씀에 기대어, 죄를 헤아리기 보다 사람을 헤아려 주시기 바라는 마음으로 외람된 요청 드립니다.

…

많은 죄인의 수양을 위한 소장님의 노고를 위해서라도 늘 건강하시기 기원 드립니다.

20XX 년 월 일

위 요청자 인

특별접견과 병동이동

질문: 1. 74세의 아버님이 징역10월 형을 선고받고 평택교도소에 수감 중인데 여러가지 질환과장애로 현재 휠체어에 의존하고 있다.
2. 어머님도 충격으로 우울증 상태에 있어서, 고령임을 이유로 특별접견을 신청하였으나 해당사항이 없다는 이유로 거절되었다.
3. 수용생활에 있어서도 같이 생활하는 다른 수용자에게 장애자라는 이유로 핍박을 당하고 있는 것 같은데, 내용을 말하지 않아 확실하지는 않다.
4. 7월이면 형기의 절반이어서, 8월 광복절 특사라든가 가석방에 대해서 희망을 가지고 있는데 어떻게 해야할지 조언이 필요하다.

도움말: 1. 특별접견은 10분이하인 일반접견과는 달리 소장님의 특별한 허가에 의해 주어지는"장소변경접견"을 말합니다. 보통은 20 전후 입니다.

2. 특별접견의 특혜성을 없애기 위해 명칭을 변경한 것이며, 3급 이상의 공무원 또는 그 정도 이상의 기관원이 신청하면 소장의 특별허가에 의해 장소를 변경하여 접견을 할 수 있습니다. (소에 따라서는 교정위원도 특별접견이 가능하다고 합니다)

3. 한편, 특별접견에 대한 민원을 제기한다고 해서 아버님에게 특별히 불이익이 가지는 않으며, 방내에서 다른 수용자들에 의해 불편한 생활을 하고 있다면, 또한 민원을 제기하여 필요한 조치를 요구할 수 도 있을 것이며, 환자라면, 일반 수용이 아니라 병동으로 수용 요청하시기 바랍니다.

소장님의 특별한 허가에 의한 것이므로, 단지 고령만으로는 특별접견 허가가 나지 않을 수 있으니 꾸준한 노력이 있다면 가능한 일이니 참고하시기 바랍니다.

@넘어질 때 넘어질 때마다 무언가를 주워라: 오스왈드 에이버리

❖ 가석방

가석방 신청은 어떻게 하는지

질문: 가석방은 어떻게 신청 하나요

도움말:

1. 가석방은 일정 형기가 지나면 자동으로 대상이 되는 것이며 수용자가 신청하는 것이 아니라 교도소에서 가석방 위원회에 올리고, 위원회에서 심사하여 법무부에 신청하는 것입니다.

2. 법률상 가석방은 형기의 1/3이상이 지난 시점에서 가석방 대상이 되나, 실무적으로는 70%정도의 시점에서 구체적으로 고려되어 그 동안의 모범적인 수형생활 등의 평가로 가석방 될 수 있습니다.

이외에 가석방 심사에서 제외되는 경우는 미납된 벌금이 있다던가, 합의되지 않은 20억 이상의 피해금액이 있다든가 하는 경우 입니다.

3.관련 규정은 {가석방 규정}을 참고하세요

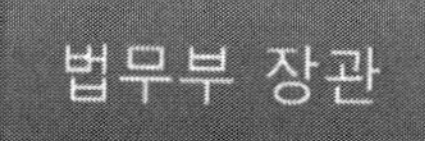

가석방 심사 때 불리한지

질문:
횡령죄로 00 구치소 수형 중이고 , 2년 형기의 약 80%를 지나고 있습니다만. 피해 회사와의 화해,변제가 이루어지지 않고 있습니다.

(경제여건상). 이 점이 가석방을 불가능하게, 적어도 불리하게 작용하는지요. 수형생활은 모범적이고,초범이며,출력도 하고 있습니다. 답변을 구합니다

혐의금액 2억
2년 실형

도움말,
1. 가석방 대상 중 피해금액 기준은 "20억원 이상" 인 경우에 제한이 있습니다

2. 가석방의 취지는 재범가능성이 초점이 맞추어져 있고, 따라서 피해변제 등의 요건은 가석방 점수 및 가석방의 정도에 영향을 미치기는 합니다.
(안 된다는 것이 아니라 가석방의 정도가 적어질 수 있다는 것입니다)

그러나 이를 상쇄할 정도의 다른 요소 접견, 편지 등의 점수가 충분하다면 조금이라도 기대할 수 있습니다.

> 아직은 괜찮다,
> 이것이 최악이라고 말할 수 있는 동안은 아직 괜찮다: 셰익스피어

가석방 심사와 피해변제

질문:
가석방 심사 시 피해변제가 미치는 영향

횡령죄로 부산 구치소 수형 중이고 , 2년 형기의 약 80%를 지나고 있습니다만. 피해회사와의 화해,변제가 이루어지지 않고 있습니다.(경제여건상). 이 점이 가석방을 불가능하게, 적어도 불리하게 작용하는지요.

수형생활은 모범적이고,초범이며,출력도 하고 있습니다. 답변을 구합니다

피해금액 2억/ 2년 실형

가석방업무지침
제12조 (제한사범) ①제한사범은 다음 각 호와 같다. 다만, 미수범 및 방조범은 기수범과 동일하게 적용한다.

1. ...
5. 20억원 이상 미변제 또는 미 합의한 경제사범

.6. 생략

(자세한 사항은 가석방 업무지침 참조)

도움말:
피해금액이 20억 이상일 경우에 제한되는 경우는 있습니다

2억원 정도의 피해변제가 되지 않은 것은 가석방에 크게 문제가 없습니다

다만, 피해자가 교도소에 탄원서를 제출하는 등 하면. 가석방에 영향을 받을 수 있습니다.

스스로 알을 깨면 병아리가 되지만 남이 깨 주면 후라이가 된다: B

가석방 통지와 경쟁

질문:
자료조사를 하다가 궁금한 게 생겼는데요. 교도소에서 가석방 심사대상이 되면 재소자 본인도 그걸 알게 되나요?
(그러니까 가석방 면접 보기 전에 교도관들이 자기에 대해 조사하고 알아 보고 있다는 걸 재소자 본인도 알게 되는 건지 궁금해요)

그리고 혹시 한 번에 가석방 될 수 있는 인원이 제한되어 있나요?

그리고 재소자들끼리 가석방 되기 위해 경쟁을 한다든지 이런 일도 있나 궁금합니다.

도움말:
가석방 심사대상이 되면 처음에는 모르지만, 심사과정에서 면담하게 됨으로써 알게 됩니다.

법적으로는 형이 1/3이상이 지나면 가석방대상이 되기는 하나, 실제로는 70% 정도 경과 할 때 이런저런 조건이 부합하게 되면 사실적인 가석방 대상이 됩니다.

가석방은 어느 정도 교도소에 재량권이 있기 때문에 "제한이 있다"고 말할 수 있습니다.

가석방을 위한 경쟁이 있습니다. 매월 행형점수를 매기게 되는데 일정 이상의 점수-말하자면 모범수가 되는 점수-가 되어야 가석방 심사대상이 되며, 점수 제한이 있으므로 이 점수를 위한 은근한 그러나 적극적인 경쟁이 있습니다만, 치열 하다고 까지는 할 수 없습니다.

> 절망하지 말라
> 모든 형편이 절망할 수밖에 없다 하더라도 절망하지 말라.
> 이미 일이 끝장난 듯싶어도 결국은 또다시 새로운 힘이 생기게 된다.
> 톨스토이

가석방 출소일과 준비물

질문:
지인이 4월초에 징역10개월로 수감생활 중이다.

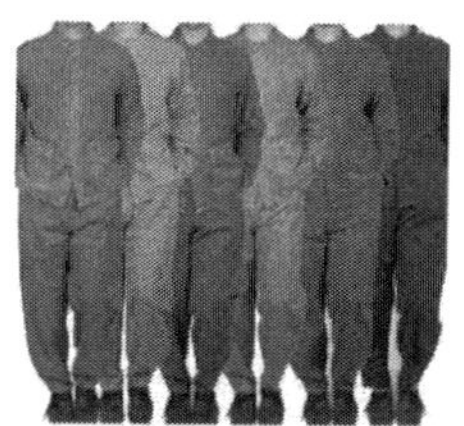

가석방 받아서 12월말,1월초에 나올 것 같다고 하는데,

1)출소일을 정확히 알 수 있는 방법이 있는지
2)출소 준비를 할 때 가족이 아닌 사람이 신발, 옷 등을 넣어 줄 수 있는지

도움말:
1)가석방에 의한 정확한 출소 일은 출소일 며칠 전에 본인 에게만 통지 하게 되며,
2)출소 준비물 (신발 옷)등은 가족이 아닌 사람도 영치할 수 있으며
3)그 시기는 가석방 심사 받고 나서(본인이 가석방 심사를 받았다고 말하는 때에) 넣어(영치)하면 될 것입니다.

@그러나 심사 받아도 가끔 탈락되는 경우도 있습니다.

@절망 끝에 희망이 있다. 충분히 절망하라, 희망이 솟아나게: B

가석방 점수, 가족만 해당?

질문:
제가 여쭤보고 싶은 것은 가석방 점수에 포함되는 접견이나 서신이 꼭 가족이여야 하는지요?

게시판을 찾아서 읽어봐도 모든 분들이 다 직접적인 가족분들이라 그런 내용은 나와 있지 않네요. 지금 저는 제 남자친구의 누나가 구치소에서 몇주 전에 교도소로 이송된 상태이고 거의 제가 서신이며 접견예약 같은걸 잡는 편이라...접견은 친동생인 남자친구가 같이 가긴 합니다.

누나가 결혼한 상태라 매형 또한 노력하시겠지만 남자 혼자 자식을 키우면서 뒷바라지 하는게 쉽지 않은 상황이라 서신이라도 제가 꾸준히 보내려고 하는데 이게 꼭 가족에 한한 것이라면 남자친구를 시켜야 하는걸까요? 너무 단순하지만 딱부러지게 물어볼곳도 없고 답변 부탁드립니다...

김사합니다.

도움말:
1. 가석방의 가장 큰 기준은 " 재범가능성 평가"이고, 그 기준 중에 가장 큰 것이 본인의 모범적인 수형생활과, 가족 친지로부터 보호되는 사람인지 입니다.

따라서, 꾸준한 편지는 접견 이상의 효과가 있으며, 반드시 가족이 아니어도 됩니다. 미혼인 사람에게 결혼 할 사람이 편지하는 것은 더 좋은 경우라 할 수 있습니다.

@징역생활이 끝나면 결코 그전과 같아지지 않습니다.
더 나빠지거나, 더 좋아지게 되는데, 더 좋아지려는 노력이 없으면 더 나빠지는 것이 일반적입니다.

가석방을 위한 탄원서

질문: 가석방을 위한 탄원서는 효과가 있을지

어머님께서 갑작스러운 아들 소식에 밤에 잠 드는데
힘드셔 정신과 치료를 받으시고 있고 몇 일 전에는
팔에 극심한 통증으로 인해서 수술까지 받으셨습니다.

공탁금을 대출까지 받아서 걸었는데 형기에 반영이 전혀
되질 않았습니다.

돈은 돈대로, 형기는 형기대로 그대로 받고.. 저는 가정주부
로 있다가 남편 일로 인해서 가정형편은 물론 아이들도
제대로 돌보지 못하고. 대책 없이 지난 몇 개월을 보냈네요...

이런 상황에서 뭐라도 해보고 싶은 마음에 남편이 한 달쯤 빨리 나올 수 있게 선처를 부탁드리고 싶은데 쉽지는 않겠지만 해보는데까지 해보고 싶은 마음인데 탄원서는 양식이 있는데, 어떻게 써야 할지, .

도움말: 탄원서는 특별한 양식이 있는 것이 아닙니다.
다만, 반성문의 경우와 같이 진정성이 있을 수록 좋습니다. 이를테면

1. 탄원서는 주민번호, 주소가 기재되고, 주민증복사본이 첨부되면 좋습니다.

2. 종교단체의 경우도 종교단체라는 직인이 있으면 좋고 없어도 상관없습니다.

3. 구치소/교도소에 있는 경우는 소장님에게 보내야 합니다.

4. 면회와 서신 말고 좀더 노력할 것은, 소장님, 담당 교도관에게 감사 편지 등을 하는 것도 도움됩니다.

> @나무는 꽃을 버려야 열매를 맺고 강물은 강을 버려야 바다에 이른다: 화엄경

달가는 무엇인지

질문: 가석방 가능할지, 달가는 무엇인지
2014년 7.7일 구치소에 들어가 12월 30일 항소심까지 가서 2년 형을 받았습니다.

초범이고, 2급, 현재 출력 나가고 있어요.

모범수로 뽑혀 월초 3월 가족만남의 날, 9월 가족만남의 집, 10월 가족만남의 날도 진행했구요.

15년 8.15특사 때 감형을 받아 16년 1월 25일로 출소날이 앞당겨졌는데 교도관님 말로는 만기 출소 날 기점으로 다시 가석방혜택이 주어질 수도 있다고 수감생활 성실하게 하라고 말하더군요.

운 좋게 가석방혜택이 주어진다면 크리스마스쯤 생각하고 있는데 가능성이 있는건지 궁금해요. 그리고 "달가" 라는 게 뭔지 궁금합니다.

도움말: 가석방제외사범이 아니라면 가석방 가능할 것입니다,
교도관이 그렇게 말했다면 제외사범은 아닌 것으로 보여집니다.

한편, 본인이 성실하게 생활하고 있고, 수발도 잘 하였다면, 적절한가석방이 있을 수 있습니다.

그리고 "달가"는 출소 만기일 전달의 말일에 출소 하는 최소의 가석방을 말하는데, 질문자의 경우는 12월 30일이 달가 기준일이 될 것 같습니다.

동종재범도 가석방 가능한지

질문:
1. 집행유예 기간 중에 동종재범으로 10월의 실형을 살아야 한다.

2. 3개월째 징역생활 중인데 가석방이 가능한지 알고 싶다.

도움말:
1. 가석방은 제한사범 외에는 누구에게나 적용되나 그 정도의 차이가 있을 뿐이며 집행유예 기간 중 재범은 다른 경우보다 정도가 낮으나 모범적인 생활 등 가석방 요건에 부합하면 대상이 됩니다.

자세한 내용은 {가석방규정} 참고

@무소유
무소유란 아무것도 갖지 않는다는 것이 아니라 불필요한 것을 갖지 않는다는 뜻이다.: 법정

집행유예 중 재범, 가석방 가능한지

질문: 집행유예 중 재범, 2년 징역인데, 가석방가능 할지
음주운전으로 인해 손도쓰지도못하고 징역2년을 받았습니다.

2014.04.24 춘천교도소로 3급
2014.12.30 남부교도소로직업훈련3급
2015.08.10 남부교도소직업훈련 2급
사회생활 때 했던 일이라서 조교 보조해 주고 있습니다.

접견은 한번도 빼지 않고 다가고 있습니다.
전화도 3번 다하고있고 서신도 꾸준히 쓰고 있습니다.
집행유예 중에 사고가 일어나서 2년 징역입니다.

혹시 가석방이 가능할까요?

도움말:
1. 형 종료 후 1년 이내의 재범은 제한이 있습니다.
2. 집행유예기간 중 재범이라고 해서 대상이 안되는 것은 아닙니다.
3. 가석방의 **기본조건은 –들어갈 때 와 마찬가지로-재범하지 않을 가능성의 평가이고**, 그 중에 가족의 보호가 큰 항목인데, 본인이 열심히 하고 있고, 수발도 열심히 하고 있으므로 가석방 우선 순위가 될 수 있을 것으로 보입니다.

가석방업무지침
제12조 (제한사범) ①제한사범은 다음 각 호와 같다. 다만, 미수범 및 방조범은 기수범과 동일하게 적용한다.
1. 존속살인 등 일체의 살인죄
2. 강도 등 일체의 강도죄
3. 성폭력처벌법 및 강간 등 일체의 강간죄
4. 해결사 등 청부폭력사범
5. 20억원 이상 미변제 또는 미 합의한 경제사범
6. 형기종료 출소 후 1년 이내 재범자(과실범 제외)
7. 가석방 후 3년 이내 재범자(과실범 제외)
8. 수용생활 중 범죄행위로 벌금형 이상을 선고받은 자
9. 가석방기준일로부터 1년 이내 규율위반으로 징벌처분을 받은 자

해외에서 체포된 경우 가석방

질문:

남편이 집행유예기간 중 해외로 나가서 사회봉사를.안 해서 집행유예가 취소되어서 해외에서 체포되어서 지금 실형을 살고있습니다.

해외에서 체포되어서 온 경우에는 가석방이 안 된다고 하는데 그러한가요?

도움말:

제한사범이 아니라면, 해외에서 체포되었다고 해서, 그리고 집행유예기간 중에 사회봉사를 불이행 했다고 해서 가석방 대상이 안되는 것은 아닙니다.

피해금액이 20억 이상이거나, 강간범이거나 하는 경우에 가석방에 제한이 있을 수 있습니다.

가석방업무지침
제12조 (제한사범) ①제한사범은 다음 각 호와 같다. 다만, 미수범 및 방조범은 기수범과 동일하게 적용한다.
1. 존속살인 등 일체의 살인죄
2. 강도 등 일체의 강도죄
3. 성폭력처벌법 및 강간 등 일체의 강간죄
4. 해결사 등 청부폭력사범
5. 20억원 이상 미변제 또는 미 합의한 경제사범
6. 형기종료 출소 후 1년 이내 재범자(과실범 제외)
7. 가석방 후 3년 이내 재범자(과실범 제외)
8. 수용생활 중 범죄행위로 벌금형 이상을 선고받은 자
9. 가석방기준일로부터 1년 이내 규율위반으로 징벌처분을 받은 자

13조 (관리사범) 관리사범은 다음 각 호와 같다. 다만, 이 경우에는 형집행률 95% 이상, S1급인 자로 소장의 의견서를 첨부하여 신청한다.
1. 조직폭력범 및 범죄단체조직사범
2. 마약류사범(제14조 단서 해당자 제외)
3. 13세 미만 아동 및 친족 성폭력범
4. 가정파괴범
5. 미성년자 약취 유인 또는 매매 등 일체의 유괴. 매매사범
6. 사형에서 무기징역 및 유기형으로 감형된 자

@폭풍은 참나무의 뿌리를 더욱 깊이 들어가도록 한다.: B

벌금과 가석방

질문:
벌금을 못 내고 있는 데, 벌금을 먼저 사는지, 징역을 먼저 사는지

도움말:
1. 벌금이 있을 경우 징역형을 먼저 살고, 벌금을 살게 됩니다. (검사가 특별히 순서를 바꾸지 않는 한)

2. 못 낸 벌금이 있으면 가석방대상이 되지 않습니다.
즉, 벌금을 다 내지 못하면 가석방도 안되고 , 출소하지 못합니다.

법무부예규: 가석방 업무지침 제18조 (벌금 및 추징금 미납자) 벌금 및 추징금이 있는 자는 예비회의 개최 전일까지 완납한 경우 신청할 수 있다.

형법 72조(가석방의 요건) ① 징역 또는 금고의 집행 중에 있는 자가 그 행상이 양호하여 개전의 정이 현저한 때에는 무기에 있어서는 20년, 유기에 있어서는 형기의 3분의 1을 경과한 후 행정처분으로 가석방을 할 수 있다. <개정 2010.4.15>
②전항의 경우에 벌금 또는 과료의 병과가 있는 때에는 그 금액을 완납하여야 한다.

가석방 업무지침
제18조 (벌금 및 추징금 미납자) 벌금 및 추징금이 있는 자는 예비회의 개최 전일까지 완납한 경우 신청할 수 있다.

@생각하고 살자: 생각하고 살지 않으면 , 사는 대로 생각하게 된다: 폴 발레리 & B

추징금 6억 가석방 가능할지

질문: 6년의 징역형 가석방 시기 및 조건은?

특정경제범죄 가중처벌등에 관한 법률에 의해 2011년 4월 징역 6년을 선고 받았습니다.

국적은 중국인이며, 아내와 딸은 한국인으로 한국에 거주 중입니다.

또한, 추징금이 6억원이 있습니다.

가석방 가능한지요?

도움말:
피해금액이 20억원 이상이 아니라면 가석방 대상은 되나, 추징금이 있을 경우 추징금을 해결하지 못 하면 가석방대상에서 제외 됩니다.

가석방 업무지침
제18조 (벌금 및 추징금 미납자) 벌금 및 추징금이 있는 자는 예비회의 개최 전일까지 완납한 경우 신청할 수 있다.

@나쁜 일 속에는 좋은 일이 들어 있다.: B

친딸 성폭력, 가석방 가능한지

질문:
아빠가 딸을 준 강제추행을 하여 4년 형을 선고받고 2년을 살고있습니다.

죄는 차마 입에 올리기조차 민망하고 4년이 아닌 40년을 받아도 부족하다하겠지만... 지금 그 집이 경제적으로 아주 힘듭니다.

힘들다는게 무색할 정도로 가정이 어렵습니다.

이럴 경우 집안 경제적 사유 등으로 가석방을 받을 수 있을까요?

이혼상태이고 교도소에서 무슨 교육생으로 수감 중 이라 합니다.

> **가석방업무지침**
> 13조 (관리사범) 관리사범은 다음 각 호와 같다. 다만, 이 경우에는 형집행율95% 이상, S1급인 자로 소장의 의견서를 첨부하여 신청한다.
> 1..
>
> 3. 13세 미만 아동 및 **친족 성폭력범**
>
> 4. 가정파괴범

도움말:
경제적 어려움을 이유로 가석방 대상이 되지 않으며, 성범죄자 혹은 가정파괴범은 형기 95%와 S1급이 되어야 가석방이 대상이 될 수 있습니다.

마약범, 가석방가능한지

질문:

제 동생이 마약심부름으로 인해 3년6개월을 선고 받은 상황입니다.. 2014년2월20일쯤 구금되어 항소 까지해서 2015년1월 20일쯤 형이 확정이 된 상태입니다.

초범이고 딸을 둔 가장입니다.가족 모두 면회도 자주 가고 출소하게 되면 가족이 운영하는 회사에 다닐 수 있는 상황입니다..

동생이 모범수로 잘 지낸다면..가석방으로 나올수 있는 확률이 어느정도인가여? 동생은 마약사범은 모범수라도 가석방으로 나오기 힘들다고 하는데..어떤 조건을 갖춰야 하나요?

지푸라기라도 잡고 싶은 심정에 글을 올립니다..꼭 고견 듣고 싶습니다..잘 부탁합니다...

가석방업무지침
13조 (관리사범) 관리사범은 다음 각 호와 같다. 다만, 이 경우에는 형집행율95% 이상, S1급인 자로 소장의 의견서를 첨부하여 신청한다.
1.생략

2. **마약류사범(제14조 단서 해당자 제외)**

3. 이하 생략

자세한 내용은 p35참조

도움말:

마약관련 범죄라 하더라도, 성실히 생활하여 모범수(S1)이 되고, 가족이 성실하게 수발하였을 경우, 95%의 형기가 지나면 가석방 될 수 있습니다.

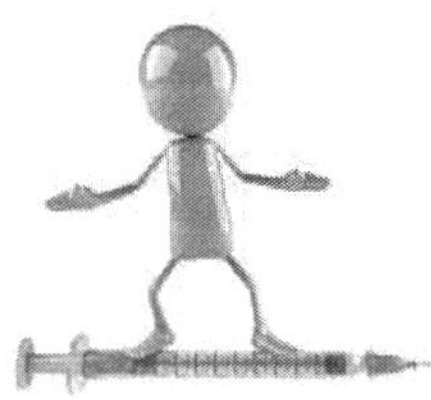

= S1 + 95%

살인죄, 가석방 가능한지

질문: 가석방혜택 ㅠ가능한가요
안녕하세요 저는 2013년08.16 광주교도소 수감 중입니다

다름이 아니라 1심에서 3년형을 받고 항소를하여 기각을 당하였습니다

죄를 저지르면 안되는 일을 크게 저질르고 말았습니다

하지만 저는 죄를 많이 뉘우치고 하늘나라에 있는 아이를 생각하면서 반성하고잇습니다

2014 03 08 오후에 아들을 출산을 하엿습니다

앞으로 이 아이를 위해서 열심히 살 꺼구요

저에게 남은 형량은 2년6월입니다 ...

저두 가석방을 받을 수 있나요... 정말 아이와 행복하게 신랑이랑 같이 살고 싶습니다

도와주세여...

가석방업무지침
제12조 (제한사범) ①제한사범은 다음 각 호와 같다. 다만, 미수범 및 방조범은 기수범과 동일하게 적용한다.

1. 존속살인 등 일체의 살인죄
...

자세한 사항은 p35참고

나쁜 일을 잘 다루면 좋은 일이 된다,

반대로 좋은 일을 잘 못 다루면 계속 나쁜 일이 된다

좋은 일을 잘 다루면 계속 좋은일이 일어난다.: B

도움말:
죄명이 무엇인지 없어서 정확한 도움말씀 드리기 어려우나, 질문 중에 "하늘나라에 있는 아이"라고 했으니 혹, 살인죄라면 규정상 가석방 제외 대상이 되어 있습니다.

그러나 살인죄가 아니고, 제외대상이 아니라면, 가석방 대상이 될 수 있으며 모범적인 생활과 가족, 친지의 성실한 수발로 재범할 가능성이 없어 보일 경우에는 형기의 80%가 지나면서 가석방 가능할 것으로 보입니다.

가석방 중 재범 처벌

질문: 가석방 중에 재범 처벌 문의
가석방 된 사람이 가석방 기간 중에 재범을 하면 어떻게 되는지

도움말:
가석방 중의 재범은 가석방이 취소되고, 재범한 내용에 대해 가중 처벌받을 수 있으며 다시 가석방은 어려우며 , 누범에는 해당하지 않으나 누범에 준하는 가중처벌을 받을 수 있습니다.

> **형법 제35조(누범)** ① 금고 이상의 형을 받아 그 집행을 종료하거나 면제를 받은 후 3년 내에 금고이상에 해당하는 죄를 범한 자는 누범으로 처벌한다.
> ②누범의 형은 그 죄에 정한 형의 장기의 2배까지 가중한다.

가석방 후 재범 처벌

형법 제35조(누범)
① 금고 이상의 형을 받아 그 집행을 종료하거나 면제를 받은 후 3년 내에 금고이상에 해당하는 죄를 범한 자는 누범으로 처벌한다.

②누범의 형은 그 죄에 정한 형의 장기의 2배까지 가중한다.

질문: 가석방 이후 범죄에 대한 처벌 문의
교통사고로 인해 실형을 선고 받고 복역중 가석방으로 출소 하였습니다.

이번에 다른 사건으로 재판 중인데 문제는 가석방 후 3년이 지나야 집행유예등 처벌이 가능하다고 알고 있습니다.

현재 3년이 지나지 않은 상태이며, 검사 구형은 3년을 받았습니다.

이경우 무조건 실형을 받을 수 밖에는 없는 것인지 궁금합니다,

도움말:
1. 누범은 형집행 종료 후(출소 후) 3년 이내의 경우이므로 출소 하기 전 사건으로 재판을 받을 경우에 집행유예도 가능할 것 입니다.

2. 그러나 출소 후 3년 이내에 발생한 사건이라면 누범으로 집행유예를 선고할 수 없고, 벌금이거나 실형이므로 사안에 따라서는 벌금이 처분이 될 수 도 있을 것입니다.

3. 만약 가석방 기간 내의 범죄라면 누범은 해당되지 않으며 다만 누범에 준하여 가중처벌 될 수는 있습니다.

@위대한 인간: 위대한 인간이란 역경을 극복할 줄 아는 동시에 그 역경을 사랑할 줄 아는 사람 이다: 니체

가석방 취소사유

1. 가석방 관련 규정을 어긴 경우

가석방 후, 가석방 기간 내에는, 보호관찰을 받아야 하는데, 쉽게 말해 성실하게 살고 있다는 것을 정기적으로 보호관찰관에게 보고해야 하고 필요한 교육도 받아야 합니다.

성실하게 이행하지 않을 경우 가석방은 취소되고, 다시 교도소로 수용됩니다,

그러나 보호관찰관이 감독만 하는 것이 아니라 건전한 생계지원을 위해 취업알선, 교육등 다양한 지원을 하고 있으니 잘 활용하면 여러모로 도움 받을 수 있습니다.

2. 재범한 경우

가석방 기간 중에 재범한 경우는 가석방이 취소되고 누범적용은 받지 않지만 가중처벌 받을 수 있습니다..

형법 제75조(가석방의 취소) 가석방의 처분을 받은 자가 감시에 관한 규칙을 위배하거나, 보호관찰의 준수사항을 위반하고 그 정도가 무거운 때에는 가석방처분을 취소할 수 있다.[전문개정 95·12·29]

@잊어라: 고통은 잊어라 그러나 그것이 준 교훈은 잊지 마라: 허버트개서

6개월 형도 가석방 가능한지

질문: 애기 아빠가 6개월 실형받고 3월15일에 출소입니다

가석방 가능한가요ㅠㅠ? 아님 3.1절 특사라든가요
등급은 원래2등급에 해당되는데 곧 출소한다고 분류심사원도 안거치고 3등급나왔다고 하네요

지금 출력나가서 사소을 하고있구요

도움말:
단기형이라도 가석방은 가능합니다, 가석방 제외대상이 아니라면, 보통 단기형은 "달가"라는 짧은, 15일 전후의 가석방이 되기도 합니다.

Part V 주요규정 요약 및 기타

❖ 가석방 주요규정

- 판결 전 구금과 가석방
- 가석방 요건과 심사기준
- 가석방 제한, 관리 사범
- 가석방 취소 사유
- 가석방 주요심사 규칙

❖ 집행시효, 공소시효, 기록삭제

❖ 기타

- 가석방 통계
- 전국 교정기관 분포도
- 보호관찰 안내 및 전국보호관찰소

❖ 가석방 주요규정

▪ 판결전 구금과 가석방

선고 전(판결 확정전)에 구금(구치소, 유치장)된 날도 전체 형기에 포함시켜서 가석방 경과일수를 포함한다는 것 입니다.

형법, 제73조(판결 선고전 구금과 가석방)
① 형기에 산입된 판결 선고전 구금의 일수는 가석방에 있어서 집행을 경과한 기간에 산입한다.
②벌금 또는 과료에 관한 유치기간에 산입된 판결 선고전 구금일수는 전조 제2항의 경우에 있어서 그에 해당하는 금액이 납입된 것으로 간주한다.

▪ 가석방 요건과 심사기준

형의 집행 및 수용자의 처우에 관한 법률
제72조 (가석방의 요건)
①징역 또는 금고의 집행 중에 있는 자가 그 행상이 양호하여 개전의 정이 현저한 때에는 무기에 있어서는 2**0년, 유기에 있어서는 형기의 3분의 1을** 경과한 후 행정처분으로 가석방을 할 수 있다.
②전항의 경우에 **벌금 또는 과료의 병과가 있는 때에는 그 금액을 완납하여야 한다.**

제121조(가석방 적격심사)
① 소장은 「형법」 제72조제1항의 기간이 지난 수형자에 대하여는 법무부령으로 정하는 바에 따라 위원회에 가석방 적격심사를 신청하여야 한다.
② 위원회는 수형자의 나이, 범죄동기, 죄명, 형기, 교정성적, 건강상태, 가석방 후의 생계능력, 생활환경, **재범의 위험성,** 그 밖에 필요한 사정을 고려하여 가석방의 적격여부를 결정한다.

제122조(가석방 허가) ① 위원회는 가석방 적격결정을 하였으면 5일 이내에 **법무부장관에게 가석방 허가를 신청하여야 한다.**
② 법무부장관은 제1항에 따른 위원회의 가석방 허가신청이 적정하다고 인정하면 허가할 수 있다.

가석방 심사 등에 관한 규칙
제6조 (보호관계의 심사사항) 보호관계는 다음 각호의 사항에 대하여 심사하여야 한다.
1. 동거할 친족·보호자 및 고용할 자의 성명·직장명·연령·직업·주소·성격·자산·생활상태 및 수형자와의 관계
2. 가정환경
3. 접견 및 서신의 내용과 수발의 상황
4. 가정과 본인과의 감정관계
5. 피해자 및 그 가정과 본인 및 그 가정과의 감정관계
6. 석방 후에 돌아갈 곳
7. 석방 후에 있어서의 생계관계
8. 기타 참고사항

▪ 가석방 제한, 관리사범

가석방업무지침

제7조(관리사범) 관리사범은 다음 각 호와 같다.
1.조직폭력사범(범죄행위 시 기준 조직폭력원으로 판결문에 명시된 경우)
2. 마약류사범(제12조 단서 해당자 제외)
3. 13세 미만 아동, 장애인 및 친족을 상대로 한 성폭력사범
4. 미성년자 약취 유인 또는 매매 등 일체의 유괴. 매매사범

제8조(장기수형자) 장기수형자는 형기 10년 이상인 자를 말한다. 다만, 무기수형자는 제외한다.

제9조(보호사범) 보호사범은 환자, 고령자(70세 이상), 장애인, 임산부 등으로 구분한다.

제10조(제한사범) 제한사범은 다음 각 호와 같다.
1.수용생활 중 범죄행위로 벌금형 이상을 선고받은 자
2.규율위반으로 징벌처분이 의결되고「형의 집행 및 수용자의 처우에 관한 법률 시행규칙」제234조에 규정된 기간이 가석방 기준일까지 경과하지 않은 자
3. 형기종료 후 1년 이내 재범자(과실범 제외)
4. 가석방·사면 후 3년 이내 재범자(과실범 제외)
5. 일체의 살인죄로 유기징역 또는 유기금고를 집행 중인 수형자
6. 일체의 강도죄로 유기징역 또는 유기금고를 집행 중인 수형자
7. 일체의 강간 및 강제추행의 죄로 유기징역 또는 유기금고를 집행 중인 수형자
8. 범죄로 인하여 발생한 피해금액 중 변제 혹은 합의되지 아니한 금액의 합계가 20억원 이상인 자
9. 아동학대·가정폭력사범
10. 아동·청소년 등에 대한 성매매·알선행위로 유기징역 또는 유기금고를 집행 중인 수형자

제11조(교통사범) 교통사범은 다음 각 호의 하나에 해당하는 죄로 유기징역 또는 유기금고를 집행 중인 수형자로 한다. 다만, 「도로교통법」 위반사범은 교통사범이 아니며, 일부합의한 경우에는 미합의 심사기준을 적용한다.

1.교통사고처리특례법위반죄

2.특정범죄가중처벌등에관한법률위반(위험운전치사상)죄

3.「특정범죄 가중처벌 등에 관한 법률」제5조의3(도주차량 운전자의 가중처벌) 위반죄

제

12조(일반사범) 일반사범은 무기수형자, 관리사범, 장기수형자, 보호사범, 제한사범, 교통사범 이외의 수형자를 말한다.

단, 마약류사범(단순투약으로 인한 범죄로 범죄횟수 3범 이하의 자에 한함) 중 교정시설 내에서 실시하는 재활교육을 이수하고 가석방 출소 후 사회 내 전문 치료보호기관(재활교육기관) 치료조건에 동의하여 별지 제8호서식의 동의서를 제출한 자는 일반사범에 포함한다

▪ 가석방 취소사유

가석방 심사 등에 관한 규칙
제22조 (가석방의 취소사유) 가석방처분을 받은 자(보호관찰등에관한법률에 의한 보호관찰대상자를 제외하며, 이하 "가석방자"라 한다)가 가석방 기간 중 다음 각호의 1에 해당하는 사유가 있을 때에는 형법 제75조의 규정에 의하여 가석방을 취소할 수 있다. <개정 1997.1.28.>

1. 가석방 중에 기재한 기한 내에 주거지·감호경찰서에 출석하여 그 증서에 검인을 받지 아니한 때 또는 주거지로 가는 중 천재지변·질병 기타 부득이한 사유로 기한내에 감호경찰서에 출두할 수 없거나 출두할 수 없었을때 가까운 경찰관서에 그 사유를 지체없이 신고하고 그에 대한 확인서를 감호경찰서에 제출하지 아니한 때

2. 주거지 도착후 지체없이 감호경찰서에 직업 기타 생계에 관한 계획을 보호자와 연서 날인하여 신고하지 아니한 때

3. 감호경찰서장의 허가를 받지 아니하고 주거지를 이전하거나 10일이상 여행을 한 때

4. 감호경찰서장의 주거지 이전 또는 10일이상의 여행허가를 받은 자가 이주 또는 여행을 중지한 경우 또는 여행을 마치거나 신주거지에 도착한 후 지체없이 여행권 기타 증명을 감호경찰서에 출석하여 반납 또는 제출하지 아니한 때

5. 법무부장관의 허가없이 국외에 이주하거나 여행을 한 때

6. 법무부장관의 국외이주 또는 국외여행허가를 받은 자가 국외이주 또는 국외 여행을 중지하거나 국외여행을 마치고 귀국한 경우 또는 국외 이주한 자가 입국한 경우 지체없이 그 사실을 감호경찰서에 신고하지 아니한 때

7. 비행을 하거나 비정상적인 업무에 종사한 때

8. 감호경찰서장이 가석방자로 하여금 정상적인 업무에 종사하고 선행을 하게 하기 위하여 한 훈계나 명령을 지키지 아니한 때

9. 기타 가석방자관리규정을 위배한 때

형법 제75조(가석방의 취소) 가석방의 처분을 받은 자가 감시에 관한 규칙을 위배하거나, 보호관찰의 준수사항을 위반하고 그 정도가 무거운 때에는 가석방처분을 취소할 수 있다.[전문개정 95·12·29]

가석방 심사 주요규칙. 기본원칙 등: 1조-4조

[일부개정 2006.10.31 법무부령 제600호

제1장 총칙

제1조(목적) 이 영은 수형자의 가석방을 위한 심사기준과 절차 및 가석방취소의 절차 등에 관하여 필요한 사항을 규정함을 목적으로 한다.

제2조(심사의 기본원칙) 가석방심사는 공정·신속하게 하여야 하며 심사과정에서 지득한 비밀은 이를 누설하여서는 아니 된다.

제2장 가석방의 심사와 신청 <개정 1997.1.28>

제3조(심사사항) ①가석방심사위원회(이하 "위원회"라 한다)는 가석방의 적격여부를 결정하기 위하여 수형자의 신원관계·범죄관계·보호관계 기타 필요한 사항에 대하여 심사하여야 한다.<개정 1997.1.28>
②제1항의 규정에 의한 위원회의 심사는 교도소장(소년교도소장 및 구치 소장을 포함한다. 이하 같다)에게 위임하여 행할 수 있으며, 심사를 위임 받은 교도소장은 위원회에 그 심사결과를 보고하여야 한다.
<신설 1997.1.28><신설 1997.1.28>

제4조(신원관계의 심사사항) 신원관계는 다음 각호의 사항에 대하여 심사하여야 한다.

1. 유 전
2. 건강상태
3. 정신상태(지능·감정 및 의지)
4. 삭제<2006.10.31>
5. 책임관념 및 협동심
6. 경력 및 교육정도
7. 노동능력
8. 행장의 우량
9. 작업상여금·영치금
10. 기타 참고사항

주요규칙: 범죄와 보호관계, 5조-6조

제5조(범죄관계의 심사사항) 범죄관계는 다음 각호의 사항에 대하여 심사하여야 한다.
1. 범죄자의 연령
2. 형 기
3. 범죄회수
4. 범죄의 성질·동기 및 정상
5. 범죄후의 정황
6. 공범관계
7. 범죄에 대한 사회의 감정
8. 기타 참고사항

제6조(보호관계의 심사사항) 보호관계는 다음 각호의 사항에 대하여 심사하여야 한다.
1. 동거할 친족·보호자 및 고용할 자의 성명·직장명·연령·직업·주소·성격·자산·생활상태 및 수형자와의 관계
2. 가정환경
3. 접견 및 서신의 내용과 수발의 상황
4. 가정과 본인과의 감정관계
5. 피해자 및 그 가정과 본인 및 그 가정과의 감정관계
6. 석방 후에 돌아갈 곳
7. 석방 후에 있어서의 생계관계
8. 기타 참고사항

주요규칙: 누범과 범죄동기, 7조-10조

제7조(누범자 등의 심사사항) 동일 또는 유사한 죄로 2회 이상 징역형 또는 금고형의 집행을 받은 자는 특히 개전의 정상, 노동능력, 근면한 습성 기타 정상적인 업무에 취업할 수 있는 소질의 유무와 보호관계의 양부에 관하여 심사하여야 한다.

제8조(범죄심리상의 동기) ①범죄의 동기의 심사에 있어서는 특히 사회 도의상 또는 공익상 너그러히 용서할만한 심정에 기인된 것인가 아닌가의 여부를 참작하여야 한다.
②범죄의 동기가 사회도의상 또는 공익상 비난할 심정에 기인한 경우에 있어서는 특히 사상의 추이와 그 소신의 포기여부를 심사하여야 한다.

제9조(환경상 동기) 범죄의 동기가 군중의 암시 또는 도발, 감독관계에 의한 위협 기타 이에 유사한 사유에 기인한 것에 대하여는 특히 수형자의 성격 또는 환경의 변화에 주의하고 가석방후 환경이 가석방자에게 미칠 영향의 유무를 심사하여야 한다.

제10조(사회의 감정) 참혹하거나 교묘한 수단 또는 대규모적인 수단에 의하여 죄를 범한 경우와 범죄로 인하여 발생한 위해가 특히 심한 경우에는 그 범죄에 대한 사회의 감정에 주의하여야 한다.

주요규칙: 합의 등, 11조-14조

제11조(손해배상등의 심사) ①재산에 관한 죄를 범한 자에 대하여는 특히 그 범행으로 인하여 발생된 손해를 배상하였는가 또는 손해를 경감하기 위하여 노력하였는가의 여부를 심사하여야 한다.
②수형자의 친척, 우인이 손해를 배상한 때에는 그 배상이 본인의 희망에 기인한 것인가의 여부를 심사하여야 한다.

제12조(지방풍습·가석방에 대한 감정의 심사) 지방적 특색이 있는 죄 또는 세인의 이목을 집중시킨 죄를 범한 자에 대하여는 특히 지방의 풍습 및 가석방에 대한 지방민의 감정을 심사하여야 한다.

제13조(소년범의 심사) 소년에 대한 가석방에 있어서는 개전의 정도 및 보호관계의 양부에 대한 심사에 주의하여야 한다.

제14조(심사상의 주의) ①수형자의 개전의 정도를 심사할 때에는 특히 그 자의 아첨 기타 위선적 행동의 유무에 주의하여야 한다.
②삭제<2003.7.31>
③무기형에 처하여진 수형자에 대하여는 사회감정에 비추어 범죄의 정상이 극히 딱하고 가엾은가의 여부를 심사하여야 한다.

❖ 집행시효, 공소시효, 기록삭제

공소시효

형사소송법

제249조(공소시효의 기간) ① 공소시효는 다음 기간의 경과로 완성한다. <개정 1973.1.25., 2007.12.21.>

1. 사형에 해당하는 범죄에는 25년
2. 무기징역 또는 무기금고에 해당하는 범죄에는 15년
3. 장기 10년 이상의 징역 또는 금고에 해당하는 범죄에는 10년
4. 장기 10년 미만의 징역 또는 금고에 해당하는 범죄에는 7년
5. 장기 5년 미만의 징역 또는 금고, 장기10년 이상의 자격정지 또는 벌금에 해당하는 범죄에는 5년
6. 장기 5년 이상의 자격정지에 해당하는 범죄에는 3년
7. 장기 5년 미만의 자격정지, 구류, 과료 또는 몰수에 해당하는 범죄에는 1년

②공소가 제기된 범죄는 판결의 확정이 없이 공소를 제기한 때로부터 25년을 경과하면 공소시효가 완성한 것으로 간주한다. <신설 1961.9.1., 2007.

집행시효

형법

제78조(시효의 기간) 시효는 형을 선고하는 재판이 확정된 후 그 집행을 받음이 없이 다음의 기간을 경과함으로 인하여 완성된다. <개정 2017. 12. 12.>

1. 사형은 30년
2. 무기의 징역 또는 금고는 20년
3. 10년 이상의 징역 또는 금고는 15년
4. 3년 이상의 징역이나 금고 또는 10년 이상의 자격정지는 10년
5. 3년 미만의 징역이나 금고 또는 5년 이상의 자격정지는 7년
6. 5년 미만의 자격정지, 벌금, 몰수 또는 추징은 5년
7. 구류 또는 과료는 1년

기록 삭제

형의 실효 등에 관한 법률

제7조(형의 실효) ① 수형인이 자격정지 이상의 형을 받지아니하고 형의 집행을 종료하거나 그 집행이 면제된 날부터 다음 각 호의 구분에 따른 기간이 경과한 때에 그 형은 실효된다. 다만, 구류(拘留)와 과료(科料)는 형의 집행을 종료하거나 그 집행이 면제된 때에 그 형이 실효된다.
1. 3년을 초과하는 징역·금고: 10년
2. 3년 이하의 징역·금고: 5년
3. 벌금: 2년

② 하나의 판결로 여러 개의 형이 선고된 경우에는 각 형의 집행을 종료하거나 그 집행이 면제된 날부터 가장 무거운 형에 대한 제1항의 기간이 경과한 때에 형의 선고는 효력을 잃는다. 다만, 제1항제1호 및 제2호를 적용할 때 징역과 금고는 같은 종류의 형으로 보고 각 형기(刑期)를 합산한다. [전문개정 2010.3.31]

제8조의2(수사경력자료의 정리)① 다음 각 호의 어느 하나에 해당하는 경우에는 제2항 및 제3항 각 호의 구분에 따른 보존기간이 지나면 전산입력된 수사경력자료의 해당 사항을 삭제한다.
1. 검사의 혐의없음, 공소권없음, 죄가안됨 또는 기소유예의 불기소처분이 있는 경우
2. 법원의 무죄, 면소(免訴) 또는 공소기각의 판결이 확정된 경우
3. 법원의 공소기각 결정이 확정된 경우

② 제1항 각 호의 경우에 대한 수사경력자료의 보존기간은 다음 각 호의 구분에 따른다. 이 경우 그 기간은 해당 처분이 있거나 결정 또는 판결이 확정된 날부터 기산(起算)한다.
1. 법정형(法定刑)이 사형, 무기징역, 무기금고, 장기(長期) 10년 이상의 징역 • 금고에 해당하는 죄: 10년
2. 법정형이 장기 2년 이상의 징역 • 금고에 해당하는 죄: 5년
3. 법정형이 장기 2년 미만의 징역 • 금고, 자격상실, 자격정지, 벌금, 구류 또는 과료에 해당하는 죄: 즉시 삭제. 다만, 제1항제1호의 기소유예 처분이나 제1항제2호 • 제3호의 판결 또는 결정이 있는 경우는 5년간 보존한다.

③ 제2항에도 불구하고 제1항 각 호의 처분 당시 또는 판결 • 결정의 확정 당시 「소년법」 제2조에 따른 소년에 대한 수사경력자료의 보존기간은 다음 각 호의 구분에 따른다.
1. 제1항제1호의 기소유예의 불기소처분: 그 처분일부터 3년
2. 제1항제1호의 혐의없음, 공소권없음, 죄가안됨의 불기소처분: 그 처분 시까지
3. 제1항제2호의 판결 또는 같은 항 제3호의 결정: 그 판결 또는 결정의 확정 시까지

④ 제1항에 따라 수사경력자료의 해당 사항을 삭제하는 방법은 대통령령으로 정한다. [전문개정 2010. 3. 31.]

❖ 기타

가석방 통계

- 2009. 부터 교도소장으로 하여금 가석방 허가신청 자체를 줄이게 하여(비록 허가율 자체는 상승하는 것처럼 보이지만) 가석방된 인원은 계속 줄고

- 2013. 부터는 사회지도층 특혜성 가석방이 배제되면서 가석방 신청수는 물론 허가율도 급락

표Ⅲ-86 성인수 가석방 허가자 집행률별 현황(2011년~2020년) (단위 : 명)

구분 연도	합계	60% 미만	70% 미만	80% 미만	90% 미만	90% 이상
2011	7,065 (100%)	-	3 (0.0%)	759 (10.7%)	4,654 (65.9%)	1,649 (23.3%)
2012	6,444 (100%)	1 (0.0%)	-	548 (8.5%)	3,953 (61.3%)	1,942 (30.1%)
2013	6,148 (100%)	-	1 (0.0%)	469 (7.6%)	3,786 (61.6%)	1,892 (30.8%)
2014	5,361 (100%)	-	1 (0.0%)	432 (8.1%)	3,197 (59.6%)	1,731 (32.3%)
2015	5,480 (100%)	-	2 (0.0%)	291 (5.3%)	3,075 (56.1%)	2,112 (38.5%)
2016	7,126 (100%)	-	5 (0.1%)	926 (13.0%)	3,849 (54.0%)	2,346 (32.9%)
2017	8,247 (100%)	-	18 (0.2%)	1,493 (18.1%)	4,795 (58.1%)	1,941 (23.5%)
2018	8,667 (100%)	50 (0.6%)	67 (0.8%)	1,496 (17.3%)	4,976 (57.4%)	2,078 (24.0%)
2019	8,139 (100%)	3 (0.0%)	74 (0.9%)	1,630 (20%)	4,380 (53.8%)	2,052 (25.2%)
2020	7,876 (100%)	- (0.0%)	50 (0.6%)	1,323 (16.8%)	4,449 (56.5%)	2,054 (26.1%)

출처: 법부무 교정본부 발행 '2021년 교정통계연보

교정시설 분포도

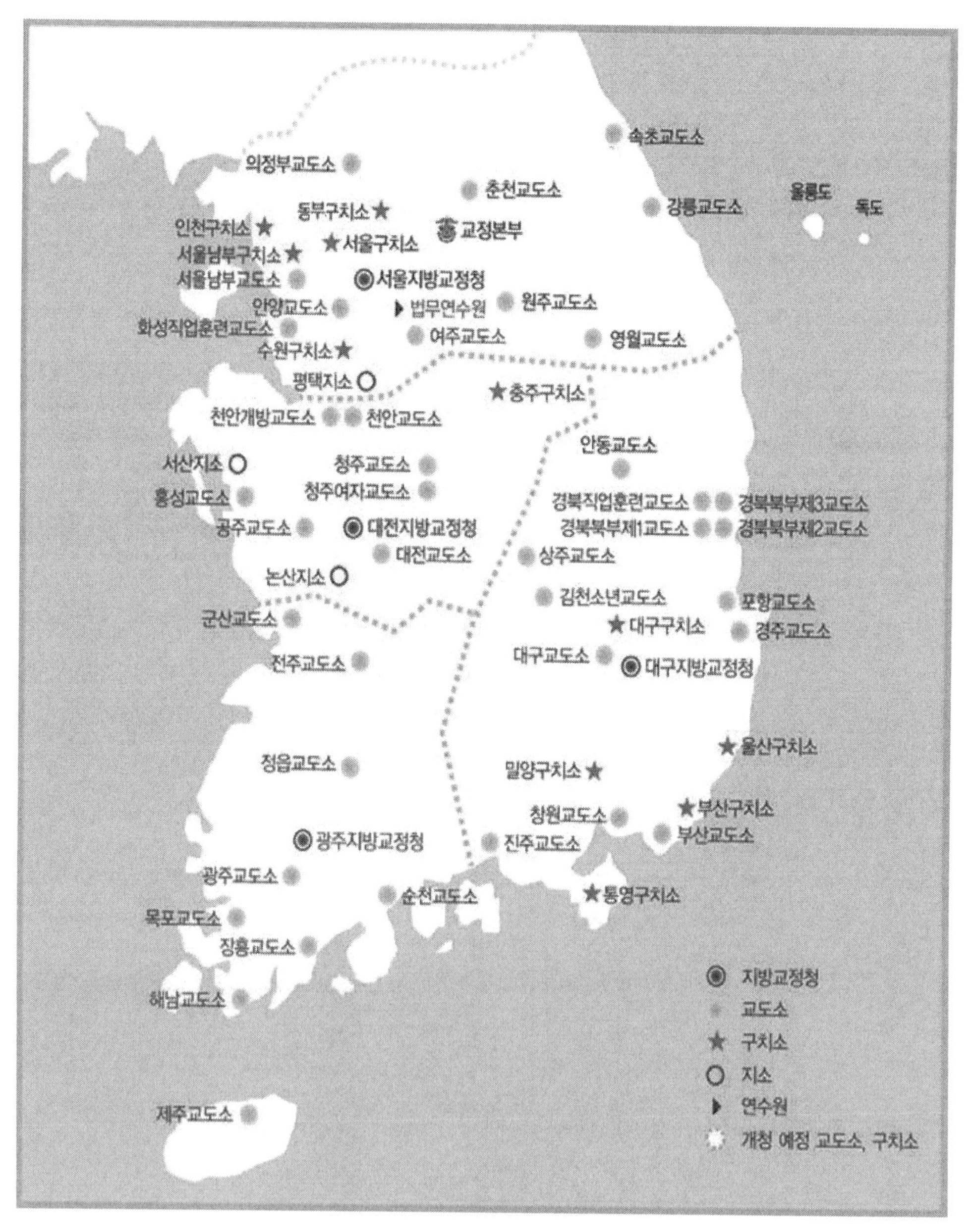

속초교도소
의정부교도소
춘천교도소
울릉도
독도
강릉교도소
동부구치소
인천구치소
교정본부
서울구치소
서울남부구치소
서울남부교도소
서울지방교정청
원주교도소
안양교도소
법무연수원
화성직업훈련교도소
여주교도소
영월교도소
수원구치소
평택지소
충주구치소
천안개방교도소
천안교도소
안동교도소
서산지소
청주교도소
청주여자교도소
홍성교도소
경북직업훈련교도소
경북북부제3교도소
공주교도소
대전지방교정청
경북북부제1교도소
경북북부제2교도소
대전교도소
상주교도소
논산지소
김천소년교도소
포항교도소
군산교도소
대구구치소
경주교도소
대구교도소
대구지방교정청
전주교도소
울산구치소
정읍교도소
밀양구치소
부산구치소
창원교도소
광주지방교정청
진주교도소
부산교도소
광주교도소
순천교도소
통영구치소
목포교도소
장흥교도소
해남교도소
제주교도소
지방교정청
교도소
구치소
지소
연수원
개청 예정 교도소, 구치소

보호관찰 개요

❖ **보호관찰이란**,
범죄인을 구금하는 대신 일정한 의무를 조건으로 자유로운 사회생활을 허용하면서 국가 공무원인 보호관찰관이 직접 또는 민간자원 봉사자인 범죄예방위원의 협조를 받아 지도 감독 및 원호를 하거나, 사회봉사 수강명령을 집행함으로써 성행을 교정하여 건전한 사회복귀를 촉진하고 재범을 방지하는 선진형사제도입니다.

쉽게 말해 보호관찰은 구속하지 않은 상태에서 재범하지 않도록 관리하는 제도인데, 가석방 된 사람은 가석방 기간 동안 1개월에 한번씩 반드시 보호관찰 받아야 합니다.

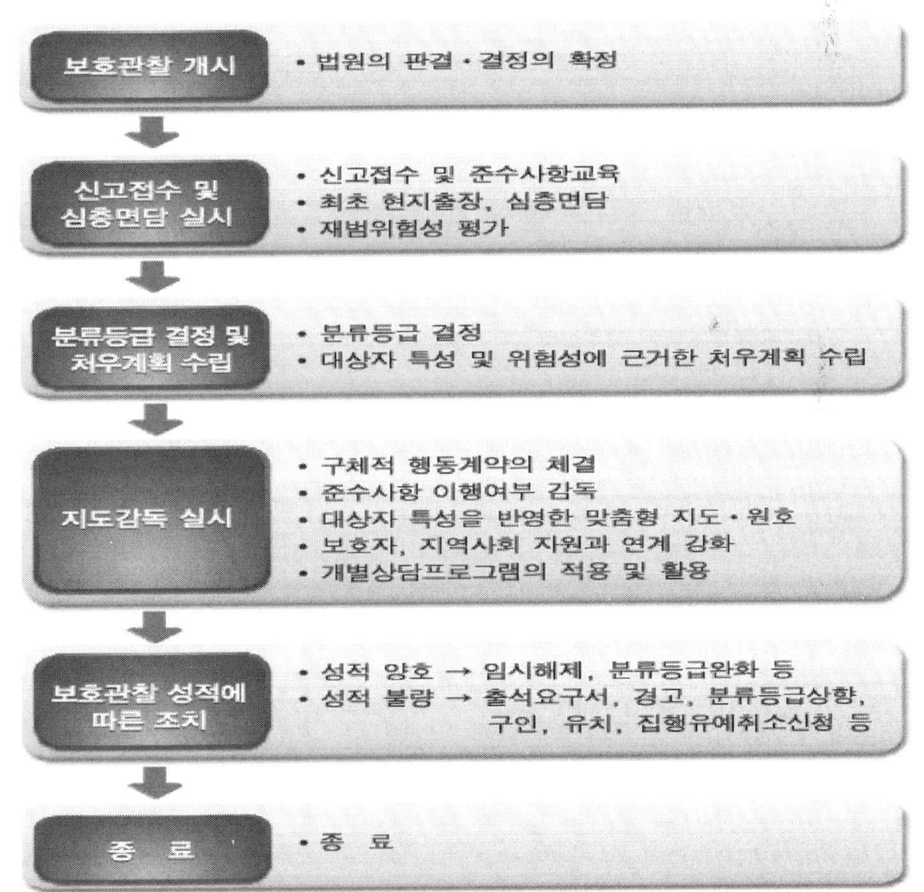

전국 보호관찰소

기관명	주소	우편번호	전화
서울보호관찰소	서울특별시 동대문구 휘경2동 43-1	130-874	02-2216-4854 (FAX)2216-4612
서울동부보호관찰소	서울특별시 송파구 거여동 37-2 다보빌딩 4층	138-814	02-3012-4203 (FAX)3012-4206
서울남부보호관찰소	서울특별시 양천구 신정동 330-11 대한생명빌딩 9층	158-742	02-2654-5994 (FAX)2643-4758
의정부보호관찰소	경기도 의정부시 의정부3동 138-6 일양빌딩 3~5층	480-841	031-875-8932 (FAX)826-8932
인천보호관찰소	인천광역시 남구 학익2동 6-63	402-866	032-872-1072 (FAX)872-1078
수원보호관찰소	경기도 수원시 팔달구 우만동 190-1	442-192	031-212-7766~8 (FAX)212-7235
춘천보호관찰소	강원도 춘천시 후평1동 240-3 춘천지방합동청사 1층	200-957	033-258-3535 (FAX)244-9856
대전보호관찰소	대전광역시 중구 선화동 285-1	301-822	042-280-1241 (FAX)280-1250
청주보호관찰소	충북 청주시 흥덕구 분평동 1347	361-823	043-295-6033 (FAX)295-7808
대구보호관찰소	대구광역시 동구 신암5동 1503	701-810	053-951-9086 (FAX)951-9098
부산보호관찰소	부산광역시 금정구 청룡동 283-4	609-844	051-508-3961 (FAX)508-7324
울산보호관찰소	울산광역시 남구 삼산동 1602-2	680-815	052-261-3303 (FAX)261-3350
창원보호관찰소	경남 창원시 신월동 101-4	641-060	055-266-5256 (FAX)266-5257
광주보호관찰소	광주광역시 서구 화정동 366-1	502-838	062-372-2031 (FAX)372-8683
전주보호관찰소	전북 전주시 덕진구 호성동 215	561-211	063-249-2350 (FAX)249-2357
제주보호관찰소	제주특별자치도 제주시 도남동 8-4 정부제주지방합동청사 1층	690-806	064-728-5100 (FAX)728-5130

VI 다시 떠오르기

가치회복 플랫폼 – 치유농장: 겸농

다시 떠오르기

"다시 떠오르기" 라는 말은 몇몇 수행단체에서 자주 사용하는 문구입니다만, 우리 수행자에게 특히 필요한 말입니다.

이런 저런 이유(부정성, 스트레스 , 죄업 등 무엇이라 부르든)로, 온갖 가득찬 오물로 쓰러지고, 침몰하였으나, 이제 강제수행으로라도 비워내었으니 비워낸 만큼 , **새로운 몸과 마음으로 다시 떠오르게 됩니다.**

누차 강조한 바 있지만 형사채무자로서 조사 재판, 수형 과정에서의 강제수행은 욕심을 버리기 위한 종교적 수행이라기보다 욕심을 다스리기 위한 현재적 수행이며,

이 수행으로부터 욕망이라는 원시적 힘을 우리가 원하는 선하고 건전한 힘으로 전환시킬 수 있는 방법과 힘을 얻게 되는 것입니다.

이제 우리는 다시 떠올라야 하며 건실하게 살아남으로써 자신과 가족, 그리고 사회에 진 빚을 기쁜 마음으로 갚을 수 있게 됩니다.

다시 떠오르기는 준비되고 있는 {수행자 단체}와 {치유농장}에서
시작되며, 몸과 마음이 치유. 회복되고 경제력도 회복할 수 있도록 도움 받게될 것입니다.

나는 "반성하는 죄인은 죄짓지 않은 의인보다 도덕적 가치가 높다"는 말에 이어 "경제적 가치도 더 높다"는 말을 덧붙입니다.

나의 사업경험과 수행경험은 수행된, 그리고 수행하는 사람의 도덕적. 경제적 가치는 그렇지 않은 경우보다 훨씬 높다는 것을 경험으로도 잘 알고 있으며, 이 가치들을 실천적으로 증명하기 위해 수년간 꾸준히 이를 준비해 왔습니다.

구체적으로 어떻게 다시 떠오를 것인지는 {치유농업-가치회복 플랫폼}을 기초로 설명될 것입니다

나의 노력들로 수행자들의 다시 떠오르기를 도울 수 있다면 , 그 만큼 내가 세상이 진 빚을 갚는 것이기도 하니 수행자 여러분에게 감사하지 않을 수 없습니다.

감사합니다.

❖ 가치회복 플랫폼 – 치유농업

▪ 들어가기

'다시 떠오르기'는 몸과 마음의 치유. 회복을 통한 가치회복의 과정이자 결과 입니다.

지난 10년 이상을 봉사활동, 명상, 반성행을 기초로 이러한 결과를 도모하여 왔으나, 최근 매우 운 좋게도 {치유농업}의 방법을 발견하게 되어 한층 구체적으로 다시 떠오르기를 도울 수 있게 되었습니다.

말하자면, 치유농업이라는 방법을 기반으로 명상, 봉사활동, 반성행 등의 선처 받을 노력을 총합 하게 되었으며, 결국 치유농장을 다시떠오르기 플랫폼으로 실행할 수 있게 된 것입니다.

치유농장은 강제수행으로 누적된 고통(이라는 원시적인 힘)을 다시떠오르기에 필요한 힘으로 전환시켜내어 도덕적, 경제적 가치로 생산할 수 있도록 도우는 플랫폼입니다

우리는 강제수행이라는 과정을 거친 사람이라면 그 기간 만큼 원시적인 힘이 축적되어 있음이 분명하며, 이 축적된 힘을 잘 계발한다면 무엇을 하든 그렇지 않은 다른 사람보다 더 나은 능력을 가지게 될 것이라 생각하며 이를 증명하고자 합니다.

필요한 것은 고통으로부터 축적된 원시적 힘이 있음을 인식하고 이 힘을 이끌어 낼 의지를 가지는 것입니다

그 뿐 입니다
다시 떠오르기 위해서는 이러한 자각(알아차림)이 필요할 뿐이며, 나머지는 주어진 일에 필요한 만큼의 의지를 가지는 것입니다.

...
1993년 인터넷 벤처로 시작하여, 15년 정도의 금융.투자업을 거치면서, "성공하는 사업이 있는 것이 아니라 성공시키는 사람이 있을 뿐"이라는 진리를 발견한 바 있고 이후, 10년 이상의 수행 경험을 통해, 고난을 겪어낸 사람이 바로 그 사람이라는 것을 확인하여 왔습니다.

겸손은 고통이라는 원시적 힘의 결정체結晶體입니다

알다시피, 고통을 겪어낸 사람은 우선 겸손해 집니다,
겸손한 사람은 그렇지 않은 사람보다 당연하게 모든 사람에게 – 심지어 #1 귀신에게도- 환영 받게 되니 성공하지 않을 수 없으며, 다른 사람을 위해서라도 성공해야 하며, 억지로라도 성공하게 됩니다.

어떤 사람은 9가지가 있는데 #2 한가지가 없어서 실패하고, 어떤 사람은 9가지 없어도 한 가지로 성공하게 됩니다. 그 한가지는 바로 고난을 극복해낸 뒤 형성된 겸손이라는 결정이며 다시떠오르게 하는 힘입니다.

우리는 그 한가지를 다시떠오르기를 위한 힘으로 사용하기 위해 오랜 준비를 하여왔고, 그 중 하나가 가칭 '한국사회적가치회복협회: 한가협' 이며, 다른 하나가 '겸농'으로 불리워질 치유농장입니다.

협회에서 사업을 개발하고, 농장에서는 개발된 사업을 구현하게 됩니다.
협회는 수행자를 보호하고 지원하며, 수행자는 농장에서 치유, 회복, 재기의 지원을 받게 됩니다.

우리의 다시떠오르기는 겸손이 원리가 됩니다
우리가 수행하지 않았다면 알 수 없었을 혹은 기껏해야 형식만 알았을 겸손은 이제 생활에, 삶에 그리고 사업의 원리가 됩니다.

같은 일이라도 겸손을 바탕으로 행하면 그렇지 않은 경쟁자보다 반드시 우위에 있게 되니 겸손이야 말로 성공의 원리가 됩니다.

#1
천도휴영이익겸 天道虧盈而益謙 : 하늘은 찬 것을 일그러뜨려 겸에 더 해주고 :
하늘은 교만을 거덜내서 겸손에게 더해주고

지도변영이유겸 地道變盈而流謙 : 땅은 찬 것을 넘치게 하여 겸으로 흐르게 하고 :
땅은 오만을 자빠뜨려 겸손에게 꿇게하고

귀신해영이복겸 鬼神害盈而福謙 :귀신은 찬 것을 해를 주고 겸에 복을 주고
귀신은 자만을 해꼬지하여 겸손에게 복을 주고

인도오영이호겸 人道惡盈而好謙 사람은 찬 것 싫어하고 겸손을 좋아한다.
사람은 거만에 침을 뱉고 겸손을 애정한다

(盈영: 찼다, 교만,거만,자만.오만 , 겸謙: 비었다, 겸손하다) -주역周易 15-

*주:밑줄 친 부분은 이해를 돕기 위해 필자가 덧붙인 문구입니다

#2
천득일이청 □□□□ □ : 하늘은 하나를 얻어 맑고
지득일이영 □□□□ □ : 땅은 하나를 얻어 평안 하고
신득일이령 □□□□ □ : 귀신은 하나를 얻어 신령하다.

노자 도덕경 39장 □□ □□□ 39

▪ 약점이 강점이 되었다는 사실

3배로 한다는 의지는 다시떠오르기를 시작하게하고
겸손한 언행은 다시 떠오르기의 완성을, 그리고 그 완성을 지속하게 합니다.

여기서 우리는 형사채무자라는 치명적 약점이 사실은 강점이 되었다는 점을 이해하게 됩니다,

3배의 의지로
겸손하게 언행할수 있는 사람은 오직 수행자 뿐이며 바로 우리들이며 여러분들 입니다.

100명이 시도하고 101명이 실패합니다. 시도하는 사람의 실패는 주변사람까지 실패하게 만들기 때문에 101명이 됩니다

시도하는 사람보다 더 많은 사람이 실패한다면 성공하는 사람은 누구일까요? 그 사람중 다시 일어서는 1명이 성공하는 사람입니다

어떤 사람이 길을 가다 돌부리에 걸려, 바람에 휩쓸려, 누군가 밀어서 넘어졌습니다
그 사람이 일어나서 다시 나아간다고 했을 때, 넘어지기 전의 힘이 100이라면 이제 100이상으로 증가됩니다(보통은 300정도가 됩니다)

넘어지고 일어서는 과정에서의 고통이 힘을 증가 시킨 것입니다.
바로 우리의 이야기 입니다.

겸 謙
겸 謙
군 君
자 子
용 用
섭 涉
대 大
천 川
길 吉

겸손하게 겸손한 군자는 이를 써 큰 어려움을 건넌다 -주역15-

겸손한 업종

겸손한 업종-착한 업종-이라는 의미는 여러가지 이유로 –품위 없거나, 더럽거나, 위험하거나, 등의 이유로- 사회적으로 필요하지만 사람들이 기피하는 종목을 우선 말하는 것입니다,

근사하고 멋져 보이는 업종은 아직 고난을 겪지 않은 이들의 몫으로 두고 우리는 그들이 선택하지 않는, 그러나 반드시 필요한 업종을 선택합니다.

사회의 전분야에는 제도화된 부분과 비제도 부분이 있고 그 가운데 미제도(제도가 미숙한 영역)부분이 있습니다.

자연계에서 음지와 양지가 있고, 그늘진 부분이 있는 것과 같은 것입니다

예들 들자면 금융 시장에 있어서 은행, 저축은행, 보험사 증권사는 관련 법률에 의해 충분히 제도화된 것들이고 대부업, 전당업, 부실채권 등은 제도화가 충분치 않은 말하자면 미제도 영역에 있는 것들이라 할 수 있습니다.

이외에 아직 어떤 분야든 미숙기에 있는 사업들도 우리의 몫이 될 수 있습니다
(왜냐하면 우리는 미숙함으로부터의 어려움을 감당할 수 있기 때문입니다)

우리는 우선 그늘진 부분에서 시작하여 음지의 것들을 그늘진 곳으로 이끌어 내고, 이후에 양지로 나아가는 방법을 선택합니다

이렇게 했을 때, '형사채무자로서 진 빚을 갚게 된 것이고 빚 갚음을 넘어 다른 많은 사람들에게 도움을 주게 됩니다.

우리가 원했던 것이고 사회가 원했던 것입니다.

차
카
게
살
자

* '착하다 ' 는 말은 선善하다는 말이고, 좋다, 아름답다, 멋지다, 훌륭하다 등을 합친 표현입니다

겸손한 마케팅

마케팅은 상품의 제조, 가공, 유통, 관리 등 시장에서의 제반 활동 말하는 데, 좁게는 시장에서 물건을 파는 활동을 말합니다.

겸손한 마케팅은 상대방의 이익을 전제로 내 이익을 조화시키는 것입니다

겸손한 마케팅은 겸손한 생활에서 자연스럽게 베어나오는 것이 최선이니 우선 생활에서의 겸손을 이해하고 실천(겸행)합니다.
...
겸謙은 마음을 숙이는 것이고
손巽은 몸을 숙이는 것으로도 이해할 수 있습니다.

겸謙의 반대 말은 채운다는 의미의 영盈입니다.

채우고 비우지 않으면 강제로 비워지게 되고 원치 않는 고통이 따르게 됩니다.(우리가 이미 알고 있는 것입니다) 그러므로 채우지 않는 언행이 겸손한 마케팅의 내용입니다.

우선 생활의 2가지 원칙을 세웁니다.

1.생활에서의 모든 채움은 70%이하로 합니다.
내 물잔의 70%만 채우고, 내 밥그릇의 70% 채웁니다
(만약 70%가 부족하다면 그릇을 크게 만들면 됩니다)

2. 만나는 사람 모두에게
   1) 먼저 인사하고
   2) 인사의 각도는 90도, 45도, 15도로 구분합니다

우선 선생님에게는 90도로 인사하고
고객에게는 45도로 하며
친구에게는 15도로 하는 것을 기준으로 합니다
기타의 경우는 위 기준으로 조절합니다.

우선 몸을 숙이고, 마음을 숙이는 과정으로 진행하는 것이 좋습니다.

이렇게 하는 과정에서 겸행이 얼마나 쉽고 또 얼마나 어려운지를 알게 되며 왜 귀신 까지 겸을 좋아하는지를 이해하게 됩니다

이렇게 함으로서
우리의 생산품에, 서비스에, 광고문구에, 겸손이 베어나게 되며 우리의 성공은 지속됩니다.

#계영배는 물잔에 70% 이상이 채워질 때, 초과된 부분만 새는 것이 아니라 전부 새버리는 잔을 말하며 채움(욕심)을 경계하는 선비의 기물입니다

겸손한 업종들

협회와 치유농장이 개발하고 지원하는 몇가지 착한 업종을 간단히 안내 합니다
추천되는 업종의 원칙은 3배의 의지로, 겸행하고, 성공한 후 그 성공을 다른 수행자와 나누는 것입니다.

1. 치유 농업

치유농업은 생산목적이 아닌 치유를 목적으로 하는 농업이고, 치유의 대상은 사회적 약자입니다. 출소자와 그 가족들도 사회적 약자로서 치유의 대상이 되니, 우리 수행자는 대상이 되었다가 회복된 후, 치유하는 주체가 될 수 있으니 우리에게 특히 좋은 사업이 됩니다.

치유농장에서 1~3년의 치유과정을 통해, 수행자는
치유농장주로서 독립할 수 있도록 도움을 받을 수 있습니다.

치유농장은 전국 54개 이상 설치될 계획입니다

2. 치유 여행

치유농장에서 겸영하는 여행업은 치유농장과 마찬가지로 치유와 회복을 목적으로 하는 여행업으로 감사외 사과의 여행을 주종목으로 하게 됩니다.

'버킷리스트 여행사'라고 가칭되어 있으며, 죽기전에 해야 할 일 10가지를 중심으로 여행프로그램을 개발하게 됩니다.

대상은 사죄와 감사의 여행이 필요한 사람들이며, 피해자에 대한 사죄, 도움 받은 사람에게 대한 감사로 꾸려지며 치유 농장의 경우처럼 우리 수행자는 대상이 되었다가 여행업을 경영할 수 있도록 도움 받을 수 있습니다

3.치유 식당

치유농장이 생산목적이 아닌 치유목적이었던 것과 마찬가지로, 치유식당은 상업적 목적이 아닌 치유목적의 식당이라고 할 수 있습니다.

치유농장에서 정성스럽게 생산된 유기농산물들은 상업적 목적이 아니었으므로 가능한 한 최소한 만큼, 그리고 최상의 품질로 생산될 것입니다

치유 식당은 고객에게 치유적 가격으로 제공되며 손님들은 신선하고 건강한 음식을 통해 치유효과를 얻을 수 있을 것입니다.

내 손으로 생산된 작물을 내 손으로 제공하게 되었을때 치유효과도 더해지게 되니 치유 식당은 치유의 완성(의 시작)이라고 할 수 있습니다.

4.치유 출판

"어디로 가야 할지 알 수 없을 때가 진정한 여행의 시작이다.."
라는 감동적인 문구는 터키의 저항시인 나짐 히크메트가
감옥생활 중에 지은 '진정한 여행'의 일부입니다

많은 문학과 철학이, 그리고 온갖 아이디어가 감옥생활
중에 태동되고 완성되기도 합니다

"나를 감옥에 가두지 않았다면 그렇게 많은 책을 읽지 못했을 것이고 영어공부도 하지 못했을 것입니다" 라고 말하는 김대중 대통령의 글과 '감옥으로부터의 사색'이라는 신영복 교수의 책도 있습니다

감옥에서의 고통은 원시적 힘이라는 말은 이미 했습니다. 원시적 힘은 어떤 것으로든 모습을 드러냅니다.

우리의 출판은 조사 재판중인 사람의 선처 받을 노력을 돕기 위해 수형중인 사람에게 수형을 수행으로 만드는데 도움주기 위해 출소한 사람에게는 재범하지 않게 도움주기 위한— 말하자면 치유와 회복을 돕는 출판]입니다

감옥을 중심으로 한 많은 이야기들을 단행본으로 출판하고 월간지로도 간행하게 됩니다.

반성문 쓰기에서 교도소 생활 매뉴얼에 이르기까지, 가석방 가이드에서 징역백과에 이르기까지 가막소를 주제로 많은 출판기획이 있으며, 현재 수행중인 겸사모 수행자들이 저자이며 집필진이 될 수 있다는 점에서 가막소 출판사는 의미가 있습니다.

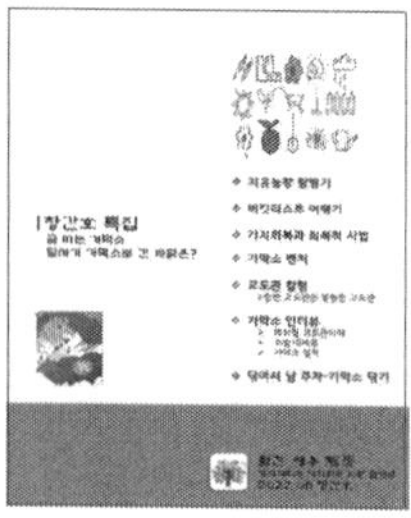

5. 치유 금융-채무조정

채권추심은 채권자의 입장에서 채무자를 압박하는 것이라면 채무조정은 채무자의 사정을 고려하여 채무를 갚을 수 있게 도우는 것이라 할 수 있습니다

일상에서 일어나는 대개의 문제는 결국 돈 문제로 귀결되고 채무불이행이 원인이 되어 형사적 문제 뿐 아니라 평생 삶을 무겁게 하는 원인입니다.

사실 치유와 회복을 어렵게 하는 빚의 문제- 특히 사채 빚은- 해결되어여 하는 중대한 문제입니다

채무조정은 채무자가 다시 일어설 수 있도록 채무를 조정하고 나아가서는 추가 투자를 병행하여 온전히 회복하는 것을 도우는 것입니다

수행자가 다시 일어서고자 하는 의지가 있다면 채무는 비교적 용이하게 조정될 수 있습니다(이미 많은 성과를 낸 적도 있습니다)

우리 수행자는 채무조정의 대상이 되었다가, 채무조정자가 될 수도 있습니다. 이미 그런 자격을 갖추었기 때문입니다

이 문제에 대한 깊은 식견과 경험을 가진 전문가로부터 개인 빚이든, 금융기관 빚이든 도움을 받을 수 있습니다.

6. 남북경협

남한과 북한이 교역을 한지 오래되었지만 걸핏하면 미사일 등으로 도발하는 북한은 남북교역을 늘 위태롭게하고 있습니다

그러나 위태로움이 바로 우리의 기회가 될 수 있고 필연적으로 남북의 교역은 활성화 된다는 점에서 차근 차근 준비 하면 됩니다.

북한의 경제 상황이 우리의 60년대 말 혹은 70년대 초 정도라는 점에서 모든 분야에서 개발 되어야하는, 시장으로서의 북한은 한편 시간이 걸리겠지만 기회의 땅임이 분명하다는 점이 있으며 (우리가 가지고 있는 몇가지 훌륭한 자원도 유리한 점이 됩니다.)

개미처럼 바지런한 우리 민족의 경제 협력은 다른 이의 귀감이 될 것입니다

7. 기타: 가막소 벤처

좋은 상품을 개발하는 것과, 좋은 판매 방법을 개발하는 것 중 우리는 좋은 판매 방법을 개발하는 것이 우선 중요합니다 그러고나서 좋은 상품을 개발하는 것이 바람직 합니다

보통 좋은 아이템을 찾지만, 먼저도 말한 바와 같이 좋은 아이템이 성공하는 것이 아니라 좋은 사람이 성공시키게 될 뿐입니다

전당업과 고물상업을 포함하여 개인적인 아이디어든 직훈에서 습득된 기술이든 3배 의지와, 겸행의 원칙이 전제되고 합법적이라면 많은 업종이 수행자의 다시떠오르기를 위해 선택될 수 있습니다

바리스타에서 한식에 이르기까지, 자동차 청비에서 이발업에 이르기까지, 도자기 공예서 목수에 이르기까지 50여종이 넘는 직훈으로부터 습득된 기술을 – 미숙하다고 하더라도- 사업화 될 수 있으며, 성공할 수 있습니다

대개의 업종은 프랜차이즈로 개발될 수 있으며 그렇게 되므로서 안전한 삶의 토대를 마련할 수 있게 됩니다.

이렇게 되기 위해서는 원칙(3배의 의지와, 겸손한 언행)이 반드시 전제되어야 합니다.

8. 2등, 아니 3등을 해도 됩니다.

1등이 온갖 부와 명예를 얻는다면 2등은 조금의 명예와 조금의 부를 얻을 것이며 3등은 1등, 2등의 경쟁을 보며 좀 더 편할 수 있습니다.

우리는 자연스러운 1등이 되는 것이 아니라면 2등에 만족할 수 있으며, 그렇게 한다면 1등보다 더 나은 2등이라 할 수 있을 것입니다

식당을 하든, 치맥집을 하든, 서점을 하든, 고물상을 하든 위 2가지만 지켜낸다면 우리는 1등을 할 수 있고, 2등도, 그리고 필요하다면 3등도 할 수 있습니다.

적어도 실패하지는 않는다는 말입니다.

도움요청하기

형사채무자가 되므로서 조사, 재판, 수형 등으로 삶의 리듬을 달리 하게되었고, 강제수행의 길로 들어서게 되었으나, 이 길에서 우리는 이전보다 더 나은 길을 발견할 수 있게 되었습니다

이과정이 끝난 후 더 나은 삶의 기회를 얻었다면, 지금의 강제수행 상황은, 앞에서 말한데로 다시떠오르기 위한 필요한 과정이 됩니다.

그러므로 이 고통의 상황을 더 나은 삶의 에너지로 만들기 위해서 수형중이거나, 출소 후보다 조사 재판과정에서 준비하는 것이 가장 좋습니다.

왜냐하면
형사채무자가 되면 조사 재판과정에서의 선처 받을 노력(반성문쓰기 봉사활동 등)중에 자연스럽게 수행을 준비할수 있게 되기 때문입니다.

우리의 도움은 상업적인 도움이 아니기 때문에 어느때이거나 본인이 요청해야 한다는 것이 중요합니다.

1.조사 재판 중 요청하기

조사.재판과정에서의 극심한 고통은 수형 과정과 출소 후 다시 일어서기 하는 데 필요한 원시적인 힘이 생성되는 초기입니다

조사.재판과정에서 준비된다면 이후의 과정은 자연스럽게 진행되고 이전보다 더 나은 삶의 기회를 가지게 되는 것 또한 자명합니다.

2. 구치소에서 요청하기

구치소에서 조사.재판을 받게 되는 경우, 구치소는 30분 전후의 운동시간과 취침시간을 뺀다면 거의 종일 앉아있어야 하는 상황이 됩니다.
불편함의 대가가 있지만 명상하고 공부하기에 최선의 상황이 될 수 있습니다

만약 **수행법(명상법)을 배우고** 구속되었다면 구속기간 내내 명상과 공부의 시간이 되지만 , 그렇게 하지 못할 경우 고통은 자신을 해치는 독으로 남아있게 되며 이후 더 나빠지게 하는 결정적 원인이 됩니다.

3. 교도소에서 요청하기

처벌의 궁극적인 목적은 처벌자체가 아니라 재범방지에 있습니다
그러므로 형량을 정할 때 재범가능성을 평가하고, 재범가능성은 진정성 있는 반성으로 가늠되므로, 형량은 결국 진정성 있는 반성의 정도가 영향을 미칩니다

그러므로 형량이 확정된 후 교도소에서 반성적 태도가 인정된다면 그 인정되는 만큼 가석방하게 되는 것이 당연합니다.
수행자가 명상적 태도로 겸행하면서 수행생활 한다며 그만큼 가석방되게 됨을 이해해야 합니다.

<u>*하산 후 첫 번째 해야 할 일</u>

강제수행이 종료된 후, 삶은 이전보다 더 나빠지거나 더 나아지거나 하며 결코 전과 같이 되지는 않습니다.

더 나빠지는 경우는 수형을 수행으로 바꾸지 못한 경우이고
더 나아지는 경우는 수형을 수행으로 바꾼 경우입니다

수행으로 전환되지 못한 수형 즉 '고통'은 마치, 유독물처럼 몸과 마음에 누적되어 있는데, 이 누적된 유독물이 적절한 방법으로 해소된다면, 바람직한 에너지로 작동하게 되고 이전보다 이 힘으로 더 나은 삶을 가지게 되지만

해소되지 않는다면 해소될 때까지 유독물을 안고 살아가야하기 때문에 , 이전보다 더 나빠지게 되는 것입니다

그러므로 하산 후 첫 번째 해야 할 일은
출소한 날로 2주 이내, 가능한 빠른 시간내에 유독물을 해소 하기 위한 정화.전환과정에 들어가는 것이 필요홥니다.

2주 이내에 가능한한 빠른 시간내에 정화과정에 들어가야 하는 이유는
그렇게 하지 않아도 될 것 같다는 생각들 들게하므로(유독물이 스스로를 유지하기 위해 작용하는 것입니다) 더욱 중요한 문제가 됩니다.

평생 가는 독은 마치 담배처럼(담베보다 100배는 더 해롭지만) 당시에는 별로 해롭지 않게 느껴지기 때문에 더욱 위험함을 반드시 명심해야 합니다.

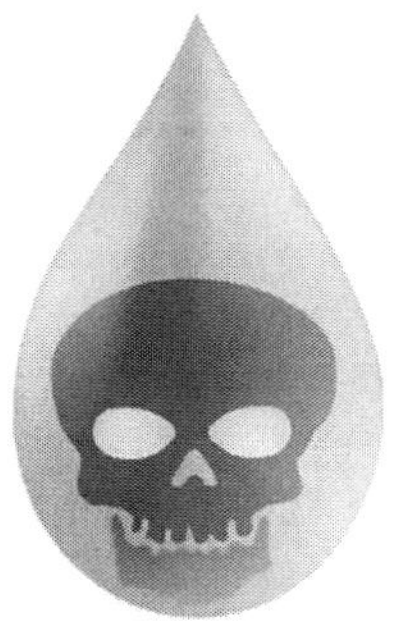

도움요청안내

불구속이든지 구속이든지 조사.재판 중에 도움을 요청할 수 있고, 수형 중에 도움을 요청할 수 있으며, 출소 후에도 도움을 요청할 수 있습니다

앞에서 말한 바와 같이, 불구속 상태에서 조사 재판 중에 요청이 가장 바람직 합니다.
고통이 시작된 시점부터 도움을 요청하는 것이지요

조사 재판 중에는 {선처 받을 노력}에 대해 도움을 요청할 수 있고. 구속된 경우는 {수형을 수행으로 만드는 노력}에 그리고 출소 후는 {다시 떠오르기 위한 노력}에 도움을 요청할 수 있습니다.

1. 불구속 일 때
겸사모가 운영하는 노란리본 카페에 가입하여 도움을 요청합니다.

2. 구속되었을 때
수발하는 사람을 통해 도움을 요청하면{메일수행}이라는 인터넷 편지를 통해 도움 받을 수 있습니다.
'가막소로 간>> 편지'라는 메뉴에서 자세히 알 수 있습니다

수발하는 사람이 없다면 겸사모에 본인의 사정을 설명한 편지로 요청할 수도 있습니다

(인천시 부평구 부평문화로 1057-1, 101호, 도서출판 닭음)

https://cafe.naver.com/noranribbon

노란리본 카페는,
겸사모가 운영하며 선처 받기 노력을 도우기 위해,
2013년 04월07일 시작되었고
2022년 07월10일 현재 회원수는 10,674입니다.

진지하게 요청한다면
모든 도움은 '무료'이며
진지하지 않다면
어떤 도움도 도움되지 못합니다

카페정보 나의활동

매니저 불인
since 2013.04.07.
카페소개

카페관리 통계

가지2단계
10,674 초대하기
즐겨찾는 멤버 701명
게시판 구독수 95회
우리카페앱 수 13회

주제 친목/모임 > 친목/모임일반

카페 글쓰기

카페 채팅

검색

즐겨찾는 게시판

전체글보기 54,229

공지사항
☆나쁘지 않은 뉴스
★좋지 않은 뉴스
반성 관련 뉴스

=-☞ 반성문 등 도움요청
반성문 도움 게시판
공유 반성문(준 수행자)
공유 반성문(謙수행자)

=-☞ 형사문제_지식iN
조사,재판 QnA
法: 정진 변호사 상담실

=-☞ 가석방가이드 요청
가석방 도움 게시판

=-☞ 가막소로 간>>편지
=-☞ 가막소에서<<온 편지

진정한 여행

가장 훌륭한 시는 아직 쓰여지지 않았다.

가장 아름다운 노래는 아직 불려지지 않았다
.

최고의 날들은 아직 살지 않은 날들

가장 넓은 바다는 아직 항해되지 않았고

가장 먼 여행은 아직 끝나지 않았다.

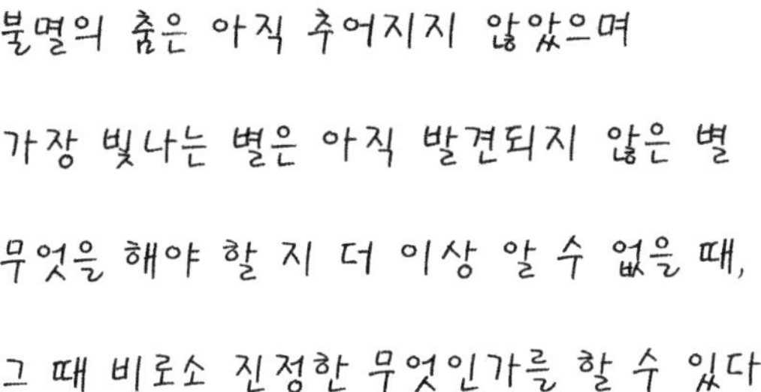

불멸의 춤은 아직 추어지지 않았으며

가장 빛나는 별은 아직 발견되지 않은 별

무엇을 해야 할 지 더 이상 알 수 없을 때,

그 때 비로소 진정한 무엇인가를 할 수 있다.

어느 길로 가야 할지 더 이상 알 수 없을 때

그 때가 비로소 진정한 여행의 시작이다

-가장 훌륭한 삶은 아직 시작되지 않았다
어떻게 살아야 할지 모를 때 그 때가 비로소 진정한 삶의 시작이다-.

에필로그

...21년 5월말, 반성수행가이드 이후 4년 이상을 끌어오던 이 책을 마무리하고 부족하나마 출판하려고 했으나, 우연반 필연반으로 농사를 배우게 되었습니다

온갖 구박 중에 농사를 배우면서, 비교적 게으른 -필자의 식성에 맞는- '자연농업'을 발견하였고, 마침내는 생산이 아닌 치유를 목적으로 하는 '치유농업 ' 이라는,

이 책이 필요한 사람에게 너무도 도움될 수 있는 방법을 발견하게 되면서 1년 넘게 출판이 미루어졌고. 결국 치유농업이 반영된 15페이지 가량의 원고가 생산되기도 했습니다

이 책의 목적은 <다시 떠오르기-엎어진 사람 일으키는 체제>를 만드는데 도움되고자 하는 것이고, 그 기본적 방법을 "반성"으로 하였는데 이제 더해진 '치유농업'의 방법으로, 몸과 마음의 회복과 함께 경제적 회복까지 도울 수 있는 방법을 발견하게 된 것은 필자에게 큰 행운이 아닐 수 없습니다.

' 치유농업 ' 이라는 개념은 농업적 방법으로 사회적 약자의 회복을 돕는 사회적 농업으로 이미 오래전부터 유럽각국에서 발전해왔던 일이라는 것도 농업을 배우면서 알게되었고, 더욱이 우리 정부의 국정 100대 과제에 포함되어 관련 법률이 제정 **<치유농업 연구개발 및 육성에 관한 법률 (약칭: 치유농업법)** [시행 2021. 3. 25.] **[법률 제17100호, 2020. 3. 24., 제정]** 시행되면서 정책적 지원이 시작되고 있다는 점도 매우 반가운 일입니다.

최근 배우고 있는 버섯농사를 포함하여 농업을 배운지 만 1년 4개월이 넘어가는 지금, {치유농장}을 플랫폼으로 한다면 '재범방지'를 넘어 '가치회복을 통한 다시 떠오르기" 를 한층 현실성있게 구체화 할 수 있을 것으로 생각됩니다

...
그동안 치유농업사를 목표로 유기농기능사, 버섯종균기능사를 취득하고 도시농업전문가 과정을 배우면서 발견하게된 치유농업의 많은 가능성들은, 도시농업단 팀장님을 비롯, 반장님과 총무님 그리고 20명의 동료 농부님들의 적지 않은 도움때문이었습니다.

비단 농사뿐 아니라, 사업단의 구조, 구성원들의 특성과 동료간의 갈등에 이르기까지 어느 하나 도움되지 않은 것이 없으며, 특히 팀장님의 수행적 리더쉽은 제게는 큰 귀감이 되었고, 본인의 깊은 지병에도 불구하고 대인적 태도로 동료들의 큰 위안이 되어주시는 반장님, 사업단의 보석인 총무님의 총명한 언행은 향후 {치유농장}을 어떻게 꾸려야 할지에 대한 중요한 가이드가 되어 주었습니다

그리고 대장요정 영란선생님, 슈퍼맨 조나한님, 일등 일꾼 방기사님, 최고기술 염테크님, 선한 농부 선동선생님, 똑똑이 조선생님, 번개맨 이선생님, 기독처녀 갱미님, 잔소리 대마왕 정수기 여사, 센스쟁이 서비님, 최고날씬 라니여사, 돌아온 일꾼 맹자님, 엄청 잘해 미영님, 돌부처 꽌수님, 금캐는 사람 최선생님,...

필자가 결국 {치유농장}을 꾸리게 된다면 동료들의 덕이 적지 않으니 필자를 포함하여 {치유농장}으로 부터 도움받을 많은 사람들은 이분들에게 마땅히 감사드려야 하겠습니다.

감사합니다.

2022. 10. 15
초보농부 겸인,

이 책이 나오기까지 기부, 후원, 자문등 도움주신 분들과 단체

정 진, 유대희, 황순식, 이백님, 김명일, 김정애, 박희배
이성식, 김철중, 전재필, 허삼만, 황준익, 이기수, 이주일
인겸, 겸문, 수겸, 희겸, 복겸, 겸웅, 태겸, 겸두, 강미라
이헌석, 대겸, 주겸, 이경수, 이휘재, 유정순, 유종선
임동건, 박주양, 유진형, 유승미, 최엘리사벳, 동광문화사
도시농업단, 이사부님, 전멘제, 박박사, 전박사, 고박사
짐멜선생님, 신무도주 무산선생님, 지장보살 혜진스님

도서명: 반성별곡

부제: 누고 살자

발 행 | 2024년 3월 26일

저 자 | 겸인

펴낸이 | 한건희

펴낸곳 | 주식회사 부크크

출판사등록 | 2014.07.15.(제2014-16호)

주 소 | 서울특별시 금천구 가산디지털1로 119
SK트윈타워 A동 305호

전 화 | 1670-8316

이메일 | info@bookk.co.kr

ISBN: 979-11-410-7818-8

www.bookk.co.kr